水神

㊤

邱致清

出版緣起／

國藝20，藝意非凡

——「長篇小說創作發表專案」二〇一六年作品出版

二〇一六年，國藝會邁入二十年的里程碑。歷年來，國藝會於國內藝文領域扮演重要角色，積極輔導、協助、營造有利文化藝術工作者的展演環境。一九九六年開辦常態補助，二〇〇二年啟動策略性的專案補助，二〇一五年更與民間藝文團隊聯手推動七項國際藝術網絡發展平台，協助台灣優秀藝術家及團隊進軍國際舞台。

自二〇〇三年，國藝會因觀察到長篇小說發表不易及出版環境的艱困，啟動「長篇小說創作發表專案」。十餘年來，專案推動多部重要文學經典，有半數以上獲得國內、外重要文學獎項肯定，也跨界改編戲劇，翻譯其他語言發行其他國家。也透過藝企平台的媒合，由和碩聯合科技股份有限公司從二〇一三年起，每年贊助專案一百萬元。

長篇小說專案推動十三年來，以挖掘當代文學經典為目標。遴選優秀創作計畫案，補助創作者寫作期間生活費，並嚴格把關作品質、量，協助作品後續推廣活動，期能透過全面性的機制規畫，讓優秀作家能在此平台盡情揮灑創意，並於華文出版市場發光發熱。二〇一六年第一部出版作品——邱致清《水神》，長達三十九萬字，是一部大格局的商戰小說。從台南糖商李氏家族三百年興衰史，以及商業之神——水神的信仰傳說，反映早年府城生活情形、社會習俗、宗教信仰及商場競爭……等精采情節，內容豐富如百科大全，也期待這部作品未來能有其他跨領域改編的可能性。

國人旺盛的原創力，是國家文化的重要基底根源，好的人才必須仰賴好的舞台長期經營、支持。期許國藝會長篇小說專案，在下一個里程，仍能持續促進國內文學生態、成為華文作家堅實後盾，並迎向全球讀者、搭建華文小說國際平台。讓更多優秀作品得以被閱讀、重視，讓世界不為人知的美好價值，透過「小說」在各角落持續發聲、對話。

國家文化藝術基金會董事長 施振榮

自序／
眾神的故鄉

截至西元二〇一五年底，台南市登記有案的寺廟總數已達一千六百餘座，超越境內的便利超商數量，台南市是寺廟數量最多的城市。在台灣每十座寺廟，就有一座建於台南市。在台南市的土地上，寺廟密度為一點五平方公里。上述這些數字，還不包含基督教教堂的數量，台南可以說是「眾神的故鄉」。

十七世紀荷蘭東印度公司，就將「大員港」繪製在他們的航海地圖上，貿易頻仍帶來了巨大的文化衝擊，新港文書裡的羅馬拼音，讓尪姨也初識了上帝，但沒有人知道，阿姆斯特丹證券交易所中，「東印度公司」的股票裡，是用多少西拉雅族人血淚換來的。

到了明鄭、清代時期，大量漢族移工進入台灣，隨著海運業興盛，逐漸發展出台灣西南諸城市的輪廓，商業發達，人口激增，眾神隨移工而來，落地生根，庇佑祭拜祂們的人們。但開漳聖王、保生大帝及三山國王或許不解，土地上多少次腥風血雨的郊拚械鬥，是因蝸角之爭而起。

就在此時，「郊商」制度也悄然成形。「郊」是台灣清代各式同業公會獨特稱呼，府城有三郊：北郊、南郊與港郊。更小的還有魚郊、煙郊、布郊、茶郊、生藥郊……郊商四立，一時蔚為大觀，「郊」字由來在學術上莫衷一是，但廣為人知的見解是泉、漳用語中「交關」之意轉化（「交關」在閩南語中為交易的意思）。這樣迷人又神祕的素材，很快就成為《水神》這部小說可以延展的部分。

在台灣小說史中，鮮少以「商戰」做為小說基底。二〇〇九年底，我欲書寫一篇關於台南水文河渠及文學發展的論文，發表之前原本信心滿滿，以為文字中已經清楚交代研究脈絡，卻慘遭審稿教授無情的批評：「你認識台南五條港嗎？你知道水仙宮裡拜的『水仙』是指哪些神明嗎？」

「屈原……」我心虛地回答，我記得有屈原，印象中也有大禹，但我始終沒有把握，因為我對府城的身世，是如此的不確定。查閱相關文獻後才發現水仙宮與三郊關係竟是如此緊密，在漢文化圈中，「水仙」與商業密不可分。水仙：司商之神也。水神既是大航海時代，航海船員的守護神，也是財富的象徵，書名《水神》，便即寓意商業總有風險，正如人生波瀾起伏，應隨浪順風，諳於潮流。這是一座城市的故事，我寫五個世代，正如水仙宮這樣一間廟宇裡，祭祀著五尊神明，祂們是「水神」也是「商神」，商業的起伏對應一個家族的興衰，順風與逆風之間，同樣見證數百年來城市的潮起潮落。汝為台南人，應知台南事。台南文學先驅葉石濤先生自謙是「沒落的貴族」，比物連類現今的台南人，因城市的發展遲滯，人口為六都之末，或有懷憂，卻不曾喪志，我深知台南人不會忘記祖先遺風裡王城的氣度。

非常感謝國家文化藝術基金會，給這本小說一個機會，讓《水神》有幸問世，將我對台南的光榮感化為文字付梓，得以向過去的台南人、現代的台南人、未來的台南人致敬。全文最終定版為三十九萬餘字，字數約為駱以軍小說《西夏旅館》的二分之二，顏忠賢小說《寶島大旅社》的二分之一，《水神》可以說是一本台南的百科全書，小說的血肉是揉合中醫學、疾病學、古代航海、商業史、傳說、戰爭史、閩南飲食文化等各種考據研究之所得，構築今日長篇的規模。對於市場能否接受這樣的作品，作者實無把握，或如美國文學巨著《白鯨記》花了二分之一的篇幅在說明補鯨的相關知識，在作品問世七十年後，才被文學界認同。在講求輕薄短小的台灣出版市場上，《水神》的字數恐怕是個風險，讀者喜歡啜飲涓泉，不識相的作者卻寫出一篇浩瀚長河。

於是小說盡可能以通俗寫實的方式，來呈現故事的樣貌，讀者很容易發現介於清代的幾個章節，敘事方式近似於明清白話小說，或有說話與講古的風味；但小說也不會捨棄原本就該賦予其「文學」使命，讀者一定能領略其中「言之有物」與「意在言外」的部分。《水神》合計涵蓋五個大世代（大時代），上自康熙年間的府城，到今日的台南，全文聚焦於李氏家族興衰。

康熙年間的李逵（小說原型為水神：大禹），接手父親的事業，講求以和為貴，以疏水方式經營商務，安穩度過朱一貴事變，開啟李氏家族恢弘的基業。康雍乾末期，林爽文事變後，李家孫輩興起，李羽（小說原型為水神：項羽），展開一場家族中的「楚漢相爭」，李氏家族在此一時代，正式花押鬮書分家。至光緒年間，家業更衰，家族中的繼承者李硯（小說原型為水神：寒奡）個性古怪，力大無窮，性好漁色。清法戰爭，法軍封鎖澎湖水道，於億載金城協助清軍用砲擊退法國海軍，乙未戰爭時被林少貓譽為「寒奡」再世。日本時代開始，李啟明（小說原型為水神：伍子胥）多次受日本人迫害，在西來庵事件中被日本捐客訛詐，敗光了事業，一怒白了頭髮。李少陽（小說原型為水神：屈原），生於日本時代，擔任電影院員工，後以百貨事業發跡，李少陽歷經二二八、白色恐怖，被人構陷，關押綠島數年，但卻不曾抱怨時局，喜歡創作新詩，任同業公會理事長，被眾人暱稱為「愛國商人」，最後死於台南龍舟賽。

上述故事梗概，猶須讀者親自領略。期待讀者能在《水神》文字之中，探索台南的美好，敬邀所有讀者找個時間，一起來台南尋幽思古，探訪眾神的故鄉。僅以此文謝謝所有協助出版的小天使，其中包括蔚藍文化林宜澐社長、黃景暉經理及協助審稿的邱致閔先生，和其他默默支持及鼓勵，而使《水神》能順利出版的朋友。

目次

第一章：暴風雨

一陣狂風驟雨之後，四周慢慢安靜下來，平底船在廣闊的海面上載浮載沉，伙長[1]手上的針路，轉過甲庚方位後，漸漸歸元，照以往「東番針路」順遂的經驗，依巽方而行，昨天應該就可以抵達台灣，但更香燒過了一支又一支，改了又改，原定的上兩個更香的時辰就該到達澎湖，現在卻遲遲不見媽宮港，這時海頭[2]也有些著急，命令阿班[3]快些上到桅桿頭，看看風向及海面狀況。

一道陽光衝出烏雲，像暗夜浮屠頂上的一盞明燈，指引迷途的人們方向。冷涼涼的空氣中透露出一股暖意，天頂上的佛祖，恰似在對海員們，露出祂一抹幸運的微笑。雨後的視線更加清晰遼闊，水波粼粼散射出耀眼的光芒，那道由天而降金色的陽光，把黑水溝照得清楚透澈，那種安靜、祥和與微浪的輕柔感，讓水光變得更加清白透亮，疊疊層層的魚鱗更加耀眼奪目，那條蟄伏於水中的大黑蛇，

1 伙長：管理羅盤與行船方位、船速之人，通常設有正副伙長各一人，類似現今航運業大副的角色。
2 海頭：船長。在台南市安平區有「海頭里」，此與早期華人移民的「頭人制度」有關，領者曰「工頭」、「頭家」，領船者便曰海頭。
3 阿班：負責船桿三桅管理與維修的水手，至多兩人。

遠遠看去就像是凝眺遠方，蓄勢待發，即將騰空飛行的金龍。

但佛祖的眷戀並未長久，下一刻那道金光就收斂在烏雲裡，黑水溝一下子就變得更冷更深又更黑，桅頂的阿班睜大了眼睛瞭望著，平底船最後終於慢慢地停了下來，原本鼓鼓的風帆也垂頭喪氣起來，海頭皺起了眉頭，行船就是要走風：每一個靠海生活的人，哪一個不是愛風又怕風？航行就是企求一路的通暢順遂，張羅滿滿風帆的船舶，就怕毀於強颶，但若連一絲風力也沒有，船兒停滯在此直到水糧皆盡，眾船員也只有死路一條，現在困在這裡，哪也去不了，想著想著，海頭的心情又更加沉重了，不能怨也不能怪，這一切也全都是討海人們的宿命。

之前遇到風雨，直至現在才抵達此處，現在卻又不幸失去風力，海頭站在艄面（甲板面），原本飄飄在一旁的鬍鬚，現在也垂了下來，他吐著大氣吹鬍子瞪眼睛，心裡想著，若這方向是對的，依先前的時辰早就該到媽宮，他可要親自給廟裡的娘娘磕個頭，感謝天后保佑此行的平安，然後泊個一兩天，繼續往鹿耳門或北線尾方向發展，現在全船載滿了廈門出來的布衣，船上眾船員身家性命也全交給了蒼天，海頭真是想不透，是哪個關聯惱怒了水神？是哪個細節犯沖走船的忌諱？出發前羅經也已經坐駕[4]守護尊神，每個更香時刻，海頭也都親自給官廳[5]裡的天后娘娘神像上香，但走船這十多年來，還是頭一遭遇到那麼多不順暢，他心中不禁揚起一陣不祥的預感。就在此時，桅頂上的阿班大叫著金順發海船，即將通過黑水溝的訊息。海頭此刻的心頭更是沉重，雖然現在無風也無雨，天空陰沉沉的，但走船的人都知道，這黑水溝是最可怕的地方，時有詭怪的大浪產生，現在沒了風力，若無法御風駕浪，一個濤天大浪打來，船身可能就要裂成好幾截。最不幸的狀況是完全無風航行，被黑水溝的潮流一路帶行，就往了人人驚懼的「萬水朝東[6]」，下水落漈葬身在海的盡頭。

正當海頭還在憂愁的時刻，船身已碰觸到了黑水溝的邊緣，兩股水流勢力略有不同，船身忽然一陣顛簸，鷁首激起一大片浪花，海面上的一陣又一陣的波瀾洶湧、驚濤駭浪。海頭心中想著也只有那個方法了，他用匕首一刀劃斷了自己的辮子，披散了自己的頭髮，眾船員見狀高喊著：「划水仙[7]，是划水仙啊！」人人立刻摘下自己身上的匕首，披頭散髮手做划船姿態，眾口齊聲，狀似鉦鼓齊鳴。水面上激起的浪花愈來愈大，海頭的心意更加堅決，一個大浪打了上來，整艘船快速下垂，然後被大浪整個捲起來，拋到半空中。海頭心裡雖求助水仙尊王，但他也沒把握能躲過此劫，這個湧浪極大，整個船身幾乎抬高了幾丈，海頭心裡想著這樣下去船身勢必裂成兩半，嘴裡忍不住喃喃念著：「吾命休矣！吾命休矣！」

康熙四十九年，原任刑部主事的新任福建分巡台灣廈門道陳璸，乘著小船又回來到大井頭，他原來當過一年台灣縣知縣，對於這範圍內的四坊十五里肯定不陌生。眾人在岸上恭候多時，大小官吏、衙役皂隸、民壯百姓一一磕頭叩拜，長官上岸換乘官轎，招了招手，示意眾人不要擾民，鼓吹手擺下，

4 羅經坐駕：行船儀式，類似道教請神醮儀，請二十四方位尊神、魯班、媽祖等鎮守羅盤，其儀式與禱文詳載於《順風相送》一書。
5 官廳：指船上供水手休息的船艙，明代出使琉球的封舟，官廳是大使居住的處所；清代的民船官廳，除供水手休息外，亦供奉水神。
6 萬水朝東：東方世界所想像的「世界盡頭」，《裨海紀遊》云：「舟至即沉，水勢傾洩、捲入水底、流而不返。」
7 划水仙：古代行船避免災厄的一種儀式，其狀如划龍舟《裨海紀遊》云：「划水仙者，眾口齊作鉦鼓聲，人各挾一匕箸，虛作棹船勢。」

皂隸端好儀仗，官轎一行人浩浩蕩蕩，井然有序地從西定坊往東安坊的城隍廟前進，依據習俗，每一次新的父母官員上任，總要給府城隍爺請個安，打個照面。遊行的隊伍極為莊重卻不喧鬧，上一任長官可是頗為經營排場，不像新任台廈道風聲如此冷清。這一過街，立刻就顯示出新舊兩任風氣上的差異，大家都能感覺到，新任的台灣廈門道很不一樣，沒有官架子，民壯衙役們竊竊私語，之前陳大老爺從福建古田轉任台灣縣，只當了一年知縣就調回京城刑部當官，這縣衙道衙大小雜役對他都不熟悉，也不知這樣的長官到底好不好，更不知其個性是瀆是廉？連帶這些擔任下屬的是要附和還是箴諫，也都難拿捏。

但過了三年，新任的台灣廈門道政策推展頗為順利，重修了《台灣府志》，又廢了官莊租賃，台灣府商業也開始繁榮發達，沿著台江內海定落而建的水仙宮，成為商人們的信仰中心，早先水仙宮還是一間草篾小廟，有了這些發達商人們集資，才能改建成磚壁紅瓦的模樣，水仙尊王[8]禹帝位居中堂，左側下落分別為項羽、寒奡，右下依序為伍員、屈原，商業愈是發達，信眾就愈來愈多，祭品也愈來愈排場，水仙們看起來莫不聲威四面、名滿八方。水仙宮外還是可見茫茫大海，碼頭水岸處處泊船，水仙宮街肆上可見苦力們，運搬著各式各樣的貨品。

康熙五十二年初冬，農曆十月十二水仙尊王誕辰，這一年少年頭家正式接掌家業，李逵薙髮結辮，打理好行頭，膚色白如細雪，前庭飽滿，細細薄薄的嘴唇，像是抹了香酒、丁香與朱砂混合調製的口脂，被行號裡那些下人笑稱「姑娘仔」。年紀輕輕就當上了頭家，整個「李萬利」行號上自店夥、下至苦力，人人都議論紛紛，都想看看這少年頭家會出什麼洋相，少年頭家不像老頭家那麼霸氣淋漓，雖多了些識字人的溫柔與神采，但總覺得稚嫩可欺，行號裡那些下人、粗人還以為嘴巴上多掙一些，就能討到便宜，若不是在老頭家的時代就已經安插了人事基礎，身邊培養兩個心腹，讓他們分別當上了家長和做了帳房的老先生，管貨的和管錢的人得識大體，銀房與棧房沒了混亂，行號也不會這麼安穩地進行至今，身為製糖事業的一員，又代表李萬利商號出缺的身分，李逵展現了一個初生之犢不畏虎的氣勢，準備朝水仙宮出發。

他穿過大廳，心裡忽然想到了一些事情，就進到帳房裡，和家長聊了幾句，身為頭家，管理行號這大小事務不能不清楚，記帳的、管銀的，家中大大小小夥計、婢女，辛金[9]鞋錢[10]，出納入荷，關係著每個人的吃飯與說話的那張嘴巴。人兒出出入入，錢貨來來去去，本來就該清清楚楚、明明白白，舉凡進貨簿、存貨簿、支貨簿上料帳出盤，棧房進出；櫃頭簿、現採簿、現兌簿當座仕入[11]，出金轉換；棧房簿、日清簿、總簿的借部貨部，全要有來有去、有去有來，翔實分明。

帳房的老先生提起毛筆，在簿子上點畫了幾個碼子[12]，十六歲的少年頭家對家長、老先生特別敬重。李萬利的老頭家，也就是李逵的父親，三年前的八月十五和李逵的大娘搭上自家的民船，出了港往北前進，說要至笨港商討買辦，半路途經麻豆港，可望順道探望大娘的後頭，結果才剛入倒風內海，

---

8 水仙尊王：為大禹、伯益、寒奡、伍子胥、屈原、項羽、王勃、李白神祇統稱，各地水仙宮主祀大禹，配祀四水仙不全然相同。

9 辛金：辛金又稱「薪金」，雇用夥計按月給予固定的金額做為薪水，類似今日勞動契約中的本薪。

10 鞋錢：又稱「鞋價」，雇用夥計，於每年的年底再發一筆鼓勵性質的薪資，額度不定，類似今日企業界常有的「年終獎金」制度。

11 當座仕入：採買時確實記錄物品名稱、數量、價格，稱為「當座仕入帳」。

12 碼子：特殊記帳符號，代表數字和單位，如「川」代表三、「㐅」代表四不等。因此帳房管理者須具備專業，故管帳者被稱「老先生」。

就遇到一個突然的大風浪，民船不幸翻覆，老頭家與大娘從此就一命嗚呼。

家長與老先生在少年頭家守喪這三年，可是盡忠職守、各盡職責，李逵十六歲終於正式接掌李萬利的大權，這麼小就擔這麼大的擔子，卻一點也不害怕。他的母親早在他六歲那年，就死於天花病，老頭家為了保護李家唯一的兒子，就把李逵親生母親的衣物，給未出過天花的他披上，在這個時代，衛生和醫藥皆不足，人人都知道穿著出過天花之人的衣物，就比較不會得天花病。於是六歲的李逵穿著亡母的衣服在靈堂前叩拜，保母和下人皆避而遠之，家裡那些婢女竊竊私語著，看著穿著已亡娘親衣服的小頭家，嚶嚶小嘴，白白的臉蛋，嫩弱可愛，披上這件女衣，更活脫像個可愛的女娃娃了。但李逵從小就很懂事，在靈堂上不哭也不鬧，很得老頭家的喜愛，只可惜老頭家就嫌這孩子沒有一番商賈的霸氣與骨氣。老頭家想起大井頭後側，有座李萬利商號捐貲小廟，主祀關二爺，一些民壯拳團的漢子，娶不到老婆卻又無所事事的羅漢腳們，都把小廟內的二爺拜認為自己的父親，把二爺的精神奉為圭臬。老頭家回憶起那尊泥塑的二爺神像左手捧春秋，右手扶偃月刀，老頭家看著這個孩子，想著他若能像關二爺一樣能文允武，一定能做出一番大事業來。

這個時代富戶並不注重科舉功名，但也有些時候觀念會改變一切，或許是老頭家欲得文魁，卻屢次不第，就因這樣缺憾，老頭家很注重小孩子的教養，李逵小時候就已經附有商籍[13]，成為童生[14]。老先生雖是少年頭家李萬利商號的帳房，卻也是教習少年頭家寫字的家庭老師，老先生除了記帳本，身邊總會帶幾本顏真卿、柳公權的字帖，他從泉州來，不但熟讀五經四書，更會一手京胡、崑笛或嗩吶。老先生拿捏北管音律極為熟稔，七律七呂[15]之間運轉自如，看他的樣子，好似在泉州做過哪個梨園的琴師，但老先生為人客氣，從不說他在泉州過去的種種，只道那些聲律音樂是自己亂彈，識得幾個字也不曾汲營過公家的差事，說來說去就怕少年頭家見笑。但李逵非但不覺得老先生可笑，反而覺得他見多識廣，說話極富哲理，老頭家還在持家的那個時代，李萬利行號上上下下人物，都稱呼他是「小孔明」，他總是嘻嘻一笑，說他不敢高攀臥龍。

「先生實非臥龍，若先生為諸葛，吾兒豈不是為阿斗？」老頭家骨碌碌的眼睛轉呀轉，話中似譏非譏、似笑非笑。

老先生自己也不自在起來：「老頭家您愛說笑！」

「老先生目若懸珠、齒若編貝、勇若孟賁、捷若慶忌、廉若鮑叔、信若尾生，若此堪擬，應為東方朔耳。」少年頭家年紀輕輕，就能口出文章，適時為老人家解圍。

「不敢當！不敢當！」老先生邊說邊笑：「少年頭家高估小老兒的能力。我只會說說笑笑、插科打諢而已。」

李逵的父親就是喜歡見到這一幕，自貶下人的身價，然後看著兒子替下人們辯駁，你一言而我一語，鬥力又鬥腦，若是兒子出口成章，逗得那些稍微讀過點書的下人們進退兩難，難以招架，他就更驕傲。他自己也受過教育，頗有文采，只不過個性暴烈，從不喜歡聽別人的建言，再怎麼說自己也是

13 商籍：明清時代商業發達，經商者之子可依附於親，入籍於該省份，依此可在當地考取功名，稱為「附籍」或「商籍」。
14 童生：經由縣府院三級考試，取得書院入學資格的生員，無論年紀多大，及格者皆稱為「童生」，此為邁入功名的第一步。
15 七律七呂：於康熙年間被定義的音律，分為「七律」與「七呂」計十四個音階，見《呂律正義》。

個生員秀才，總有一種讀書人高高在上的鼻息，無奈李逵的父親雖通過了歲科考試，自己卻屢應鄉試皆不第，無法中舉，因此也就沒辦法任得一官半職，只好在商場上繼續打滾。四十六歲那年，初獲麟兒，那一年也是李逵父親最後一次應鄉試，結果只獲得了「筆力頗健」的評語，和經魁之路還是擦身而過。原本李逵的父親打算三年後再接再厲，結果次年就因老母病故，依據試典律正規範，服喪期間黜其考試的資格，不能赴考，老頭家從此和官祿絕了緣分。

李逵的父親在商場上闖出名號，漸漸地對考取功名失去了信心，個性也愈來愈古怪，他不得不把希望全寄託在這個孩子身上。這時李萬利已經是台灣府知名的販糖商號，坐擁廣大的佃田分戶，百餘名長工壯雇，原本在生意上應該講究和氣生財，但老頭家在商言商，加上自視讀過些書，喝了文昌星的墨水，腦筋也變得僵硬，他商場上作法既不留情面，也不捨人後路，若遇價低者就甘願削價競爭，也不願讓對方得利；要是哪個糖賈，壓榨甘蔗煮汁為糖，多他們李萬利行號產出一斤青糖（又名「烏糖」、「黑糖」，指未純化煉製的糖品），就要被老頭家視為仇敵。他總覺得自己做生意，就喜愛那種單刀直入、非友即敵的爽快感覺。李逵的父親除了自己熟讀四書五經之外，也對一些傳奇小說頗有興趣，李逵的父親四十五歲那年，在泉州買得一本奇怪的書籍，內容殘缺不全，整本也僅剩第三十七章回，但從上頭的隻字片語，可看出故事的生動與精采，他猶記內容主人翁就叫「李逵」，做人豪氣爽朗，他自認自己就是這樣的個性，於是就把自己的愛兒也取名為「李逵」。

帳房的先生初聞老頭家這麼做，就覺得不妥，他知道「李逵」這名字是小說《水滸傳》裡的人物，康熙聖上下令禁絕此書，自從三藩之亂後，這幾年台灣多有落草逆匪高舉反清口號，為了削去鄭家在台灣殘餘的勢力，東南沿海到台灣之間早就不見《水滸傳》的蹤跡，老頭家竟然還能在泉州買到散本，肯定是危險至極，老先生少年時也讀過《水滸傳》，每個人物性格盡皆迥異，要不智多星吳用、玉麒麟盧俊義，再不然就是宋江及時雨也可以，想來想去就是奇怪，怎麼把自己的兒子，取了個黑旋風這個大老粗、笨鐵牛的名字，老頭家真是引據失當，老先生自己也深知梁山人物皆為落草，若是少年頭家得此姓名，以後恐怕會有口實，忍不住向老頭家建言：「『逵』字恐怕不妥！」

「老先生此言差矣，《爾雅》有云：『九達謂之逵』，這逵字定給他帶來好處。」老頭家自信滿滿，一臉臭儒蛋的氣息。

老先生嘆了一口氣，認定老頭家心裡早有所屬，這幾個年頭，台灣大小民亂不斷，這水陸八營官兵，哪一年不是在弭平紛亂，街上遊民、羅漢腳糾眾起事，有事則反、無事也反，三兩頭就有無賴和土匪掛勾，在郊區騷擾滋事，若是給少年頭家下了個梁山英雄的名字，恐讓人多有聯想：「不如起個小字，就叫『捷』，不知老頭家意下如何？」

老頭家左思右想，「逵」為大道，若加個小字「捷」字肯定是不錯的，看了看老先生，老頭家眼睛往上一瞟，但也不能讓他就此順心如意，非要多加些什麼或多減些什麼才甘心：「偏名就叫『捷之』好了：李捷之。」

李逵出了帳房，家長便湊了過來：「少年頭家，抬椅已經備妥了。」

李逵揮了揮手：「我今天不坐抬椅，還是走幾步路好了。走路看風景，舒適又自在，你也陪我去走一走吧！」

「說的也是！」家長應完，便到門口招呼著，家裡幾個雇工忙進忙出，不一會兒獨輪車就已放好了要給水仙尊王祝壽的供禮。

家長清點物品，打理完畢後交代了帳房和管家，眾人就出門去了。

「你以後就叫我阿捷，我叫你阿輝兄，你說好不好？」少年頭家看了一眼家長。

他立刻退了一步：「少年頭家，這樣恐怕不妥，僭越了體制，下人們會說閒話。」

「我也只比你年輕幾歲，你老叫我少年頭家，我也怪不自在的，挺拘謹的。要不然我還是叫你阿輝，你叫我阿捷頭家就好。」李逵整頓好自己頭上的瓜皮帽，一根長長的辮子垂了下來，錦繡的衣衫穿在身上就是好看。

「這個……好吧！」家長還是畢恭畢敬地走在少年頭家後一步。

一群人很快就到了水仙宮碼頭，此地過了晌午，還是非常地熱鬧，一旁工人們忙碌地將貨船物品卸下。宮廟前高掛幾個彩結，戲班子在廟前搭建的竹竿牛皮棚下輪番上演著，四周點心販子、涼水攤，水仙宮立刻就顯示出了熱鬧非凡的氣息，李萬利是水仙宮重修的捐助大戶，還協助闢建了兩個新廂房，每年水仙尊王生日，宮裡一定會找李萬利商號的負責人來主祀。許多商賈信徒也感念水仙尊王這一年的保佑，讓他們的貨船進出鹿耳門水域平安，賺多的特別準備了豐盛的供品、賺少的也會添些香油錢，對於水仙尊王，各商各賈可不敢怠慢了禮數。

穿過水仙宮的大門，就看到廟門旁邊有一個人，穿著破爛的衣服，肯定是個羅漢腳，轉了個身子，見到了李萬利家的人，立刻退縮到門板後面去。李逵一見到這情狀，立刻就知道這裡頭一定有些什麼，趕緊回過頭去問家長：「那個人是誰？」

家長立刻附耳：「金興順商號的雇夥，之前是和我做布疋點對的對口之人，金興順商號是專門做布衣買賣的。」

「既然是金興順的雇工，怎麼會讓他穿得這麼破爛，他們家的頭家呢？我跟他們家頭家打聲招呼。說這也奇怪，怎麼一個雇工見到了我們，就要躲藏起來？」李逵停下了腳步，繼續張羅下人們運搬著供品擺設。

「少年頭家有所不知，金興順商號已經窮途潦倒了，現在那個長工也成了羅漢腳。」

「金興順商號倒了，怎麼倒的？我記得好幾年前，府內幾個大布莊還都是金興順商號的鋪子，怎麼說倒就倒？」

「少年頭家剛剛接掌家業，有所不知。這是老頭家時代的事情了……」家長緩緩地說出了這段故事。

李萬利是台灣府知名的糖商，金興順是台灣府知名的布商。但金興順的蘇老闆，就是喜歡鋪張豪華，吹噓自擂。話說那一年同樣也是水仙尊王的誕辰（下元節：農曆十月十五日，水官禹帝生日），眾行號代表聚集在水仙宮前，金興順特別籌辦了幾桌酒席，邀大家商討水仙宮重修改建事宜。雖然水仙宮已變成磚牆紅瓦，但去年夏季的一場暴風雨，又把水仙宮的屋瓦給吹壞了，加上大家商場上有成，金興順打算展現自家資本雄厚的實力，炫耀自己的財富，在酒席上宣告將全額捐助重修水仙宮的費用，並加以擴建兩個廂房。

結果老頭家一臉不高興站起身子：「憑哪一點能證明金興順能包辦水仙宮的重修和擴建？你們金興順可以的，我們李萬利家也可以。」

蘇老闆是不堪譏諷的人，立刻也回話：「李老闆此言差矣，金興順的布料可比李萬利產出的糖還多，布工織工人數就比李萬利的蔗佃糖工還多，金興順名下有台廈兩地商船三十，民船數百，若全數夜泊於台江之內，漁光如星。光憑這一點，我就能自籌自辦。」

「蘇老闆說這些話，也不怕水仙尊王恥笑，我們李萬利的青糖，多到從水仙宮前倒下去，整個海水可都會變成甜的。」老頭家瞪大了眼睛，就看他怎麼接招。

酒席上各行號頭家或代表，都想看看這台灣府的大糖商和大布商怎麼個鬥法，一來一往到底誰輸誰贏。只見蘇老闆也拉高了語調：「就憑金興順家的布料可以用牛車裝運，一路排列而去，北可至諸羅山，南抵達鳳山……」

「說話也不打草稿，憑你們金興順的實力，牛車上至鎮北坊，下到寧南坊就全斷掉了。」老頭家如連珠炮般說話，劈里啪啦地響，一時氣勢驚人，惹得眾人哈哈大笑，連家長也只能乾縮一旁。

「不然這樣好了，你們李家倒一簍青糖到水仙宮前的海中，我金興順就派出五牛車的布疋往北，五牛車的布疋往南，這樣就能知道雙方的實力。」蘇老闆做出了重要的宣示。

「不妥！」老頭家眼睛骨碌碌轉了一下，心裡有些計畫：「我怎知你們家有沒有派牛車出發，況且我倒一簍，你們等過了三更才出十車，這根本就是誆人。」

「不然你要怎麼比？」蘇老闆說出這句話，正中老頭家的下懷。

「我一簍青糖換你十車布疋，你幫我倒入水仙宮前的海中，我幫你把牛車驅往諸羅山與鳳山。一簍換十車，看誰先停簍停車，誰就輸了，水仙宮重修費用就由這局的贏家自出。」老頭家腦筋裡撥動著如意算盤。

酒席上各家行號都面面相覷，這樣的比法簡直是豪賭，稍一不慎可是損失慘重。

「就同意你這個比法。」蘇老闆交代了旁邊陪同他過來辦事的雇工阿貴，拿來紙與筆，雙方立刻就在水仙尊王的面前畫押作契。

從第二天開始，李萬利大鬥金興順就成了台灣府家喻戶曉的戲碼，李萬利商號分別在大天后宮、大上帝廟、海會寺招募羅漢腳和一般苦力；金興順也不甘示弱，在城隍廟、小天后宮、關帝廟前招募民工。從當天開始，固定時刻，李萬利商號就派出苦力挑擔一整簍青糖往水仙宮方向而去，和金興順的管家點收後，就倒入水仙宮前的大海；相反的，金興順也在同一時刻，遣出十輛牛車，載滿布疋，金興順的雇工阿貴和李萬利的家長對點後，分別往諸羅山和鳳山的方向出發。兩商大鬥法不但驚動整個台灣府，幾乎全府所有民工人力，全給這兩個商號聘走，甚至連全府的牛車和竹簍都缺工缺貨，十里的糖廍糖坊全天趕工，四坊的布店布莊整天休業。連續三天，水仙宮前的海面，出現了奇怪的泡泡，緊接著一大群海魚屍體就漂在水面上，幾天的腥臭讓人作嘔。順著南北大道，往北往南的牛車隊伍，後頭跟著好奇的孩童追逐著，李萬利把牛車驅運到諸羅山和鳳山後，就找了布莊將布疋賣了，然後回頭收購了諸羅山和鳳山兩地的糖。金興順這邊則是不停的自廈門、泉州、漳州等地調遣布疋。

兩商鬥法十天後的結果，府內買不到布，諸羅山和鳳山也開始缺糖。這下可驚動了台灣廈門道，下令說要撤辦這件事情。結果尚未公諭，短短不到十二天的時間，金興順商號就籌不出布疋來了，原因是商號轄下的一艘商船金順發，從廈門載布衣、布疋出發，原定應在這幾日就該到鹿耳門，但卻始終未入鹿耳門港，才勉強結束了這個僵局。這齣鬧劇讓台灣府缺糖又缺布，缺工也缺車，現在總算安然落幕，眾商號才開始要看後頭的好戲。

水仙宮前眾人集會，老頭家算盤打得精，這次鬥法雖有損失，但核算起來還不算嚴重，其實也要感謝水仙尊王的保佑，阻卻了金興順的商船入港，才能讓比賽提早結束，老頭家現在可是名氣響亮，李萬利字號上達諸羅山、笨港，南抵打狗、鳳山：「這場比賽算是我贏，神明可鑑。蘇老闆，你應該沒話可說吧！」

蘇老闆吹鬍子瞪眼睛，咬牙切齒地凝望了李萬利的老頭家，一臉如喪考妣，匆匆忙忙帶著自家的總管雇工，還非常在意身邊的排場，怒氣沖沖地拂袖離開了水仙宮。果不其然，因為這次大鬥法，李萬利商號輕傷，但金興順商號卻是重傷，李萬利還能變賣部分布疋，贖回本錢繼續經營。但金興順以布換糖後，最後卻全部填進大海，餵了東海龍王，不但蝕了布疋的本錢，為了爭這一口氣，還散盡了家財。原本金興順是萬丈高樓平地起，現在也全成了樓倒房塌的泡沫幻影，府內各商家都笑蘇老闆，是觀世音菩薩跟前的散財童子，是太上老君座下的大笨牛。怎會隨著李萬利那個狂人起舞，過了數日之後，金興順就遣散了自家夥計，變賣了地產房舍，從此一蹶不振了。

「阿輝，你把那個人叫過來吧！」少年頭家聽到家長這麼一說，深知這是父親當年所犯下的錯誤，原本好好的府內布商，竟然被李萬利弄得倒閉一途，行號裡還有那麼多人吃飯餬口，現在全淪落街肆，實在也說不過去。

現在能做的，便是做一些補救，如果那些潦倒窮途是因李萬利而產生，現在就讓李萬利來幫助這群人。兩個李萬利的雇工上前勸說，那個人推託之下，才勉強被李萬利商號的雇工帶到少年頭家跟前，李逵看他的模樣，雖是蓬頭垢面，但氣宇不凡，頗有架勢：「你叫什麼名字？」

「阿貴！」他說：「金興順上下都叫我阿貴。」

「聽你的口音，是漳州人呀？認得字嗎？會做什麼事？」少年頭家問著。

他點點頭，然後抬起頭來看看少年頭家：「漳州長泰縣，只認得幾個字。一些粗活都能做，之前也在衙役裡當過馬車夫。」

「我看你就到我們家工作好了，我請阿輝給你在棧房裡安插一些工作。」少年頭家看了一眼家長，示意了一下，阿輝點點頭，拿了個一些龍鬚糖給他吃。阿貴還是低著頭，不發一語，少了一些自信。

原本少年頭家還想開口，卻聽見有人正在喊他。

「李家少爺，李家少爺。您怎麼還站在那裡啊？」水仙宮的主事一路跑出廟門，急忙到他面前：「所有人就等您獻香獻果，還請快些進到宮中，大殿上就欠尊駕。」

少年頭家交代了家長，要他請人先帶阿貴回李萬利，給他換上舒適的衣物，不可虧待了人家。

廟內三川殿貼上各商各賈捐金獻銀的數目，高高寫在牆面的紅紙條上，不是寫著「東安坊某某商號某某捐多少銅錢」、就是寫「西定坊某某行號某某捐多少銀錠」等，其中李萬利商號以李捷之的名義捐出，高懸在紅紙條之首。眾商一路排開，依據各路獻金供銀多寡，排列順序。李萬利本次供銀最多，加上之前協助廟裡翻修增建的部分，自然站到第一排前面，他才十六歲，同一列伍裡的人，年紀不是可以當他父親，就是可當他的祖父，眼見這個「小老弟」站到頭排來，有些人很不是滋味，臉上擺出了嗤之以鼻的態度。台灣廈門道陳璸擔任水仙宮的主祭官，他看了一眼李逵，笑了一聲，說了一句帶著海康雷州腔的官話：「年紀輕輕就當了頭家，不簡單。」

李逵看那大老爺有點黝黑的臉龐，就想起了真武廟裡玄天上帝的模樣，他趕緊縮回身子站好，等候主祭官上香。

獻香典禮隆重簡單，祭典之後陳璸坐上酒席的主桌，他站起身子說道：「台廈之間交流頻繁，然地方上仍有些不安定。在座各位富戶都是受水仙尊王庇佑，而能鴻圖大展，事業有成。我雖奉當今聖上之命，來此任仕，但三年五載隨官職嬗遞，此份緣誼也不知能否再續。今日趁水仙尊王壽誕的好日子，與各位聚首，就是希望各位頭家能合夥互惠，相互協助……」

酒席上各號各頭家都竊竊私語著，以往商人們都是單打獨鬥，獨來獨往，各自經營，現在要怎麼讓這些修身自好的商人「合夥互惠」，又怎麼個「相互協助」法？都讓人丈二金剛，摸不著頭緒。

「如果各位同意，可以糾行成會，建立行業公所或同鄉會館，上可建立規矩，保障行規；下可仗義平匪，穩定治安。」陳璸說著他的想法。

李逵看著大老爺說話的模樣，非常羨慕他的氣度與風範，立刻站起身子應和：「大老爺說得道理，若我們各行各號能同心協力，凝沙成塔。上有『船頭行[16]』，下有『九八行[17]』，只要眾志成城，定能壯大商會的規模。」

水仙宮內七八成商賈，大多是九八行。現在身為船頭行的李逵起身說話，眾人心有戚戚焉，這賺錢可不容易，頭家們多能感覺外有海盜、內有價格競逐的風險，但席上眾商賈對李萬利商號的態度並不友善，肇因於老頭家之前的為人敝帚自珍，個性古怪，對同行攻訐不斷，做人處事不夠正派，就如李萬利上次與金興順的大鬥法，眾行號們看在眼裡，全都笑在心裡，李蘇大戰是老烏龜撞見了醜黿魚，也只有金興順的蘇老闆才會上這樣的當。現在李萬利的當家不同了，新來的說話軟綿綿煞是好聽，假裝自己是讀過書的聖人，但老王八出得一個龜兒子，老狐仙傍得小妖狸，現在李萬利換了頭家，新當家的說起話來不慍不火，但這個小狐狸肯定有些古怪，肯定是在打哪面陰險的如意算盤：「話說得好聽，誰來領教頭牌？」

李逵一聽此話，便知道是大家在當眾羞辱他，他一點都不生氣，看了一下發聲的是陳永福商號的頭家，李逵對他一笑：「陳老闆德高望重，若願意高舉頭旗，李萬利自當願意配合。」

「說得比唱曲子還好聽，你們李萬利老頭家處處在商場上和我們作對，走了一個閻羅王，來了一個青面鬼，現在讓你這個乳臭未乾傢伙說三道四，也不惦記自己幾斤幾兩。」席間還有其他商號出聲

16 船頭行：郊商形成初期，擁有船隻可載貨出入港口，且資本規模較大者，稱為船頭行。
17 九八行：郊商形成初期，擁有街市店鋪，以販售船頭行載貨，賺取其中貨價百分之二做為傭金，營運規模較小者，為九八行。

批駁，讓整個氣氛頓時尷尬起來。

「各位頭家，讓我做做公親。不如向水仙尊王請益，以擲筊方式橫斷。我認為不如先籌個『九八行會所』，單純做商資海象情報的交流。在這裡有水仙的見證，眾行號肝膽相照，不做欺瞞之事，否則必受水仙的責罰。此會所也可聯絡眾商號的感情。也可先別分頭尾，在會所裡大家都是大頭家。」水仙宮的主事說了這樣一段話。既然廟方都這麼說，看在神明的面子上，大家也就不提其他的事情了。

李逵和幾個雇工緩緩地走回自家的行號，確實是有些喪氣，他進到家中，先洗了把臉，便到棧房裡去走走看看，家裡幾個家丁，已經幫阿貴換上了新的衣服，梳洗之後容光煥發，阿貴和家裡面的其他雇工有說有笑，李逵看著他，少了之前的羞澀與靦腆，多了一份自信與霸氣，總覺得他未來一定是個將才。阿輝陪著少年頭家，說這裡說那裡，指指點點阿貴未來安插哪些工作，原本少年頭家並沒有特別指示，但總覺得阿貴與其他雇工與眾不同，應該要重用他做一些什麼，但總又有一種說不上來的防備，或許是透出的那股霸氣，心裡想著想著，就想到戰國時代的孟嘗君身上去了，或許是對阿貴第一眼的印象，轉過廂房後也就淡忘了這件事。

他和家長一路說說笑笑走出棧房往帳房而去，就看見帳房的老先生還在計算的帳簿冊子，原本不想打擾他的，但今天水仙宮發生的事情，讓他心裡有塊石頭壓住，使他快要喘不過氣來，最後還是忍不住，進到帳房裡和老先生攀談幾句。

「少年頭家您回來啦！」老先生看見李逵和家長進到房裡，放下了點碼子的手，抬起頭來問了一聲：「有什麼事情嗎？」

「噯！」李逵一進來就倚在老先生的身旁：「老先生，有些事情想請教您。」

「請教不敢當，看頭家的臉色說話，今天頭家是不是有什麼為難的地方？這樣吧，您不必說話，讓我來為您測一個字！」老先生端上一張紙，提上毛筆要少年頭家在上面寫出一個字：「心有所想，字有所占。這測字的文化始於周秦，盛於唐宋，以字料得吉凶，當以全體字型之意義為上，拆開湊合者次之……」

老先生還沒說完，少年頭家已經寫完了一個字，老先生看了那個字，也就笑了出來，那就是一個和平的「和」字。老先生知道他今天面對了眾商號的挑戰，這是少年頭家的第一個戰場，商場之上亦競亦和、亦敵亦友。誰也沒有對錯，老頭家想連橫、少年頭家思合縱，不同人主事就不同結果，少年頭家竟然是這樣的心思，那想必這個字，是題也是解。

「所謂禾之眾口，留人一口，必當合和。」老先生指點著這個字。

「你也知道我在想什麼？」少年頭家看著老先生的表情，自己也感覺到不好意思。

「少年頭家和老頭家想法和作法都不一樣，不過你的方法在這個時候也許是對的。治水方法各樣各式，鯀以石阻之、禹以渠疏之。所謂萬山不許一溪奔，攔得溪聲日夜喧。留些後路，或許真能『以和為貴』。」老先生說話頗富哲理，讓少年頭家頻頻點頭，最後的這句「以和為貴」更是深得少年頭家的心意，思了思，想了想，轉結在最後的那個「貴」字身上，就想起了今天的那個雇工阿貴。

「對了，我今天見到一個人，氣宇軒昂，你也幫他測一測字，不知老先生意下如何？」

「樂意之至。」老先生站起身子，隨少年頭家和家長，三個人一路來到棧房。

還沒進到棧房門口，就聽到裡頭有人口作鉦鼓之聲，下頭七八個長工眾口鑠金，高呼「萬歲」，轉進房門一看，阿貴身上披了一件麻布，轉了個身子就像一位威風八面的大將軍，沒想到阿貴這麼快就和李萬利家的下人們打成了一片。

「怎麼地，這麼熱鬧？」家長問了一句。

眾人都說阿貴在扮演宋太祖趙匡胤，這回陳橋兵變，黃袍上身，看來就像個大將軍。少年頭家看著他滑稽的模樣，和家長兩人也都哈哈大笑起來。但老先生卻一臉嚴肅，他仔細端詳這個人，肥耳明目，明堂圓潤光滑，自有帝王的天相。

「阿貴，這是帳房的老先生。今天起你就是我們李萬利商號的雇工，我們家老先生可是個測字高手，你不也認得幾個字，說一個字讓老先生為你占卜吉凶！」家長對阿貴說著。

阿貴脫下身上的麻布，走到老先生面前隨口說了一句：「那就幫我測測『友』這個字，我最喜歡結交朋友了。」

老先生臉上立刻顯現不祥的預感：「友！反字出頭，不吉。」

這一出口，少年頭家和家長都嚇了一跳，少年頭家追問了一句：「阿貴為人海派隨和，怎會有反？」

阿貴聽老先生這麼一說，自己也緊張起來：「少年頭家對我極好，我為何要反他？」他看了看少年頭家，心裡一陣緊張，自己原本是金興順的雇工，現在得少年頭家的緣分，而能有這份工作，他可不想再做羅漢腳，知恩圖報都來不及了，他還想招誰惹誰，現在聽老先生這樣一解讀，立刻改了口：「我說錯了，我不是要測『友』字，是時辰的『酉』字。」

老先生拿出腰際的算盤，點撥著上去下來，沉思了一會兒，最後說道：「酉字，九五之尊的『尊』字無首也無尾，此人有帝相卻無帝命，否極也。所謂酉為雞也，雞啼而復明，天淨而滅清。」

這白話愈說愈重，少年頭家聽得一身冷汗，話中句句珠璣，聽起來就像反臣賊子們的口號，每個字都是帶刀又帶劍：「老先生，您說得嚴重了。」

「我真的說錯了，不是友也不是酉，是有沒有的『有』！」阿貴僵硬的笑意更顯氣氛的詭譎。

「有字，有月無日也，若與前兩個字一起看，此事僅有十個月而已。」老先生解得短。聽他的說法，他不是個別解字，而是三個字解到同樣一件事情上去了。

「老先生您真愛說笑……」少年頭家趕緊退出棧房，拉著家長與老先生兩人往大廳走去。

「老先生您所說的是何意？還請直諫！」少年頭家高座明堂，直接問起話來。

「少年頭家莫生氣，小老兒所言句句有本。」老先生把算盤插回腰際，緩緩說道：「此人面相不凡，未來絕對是有一番事業。只可惜我們李萬利家只是個小水塘，不容鯤魚；細枝不能棲鳳凰，少年頭家還是盡早讓阿貴高飛才是。」

「我和阿貴很投緣，他看起來只比我大五、六歲，以這個年紀相論，應是我兄長。老先生剛剛所言，實在讓人難以信服。」少年頭家板起臉孔，現在更像一個小皇帝了。

「少年頭家也別那麼生氣，反正阿貴這幾天就讓他先在棧房學習，我們會嚴加看管，絕對不會有亂子的。」家長看了老先生一眼。

「唉！」老先生深深地嘆了口氣：「也罷，也罷。反正他命裡注定的東西就不會改變，遲早就會走的。」

陳璸心思著為官之道，一個人走進了道署內的「寓望園」，園內有前台廈道高拱乾興建的斐亭，陳璸一路進入斐亭之中，外頭潮水轟隆隆，連綿之聲猶如千軍萬馬，自從高拱乾修了寓望園後，歷任的台灣廈門道都當「斐亭聽濤」、「澄台觀海」這兩處地方為絕世美景，寓望園內的樓閣庭園，總讓人流連忘返。他嘴裡吟念著：「留得清風動去思，千竿湘碧影猗猗。何人喚起文同筆，有斐亭前畫衛詩。」轉眼出了斐亭，往右後方的澄台而去，登高望遠，海水潮流歷歷在目，倚著欄杆：「澄台上下樹婆娑，滿目殘陽動遠波。天水無痕同一碧，風帆如葉島如螺。」

正當陳璸在忘我境界之時，道署內衙役通報，鹿耳門有一漁船，捕獲了一隻「晏公」，現在已經送到水仙宮前，陳璸立刻皺起了眉頭，所謂「晏公」就是一種海怪，閩台常有傳云，晏公是媽祖座前水闕仙班的十八神怪：其中晏公大神就是其一，相傳晏公常和海蛟勾結，突襲航行的船隻。身為地方的最高父母官，社稷安定是最大的責任，他換上了輕便的服裝，招集了衙內的轎班，匆匆往水仙宮的方向而去。

來到水仙宮前，眾人圍著地上的水怪議論紛紛，原本在碼頭卸物的李萬利家苦力，也湊過來幫忙，眾人用粗麻布合力將晏公從漁船抬到岸上。陳瓊一過來，所有人立刻喊著：「大老爺來了，快讓出一條路來。」

原本的人圈立刻出了一個開口，陳瓊進到內圍，空氣中立刻傳來一股腥臭，陳瓊看了一眼，著實嚇了一跳，這就是所謂的「晏公」？身長約兩人併臥，眼睛大如茶碟，全身銀鱗閃耀，似蛇似蛟，但也不是蛇也不是蛟。

「大老爺，捕獲晏公恐怕會有大災難啊！」幾個民眾出了聲音。

陳瓊皺起眉頭：「不可瞎說，這怎會是晏公？只是一條……魚？」身為父母官，實在也說不出這魚的名稱。陳瓊想起風物誌中提及的，南洋呂宋、暹邏一帶在河口有一種魚，四腳大嘴，會吃人。再看看這尾晏公，嘴不大也沒有腳，肯定不是什麼兇猛的怪獸。

「捕獲晏公的隔年，通常不是大地震，就是遭逢暴風雨，再不然就是……」捕獲的漁民堅信著：「我父親也曾在笨港外海，捕到晏公，結果那幾年……」

「結果那幾年怎樣？」陳瓊問了一句。

漁民還支支吾吾不敢言說，旁邊有好事者補了一句：「東田尾出了一個吳球；臭祐莊出了一個劉卻。」

「不可胡說八道。」陳瓊疾言厲色，才止住了這段討論。「吳球」是十餘年前的一場民變，逆匪假借為前明遺裔，宣稱會五行遁法，預謀起事，最後有人向官府舉報，官府一舉擒獲七人，全數杖斃；「劉卻」拳腳自持，和無賴歃血為盟，其黨預謀不軌，襲擊下加冬、茅港尾等地，滋擾地方，後屯於急水溪畔，清軍北路參將聯合駐軍擊退逆匪，劉卻大敗，最後於笨港被捕，斬於市。

眾人議論紛紛，其中阿貴更是聽得入迷，他曾在金興順時就聽過這樣的傳說，在瑯嶠、沙馬磯頭人煙罕至之處，有一種魍魎水怪，凡是擒獲這種水怪的人，就能號令天下。於是他把脖子伸得更長了，想看清楚晏公的長相。

「傳令下去，任何人都不可胡說，編造故事影響地方的安寧，此『魚』先葬於水仙宮後頭，我要祭祀天后娘娘、水仙尊王……」陳璸轉了個身子，回到轎子上，再三交代衙役，今天就要葬了這條「魚」。

阿貴心頭一陣歡喜，他也聽過「吳球」和「劉卻」的事蹟，但他總不認為他們是大逆匪，而是大英雄。想一想自己的姓氏，或許真的和前明的朱家有些什麼關係。回到李萬利商號，整頓好棧貨，吃完飯，他洗了把臉後，就在雇工休息的廂房中悠悠睡去。

那天夜裡，阿貴做了一個夢：夢裡他看見了一個穿著明朝服飾的官吏，指著遙遠的地方，一個青靛色的山頭，他仔細地看著那個方向，小路上站著十八羅漢：降龍、伏虎、長眉、布袋、歡喜、笑獅、開心、挖耳羅漢等分立兩旁，他記得那條小路，彎過之後是往羅漢門的方向而去，從那個方向過去，就是深山了，他有點緊張，但並不害怕。一個紫霞照映在他臉上，他看見了溪水閃耀著五彩斑爛的色澤，兩旁的巨林之下開起了鮮豔的芝蘭，美得像鳳凰一樣的彩色鳥雀，拍拍翅膀飛到枝頭之上。一條溪魚緩緩地在水中逆游，穿過一個石頭縫之後，變化成了另一個形象，他清楚那個形象就是今天所見的「晏公」。他走進樹林裡，那株巨木之上寫了三個字，他認得那些字，其中一個是最複雜的字，便是他待過的金興順商號的「興」字，他念出了那三個字：「中興王」。那個明朝的官吏對他一笑，然後以對皇帝所行的禮儀對他跪拜，站起身子後就消失在小路之上。

阿貴睜開眼睛，天已經亮了。從那天起，他內心就已經有所屬意。他做事勤快，在外也開始結交朋友，常常請碼頭的苦力們吃肉喝酒。苦力們也都稱呼阿貴是大哥，於是只要阿貴一聲令下，各路好漢就會自動聚攏，協助李萬利家的駁船填裝貨物。阿貴到李萬利商號這五個月來，做事積極又勤勞，少年頭家也很欣賞他做事的能力，很快就將他從棧房領班，調為貨物買辦。

以往李萬利商號經營台灣府、台灣縣到諸羅縣這一帶，全都是做糖業的生意，老頭家和大娘也就是因為前往笨港，而在抵達麻豆港前身亡的。阿貴向少年頭家提出了建議，李萬利不要只光做糖業生意，台灣物產豐富：有豆、茶、油、菁、麻、苧、樟腦、薯榔等，甚至下淡水一帶還有許多檳榔，向陽處稱「檳榔」；向陰處稱「大腹」，與蔞藤葉包在一起食用，可去瘴癘之氣。泉漳一帶嫁娶也用檳榔，或許出口這一類東西，頗富經濟價值。阿輝聽了並不建議，畢竟李萬利商號並未觸及這些物產，而且阿輝見過檳榔樹，從高高的樹上採收下來的檳榔，如何運到泉州、漳州，如何保持新鮮？台廈貨物交流，大多是乾貨、布衣，從來沒有聽過使用新鮮的物產，別說運到廈門、泉州、漳州了，光是到了澎湖，檳榔就爛了、臭了。即使不是新鮮的物產，其他東西也不是那麼好經營，就拿油來說好了，要先收購落花生，然後交油行壓榨為油，光是這些事情的繁瑣就讓人心煩，更何況還有茶葉、大豆、樟腦，甚至還有苧麻。

但少年頭家想法和阿貴一致，他認為糖的事業畢竟有限，若能及早經營其他東西，對李萬利是有幫助的，但至於要經營哪些物產，還是有待商榷：「那你打算怎麼做？」

「我想考察下淡水一帶。」阿貴說著。

「為什麼是那些地方？」少年頭家有些不解，下淡水的鳳山八社現在大多移入廣東籍人士，雖然台灣府內也有許多廣東惠潮地區來台雇工，但閩粵之間互有齟齬，那些地方畢竟也不是閩人的屯區，李萬利的事業版圖也未曾到達那裡。早些年的李萬利和金興順大鬥法，往南趨去的載布牛車，確實打開了李萬利在鳳山一帶的知名度。但李萬利這些年並未跨入布疋的買賣，最重要的原因還是少年頭家堅持的那個「和」字。跨足異業勢必和原有的行號競爭，在這之間的取捨如何掌握。

「下淡水雖然有許多廣籍屯民，但深山地區也有許多樹木，如果李萬利在下淡水也設立據點，也可就近取得木材。修船用的桅木、大吉等木材不必再由福州取得，下淡水地區丘陵之地也很適合種桑養蠶，未來也可製作衣帛。」阿貴滔滔不絕講著那些物產。

少年頭家聽他這麼說，想一想，不如就放手讓他去試一試：「好吧！就讓你去下淡水走走看看吧！至於是否要在鳳山辦理分號，等你回來後我們便仔細商酌。」

「多謝頭家！」阿貴喜孜孜的表情全寫在臉上。

阿貴出門的那天，少年頭家、老先生和家長特別到門口去送他。李萬利這麼多工人來來去去、去去來來，從來沒有一個雇工出門遠辦，頭家會親自到門口目送。阿貴帶著十餘名雇工，三大輛牛車的貨物，準備上路。天空看來有點灰濛濛，少年頭家依稀可以感受到空氣中的微微冰涼和氣壓的變化：

「該不會是有暴風雨將至吧！阿貴，還是你們緩個幾天後出門。」

「少年頭家不必擔心，這肯定不是暴風雨。應該是春天的涼風，或是梅雨的早至，如果下起雨，我們會找間茅舍或借宿人家休息，不要緊的。」阿貴說著。

「不過一路上還是要小心……」少年頭家叮嚀眾人。

阿貴點了點頭：「知道了。」他拿起細藤抽根輕輕地打在牛身上，板輪牛車發出了一個啟動前高亢且巨大的摩擦聲，那尖銳的轉轆聲，隨著巨輪的前進，漸漸變成厚實、沉重。聲音的轉換，活脫就像是住在地底的妖怪所發出的嘶吼、咆哮，從大到小、從粗到細、從強到弱，漸漸轉為低語與綿綿不絕的呻吟。

阿貴坐在頭車之上，雄壯威武、氣勢淋漓，十餘名雇工自願三到四人一組，團繞在隊伍的前、中、後，三大輛板輪牛車之旁，人人伸手拿著削得尖尖的竹竿，擺出了陣仗，向頭家領了路錢，就像是阿貴的鐵衛隊一樣，工工整整地排列妥當。隊伍外頭還有許多街坊上的羅漢腳、和一些不知是良是痞，或打哪冒出來的閒雜人等，前來送行，遠遠看去就像是當朝的康熙大帝，準備「第七次」的南巡，阿貴一個人端坐在頭車之上好不氣派，好不威風。

所有雇工都心照不宣，大家端好武術拳腳陣勢，擺上架子。卻沒有一個人敢透露自己從阿貴這裡，已經習得一些基本功夫。事實上，阿貴也並沒有將私底下教導過這些雇工兄弟們「永春白鶴拳」這類武術的事情，跟少年頭家稟明清楚。畢竟人往江湖裡走，多說話一些或多談論一些，總是不太方便。阿貴個性上豪爽，本來就喜歡這類拳腳功夫，港埠前、市場後，這道上來來走走，自然就會和這樣的事情比較親暱一些，加上他自己海闊天空的性格，和這些學問較低下的雇工們氣味相投，每天稱兄道弟、大碗喝酒、大口吃肉，身上若多了些盤纏，使幾個錢就能謀定僧俠劍客、綠林豪傑，縱然不花光積蓄，也不願意憑空換得一個「不識英雄也枉然」的感嘆。就因阿貴有這樣的英雄氣魄，使得他自然而然的，廣結了一些雞鳴狗盜的朋友。

多學點防身的功夫總是比較好的：每每在少年頭家面前，那個堆滿笑容諾諾稱是的面貌之下，那層陰暗負面的思想就會浮上腦海，阿貴在李萬利商號裡極受重用，但他並不滿意自己在李萬利裡的生活，出去闖蕩江湖、巡遊四海還是比較貼切與實際，或許是少年頭家比較文明，商辦門面裡還藏著點儒臭，但這不是阿貴自己的氣味。少年頭家對自己好，心裡惦記著，但多多少少也得提防著他們。

這幾年這樣使錢、交結朋友，自然培養出了自己身邊的一群人。養這樣一群人就是要區隔那些李萬利商號內想攔著他、堵著他的人，要不是看在少年頭家對自己真心的份上，阿貴早就做出不利於李萬利商號的事情了。阿貴為人豪氣干雲，圍在他身邊的長工、雇工愈來愈多，人人都稱呼他是「小孟嘗」，眼前這裡頭出了個「小孟嘗」，縱使少年頭家自詡是個「魏無忌」，勢必光芒與鋒頭也要黯淡不少。

一個人就是這樣，眾星拱月之後則就迷失了方向，阿貴既然被人稱為小孟嘗，待在李萬利久了，自然也就想到了該有自己的「薛」地。因此這趟「旅程」，是阿貴處心加慮、積畫已久的事情，離開李萬利是不得不，也是必然要做出的一種選擇。

雖然少年頭家很信得過他，但阿貴並不信任李萬利家的那兩個門神。阿貴來了，李萬利商號內的風氣就不一樣了，工人們結拜、一起喝酒，三不五時踐練拳術，眾人皆知少年頭家不喜歡自己家的商號，去和那些地下組織、朋黨拳會攪和在一起，或和那些高舉反意的隱密團體有什麼樣的瓜葛，畢竟出入門戶，還要看這上頭是誰開衙門店的，誰是當家掌櫃的，才不會砸了那口吃飯的碗。

商人本來就要做些有益商號的事情，要是被畫到豎旗謀反、藉寇齍盜那個面向上去，對未來的經營恐怕是弊大於利。話雖如此，這李萬利家打雜粗工的下人們，生活苦悶，要是解解小酒、賭個小錢，只要算得上安分，少年頭家也不至於會去過問工人們私底下的生活。可是老先生和家長阿輝可就不一樣，做為打理李萬利商號上下的左右手，一個扮黑臉，一個做白面，那倒是李萬利商號家的神荼鬱壘、韋馱伽藍，把門看得又緊又嚴，這裡上上下下長工們全都壓過手契、立過書狀、牽連保人，這一個謝必安、一個范無救，就像是陰司來的雙無常、青面鬼，怎麼都不會寬貸背地著李萬利家老規矩的人：喝酒、賭博、滋擾、互毆，少則扣薪扣銀，多則掃地出門。

前幾個月，阿輝在偶然的情況下，發現了長工們私底下拜起的「白鶴道人[18]」，他惡狠狠地端起李萬利家規，將木主迎出了棧房。眾人氣憤難耐，原本打算包圍李萬利正殿明堂。沒想到隔天，帳房的老先生竟然就親自出面了，以舉薦自家商號的名義，辦了場「送鶴法會」，他把商號上上下下的工人、奴僕、丫鬟們全叫過來，請來的道士高舉七星寶劍，頓於半空中畫起符籙，細細的咒語聲中，老先生來回踱了幾步：「這白鶴木主肯定是要送走的了。」

然後指著紙紮的凌霄寶殿，指揮著雇工將白鶴道人木主，安奉在那個紙糊的凌霄殿內，緊接著用

18 白鶴道人：相傳為陳永華，其為永春白鶴拳始祖，據近代史家考證，該拳術與鶴的姿態無關，乃為福建人「鶴佬」音假借轉換而成。

朱砂寫了些東西在黃紙上，捲了一個紙圈，最末從案上的蠟燭上接取了火苗，送到紙做的凌霄殿上，不一會兒，整個凌霄寶殿便陷入熊熊大火之中。

「怎麼可以燒掉白鶴道人木主？」「怎這樣大膽，不怕遭神明責罰？」眾人皆議論紛紛，這些雇工兄弟們頗為不滿，下頭竊竊私語都說李萬利商號是怎樣對神祇不敬。

只見老先生泰然自若，過身子悠悠地說：「昨晚白鶴道人給我起了個夢，祂告訴我，有人在暗夜的竹林裡，說錯了切口……」

阿貴心頭一驚，心裡想著這老先生怎麼會知道這樣的來歷？難不成……

老先生又轉了個身子：「木立斗世六十年，太子十三來結義！」他立刻做了個左右手對頂的手勢，阿貴心中更是一驚，這個手勢在門會裡，至少也是個管堂總閣的角色。所謂一聞春典隱語，再說花堂結義，沒想到這老先生竟是「自己人」。阿貴在原籍時，也曾入過門會，但最後因犯了堂規，而被逐出家門。終期所在，心有所嚮。這一見熟悉的切口，魂魄全給那個老傢伙勾了過去。

眾人本想要衝上前去毆打他，在人群正前方的阿貴，立刻伸出一隻胳臂，橫擋在大家面前：「不可，你們打不過爺爺的……」

「大哥，他燒了咱們的祖師爺爺木主，這樣就算了？」下頭幾個長工鼓譟著。

「他剛剛的手勢，難道你們沒看見？」阿貴也舉起手來回頂禮：「先生說得有道理，這白鶴道人本來就是遊方四海，不容於此。」阿貴舉起左右手來，尾指上翹，眾人一看莫不驚駭，這是門會裡見到長輩所必須頂回的「玉蘭指」。阿貴臉色深凝，姿態看似多禮穩重，但他心中卻是冷汗直流，老先生到底是何方神聖？細細思量，這裡不管多少人動手，恐怕都打不過這個謎樣的老傢伙吧！這時，阿貴的腦海裡忽然有個念頭閃過，他想了一想，知道早些年福建廈門的百花堂裡，有個負責執鞭的總閣，一度要被舉薦為香主，但最後下落成謎。此人不但武功了得，還善通音律、戲曲、醫藥、書易、海象，幾乎包山包海，上通天文、下達地理，被眾人稱為百花堂裡的「藥地和尚[19]」再世。但沒有人知道他為何消失，也沒有人知道他去了哪裡，難不成他來到了這裡……

「白鶴道人說祂已經遊歷了龍湖巖、赤山堡，決定返回天界……」老先生望了一眼陷入火海的白鶴道人的木主。接著舉手扣額，阿貴看著那老先生略彎的手掌，輕扣白額明堂，那捏出的最後的手勢，諾諾如兩枚含苞待放的水蓮，是個不折不扣的青蓮指，那是門會裡最崇敬的「送祖」手勢，幾個初入的，混在李萬利裡當長工的門會成員，個個莫不臉色驚懼，那個手勢是只有專門送鄭成功、陳永華這類先祖祭儀才會用到，而且還是在門會裡輩分極高的人才能用，一般總閣還不行。阿貴心頭一驚，難不成他的身分不受限於總閣，而是更高於香主？

「真的是自己人？」「肯定是自己人！」底下竊竊私語著。

「各位都是在李萬利商號裡做夥，低調才是福氣，咱們李萬利商號講求一個『和』字，人和業務和、事和生意和，如果各位覺得李萬利這個小地方，不妥各路大英豪的身軀，理當自由離去，老朽絕不會為難各位英雄少年，但請不要讓咱們頭家有些什麼困擾才好……」老先生將雙手伸進袖子裡，這句話

19 藥地和尚：方以智，安徽桐城人。明末哲學家，崇尚西方科學，著有《物理小識》，參與抗清活動兵敗為僧，積極推動天地會的發展。

聽起來似諫也是恫、是勸亦是規。

阿貴的臉色並不好看，假使老先生也是門會的人，怎會去焚白鶴道人的木主？難不成他已經忘記了漢無中土、滿兒無頭的遺訓。還道這是李萬利家吃了清狗的什麼好處，嚐了滿人的商機，循枉私利，現在反過來撲咬自己人？阿貴原本在阿輝家長沒收了白鶴木主當時，就想要衝上前去，讓他領教一下自己的能耐，現在情勢這樣發展，自己也愣了一下，好在當初沒有動手，否則恐怕早已沒了性命。這人高深莫測，是敵還是友？東拼西湊，愈解愈惑，他心思又回到早些年泉州、漳州，功夫了得的藥地和尚傳說上頭，這個緊緊握著的拳頭也就這樣鬆開來。他心裡還想著，這老傢伙到底是虎還是豹、是熊還是獅？

「阿貴，一路上小心！」少年頭家又叮嚀了一次。

「知道了。」坐在頭車上的阿貴嘴裡虛應故事，但他心裡可想，老子今天出來李萬利，就再也不會回來了，他看了一眼老先生，見他笑瞇瞇地不說一句話，肯定是黃鼠狼給雞餞行。

這趟遠行是阿貴朝思暮想許久的，連身邊的十餘名雇工，也都是平時跟他最要好的伙伴，經過他自己精挑細選所決定的。在李萬利商號裡，還有老先生和阿輝這兩號人物，一個做為鷹眼、一個做為鷹爪，怎麼下手都不是。但說也奇怪，打從開始敘明這趟遠行的計畫，給少年頭家聽聞之後，老先生從頭到尾不但沒有反對，還在少年頭家面前盡說些好話，肯定就是想快些把自己掃出李萬利的家門。他那老傢伙說李萬利務必要經營下淡水，讓阿貴去見見世面也是不錯的說詞，聽了就讓人噁心想吐。

果然是個老狐狸、還掛著那條大尾巴，現在允諾了他之前在送鶴法會上的話，阿貴心還是很不是滋味，心裡想著，嘴巴裡說出口：「嗟！這個老鬼到底在打什麼主意？」

阿貴隨著牛車愈走愈遠，心底真實的心聲，總算可以大方地吐出口來。出得府界，原本應一路往南的半路竹而去，這回阿貴照應所有人：「有人說過府往西而行，約三十至四十餘里路上，有一艘像是『龍船』的巨岩，高高插在半山腰上。」

「貴哥，你也聽說啦！聽說只要坐上了山上那艘龍船，就能順天應時，當上萬歲爺爺……」眾人吆喝著。

「你們也想去看啊！」阿貴揮起細藤，就像在驅動六匹駿馬，用了明黃絲綢編織車蓋的馬車：「那麼願意跟隨我去看『龍船石』的，就同我一起前進吧！」

眾人高舉竹竿，振臂歡呼。整個商隊偏離了正道，離開了官路，走向了未知的小徑。

老先生等阿貴一行人離去之後，便走進李萬利裡頭，嘴裡細細說著：「魯人獲麟以為不祥；塞翁失馬未必非福。」

少年頭家笑出口來：「先生這麼一說是何解？阿貴不在我身邊，肯定是不便多於方便，怎會有福禍之說呢？」

阿輝也剛好走進屋子內，只見老先生一個人拿著算盤，點撥著這些損失，接著輕輕吟唱著小曲子，從音調中可以聽出他正在唱著一板三撩：「禍兮福之所倚；福兮禍之所伏。」

少年頭家看他一臉悽苦，不禁安慰他：「先生不用擔心，阿貴這麼大的人了，不會有事情。」

老先生停下了唱詞，但手仍沒有停下來的意思：「我不擔心他的安危，他現在安全得很。重要的是我們並不安全……」

「這同我們是什麼干係？」少年頭家可不解了：「阿貴到下淡水去買辦，是李萬利的福氣啊！」

這時天空已全然變紅，像血一樣的鮮紅，天空倏忽起了風信，少年頭家出門打探張望：「哎呀！這該不是強颱吧！」

「所謂正月、仲楊、姑洗、槐序發者為颶，蕤賓、林鐘、夷則、正秋發者謂颱。看來這強風應該會條發條止，應該為『颶』而非『颱』。」阿輝邊說邊張羅李萬利大小成員，緊閉門窗。

「少年頭家恐怕要做足準備，這暴風雨可強的哩！所謂天有不測風雲、人有旦夕禍福，此風非颶也非颱、是颶也是颱，但會改變李萬利商號的業本，若不即早準備，這損失可就大囉！」老先生意有所指，嘴上像是念著算經口訣，食指一個橫畫算盤靠梁：「一去九進一、一退一還九，二一添作五，鳳凰雙展翅，籌算三盤清……」

當晚果然風雨漸大，天空風起雲湧，聲勢驚人。水仙宮前的碼頭，點著漁燈的貨船漂來漂去，像是風兒吹動了天空裡的星星。

碼頭上大小商號的雇工忙得不可開交，四處都有人在叫喊著：「暴風雨來囉！」「媽祖娘娘慈悲、媽祖娘娘慈悲……」

少年頭家命令家丁護著油紙燈籠，廟門輕掩防止強風吹進宮中，少年頭家站在水仙宮中，先給水仙尊王上了一炷香，然後走出廟門到碼頭邊，夜裡還有微光，看著李萬利家人手齊備，該綁船椿的船、該運回倉庫的牛車、該分批進棧的貨物，大都打理齊全，他指示阿輝給那些雇工們多一些酒錢，卻沒有打算解散他們的意思：「各位我李萬利家的好哥哥、好朋友們，等一下我請阿輝多給你們一些盤纏，請各位再幫我李萬利商號一個忙，那邊還有些同夥商號的朋友們，正在苦惱著……」

少年頭家指著旁邊的幾個商號老闆，大家都忙得不可開交：順德興布莊的老闆臉色凝重，任憑驟雨打溼牛車上的布衣；新益號的南北雜貨，還掛單在小船舶上，隨著起起伏伏的浪頭載浮載沉，那些雜貨可能隨時都會送給海龍王當見面禮，新益號的林大老闆不禁嘆息連連。

「我們李萬利家可不是個自私自利的商號，大家說是不是。」少年頭家說完後，收起了紙傘，跟大家一樣站在風雨中，家丁還護著微微發亮的油紙燈籠。李萬利家的長工們鬥志高昂，非常有組織地自動分成了好幾組，幫忙各號指揮牛車、拉動小船、固定椿索，淋得全身溼答答的新益號大老闆，感動得差點跪下地來，直在少年頭家面前連說感謝：「小老闆，你可真幫了我一個大忙。」

在李萬利商號內，老先生可也沒閒著，他攤開契書，沿途一大片廣闊無垠的平原，現在全數納入李萬利名下。這些土地買賣，他可也沒給少年頭家說清楚，但他知道這些新地方，是李萬利要躲過這場暴風雨的唯一機會。從新港社到烏鬼厝，然後一直綿延到北方麻豆社、蕭壠社一帶，李萬利商號從那些要返回祖籍地的漢人手上，換來數千甲的契作地，當起了大墾主。這些地方若是全種上甘蔗，肯定也有現在李萬利東安坊基地，甘蔗種植面積的三倍之多，特別是烏鬼厝那個地方，正好位在這片廣大基地的正中央，東邊早已經種滿東印度公司延續至今的大片甘蔗園，但才適過此地，西邊就顯得荒涼貧瘠。

十幾年前，歐汪溪的前身歐王溪，才剛在這裡做了個大轉彎，經過這幾年改道、分流，合併之後又改道，已經逐漸偏往麻豆溪的方向而去，烏鬼厝的西邊盡是海埔新生地，土壤鹽分極高，以至於甘蔗種在烏鬼厝以西的地方，都無法收成，加上這裡接續著早些年的烏鬼傳說，讓西拉雅人對這裡敬而遠之。西拉雅人認定這裡作物無法生長，全是「烏鬼」在作祟，那些身體黑得透亮，紅毛人帶來的雇兵，死前充滿恨意的眼神，深植在廣大西拉雅族人心中。自從那些烏鬼死後，紅毛人治理時期的頭幾年，大目降社、新港社、麻豆社和蕭壟社陸續爆發了烏鬼瘟疫，死了幾百個西拉雅族人。

漢人、紅毛人和西拉雅人剪不斷理還亂的關係，維持了這幾個世代既緊張又密切的關係，這個「烏鬼」事件就是早先紅毛人治理時代所稱的「麻豆溪事件」，紅毛人為了追捕三腳大爺海盜，結果有六十二名紅毛士兵，在新港社到麻豆社一帶，遭到麻豆社人假意幫忙，卻將之殲滅在麻豆溪。麻豆社人也逮捕了紅毛人帶來的大批「烏鬼傭兵」，和一名漢人通譯，麻豆社人見過漢人的模樣，但以前卻沒見過這些「烏鬼」的模樣，既驚憤又害怕，在頭目的默許之下，放走了苦苦求情的漢人通譯，卻殺盡了所有紅毛人的烏鬼傭兵於「烏鬼厝」這個地方。

這件事之後沒多久，就爆發這樣大規模的瘟疫，麻豆社人心惶惶，尪姨[20]問過老君研[21]，牽曲唱了個曲頭，老祖在夜祭裡託了乩身，著附在尪姨的身上，降旨說那些烏鬼，是地獄派來散病灶的鬼魂，加上之後十餘年，紅毛人尤牛士牧師在這一帶宣教，卻藉機要報麻豆溪事件的一箭之仇，故意宣稱麻豆社頭目大腳弄要前往日本長崎，擔心十餘年前麻豆社大員王，和日本濱田彌兵衛聯手，打擊東印度公司的奴易茲事件重演，慫恿新港社人逮捕另一位麻豆社頭目三斗，接著荷蘭人在赤崁調集大軍，浩浩蕩蕩開往麻豆社未暴先鎮，縱火燒毀了麻豆社人的房舍，加上新港社人與麻豆社也有過節，尾隨荷蘭人的腳步，進入社內殺絕了大量的麻豆社老弱婦孺，最後在一位老漢人的居中牽線下，麻豆社人和荷蘭人締和，於是荷蘭人就用非常便宜的價格，買到麻豆社人出脫的大片土地。

之後國姓公來了，這些土地又落入屯墾漢人的手中，但這些新移民的漢人，原本以為這樣廣大無垠的土地，肯定能創造些什麼利頭，卻不知這些地方多為海埔新生地，因鹽分極高而種不出農作物，就這樣荒廢了一代、兩代的時間。現在清廷的鎖海政策已除，這群漢人決定返回原先的祖籍地泉州、漳州，老先生安排了好幾個書契，分別從這些打算離去的漢人身上取回契狀，用更高於附近土地的價格收購了這些大佃。

老先生知道，這些鹽分極高的土地，總有一天是要改變的，變成水草豐美之地。這種改變是劇烈快速的，而非緩慢溫吞的，那些等了一代、兩代，卻已經沒信心再等下去的漢人，不知道這樣的改變即將到來，他們是肯定吃虧的。別人不知道的事，老先生就是知道：特別是這些土地的最北邊是歐汪溪，這片平原上最大的溪流，它緩緩流出平原，和海外的北門嶼和馬沙嶼遙遙對望。這些改變全牽懸

20 尪姨：西拉雅族的女祭司。

21 老君矸：西拉雅族的祭祀器，為壺、罐、碗、甕或瓶的形態，內盛水，稱「向水」。

於這條河水之上，河水曾經改道過，那麼總有一天，注定還會再改道一次，滄海總能夠變換為桑田。

到了深夜，強風變成了傾盆大雨，這個雨勢相當驚人，就像是東海龍王敖廣、南海龍王敖欽、西海龍王敖閏、北海龍王敖順全來到這裡，把祂們手上全年管轄的雨水，全都一次倒在這片土地之上。歐汪溪奔騰如馬，茅港尾的駐汛士兵見狀，立即通報千總，但大水來勢洶洶，先是衝破歐汪溪南堤防，大水朝南邊的方向而去，緊接著北方堤防也破，大水一路往北漫延到林鳳營、龜仔港等地，水勢浩浩蕩蕩，中途穿過官佃庄，大片分佃的官田全成了汪洋一片。不到一刻鐘的時間，歐汪溪主洪便抵達西港仔港，另一股大水轉繞過安定里，兩股大水在蘇厝甲匯流後，改往台江內海而去。滾滾黃濁的大水，就像是注定要宣告台江內海死期的水神判決，夾帶著大量山砂的巨洪，堵滿這曾經商舺如繁星的港津與海灣。

少年頭家在李萬利裡踱步著，將近兩個晚上與一個白晝的等待，約莫隔了一天後的四更天時，外頭風聲漸漸轉弱，但道署衙門那頭卻全沒消息。又過了兩個時辰，三班衙役連忙通知各坊商號大家，台廈道陳璸大老爺邀集各方至道署「寅賓館」一敘。少年頭家抵達署道，穿過大門，穿堂、花廳裡人聲鼎沸，六房堆高著泡爛的文牘公案，還有殘水黃泥的家具，東側的吏房、戶房、禮房，西側的兵房、刑房、工房，全都攤著溼答答的公文，書爺正在儀門挖洞的小神龕上祭拜著「蒼王[22]」，但神龕上頭有一道明顯的水痕，顯然昨天白晝到深夜，還有大前天那個晚上的大水，最高的水線大致就是到那個位置：約莫一個成年男子肚臍眼的上方一寸之處。此時譙樓上正好敲響了五更的更鼓，天還有點淡紫色，雖然天色還未全開，但風雨至少已經明顯去了八九成。

這大水來得快，去得也快，府內到處都是黃泥爛路，可能是交通不方便，或各處災情慘烈，雖然已經派人通知，仍有七八成商號沒有來到，但府內重要的船頭大家、巨賈商人與地方仕紳，因離官署較近，至少來了八九分，光是這三三兩兩的賓客，寅賓館就已經看起來空間狹小、不是因為人多位少，主要還是因為環境雜沓凌亂，館內家具一場糊塗，空氣中一股水溼的腥臭味撲鼻而來，完全失去了官署的莊嚴和隆重。

少年頭家好不容易鑽進寅賓館，館外燈籠和館內四周蠟燭還亮著，可能是剛剛皂隸們才擺上去的。府內、附近縣內各大家早已陸續就坐，新益號老闆旁邊的長板凳還有個空缺，他眨眨眼睛示意是特別要保留給少年頭家，他雖然不好意思，但還是勉強穿過滿是爛泥黃土的地面，一屁股坐在那個板凳邊上，這一坐，頓時覺得屁股溼溼涼涼的，顯然這些椅子也還沒「乾」淨，雖然有點不自在，但看來此時也只能將就著使用了。

陳璸大老爺不一會兒就從偏門進來：「諸位朋友們，道署裡昨夜鬧水，還沒清理妥適，有請各位前來，失禮之處請多多包涵。」老爺坐在中間明堂處，話兒直截了當：「昨夜和前天的這場暴風雨，極其可怖，府內北、西等諸里，西港仔港以北、目佃、大龜肉以南，諸羅山等地皆已陷落，宛若水鄉，死傷不計其數。我已通令各汛千總，協助百姓復原。只是交通困難，諸羅山等地訊息尚且不明……」

22 蒼王：衙門的祖師爺，宋代葉夢得著《石林燕語》中記錄，自當時倘門就已經開始祭拜蒼王，傳說其為倉頡之化身。

「大老爺，昨晚歐汪溪改道，大量泥沙湧進內海，今早我們家的長工們，就發現內海裡多了許多沙洲……」德貴行的大老闆站起身子說話。

新益號的老闆也附和：「大老爺，這次大水帶來的泥沙，淤積內海嚴重。昨日鹿耳門外海以南也出現不少沙洲、海外的北線尾嶼和陸地已經快連合成一，水仙宮前的水灣港埠全是浮木，水深也已經下退到一個人高度，內海處處是沙洲，未來行船恐怕會更危險。」

「唉！這正是我苦惱之處，昨天這場大水，讓四鯤鯓、五鯤鯓、六鯤鯓、七鯤鯓全連成一個沙洲，僅剩鹿耳門港勉強能通行。像西港仔港、安定里港口全都塞住了，以後恐怕也不能行船了。」陳璸面有難色。

「我們還是要留兩條航道給內海，水仙宮這裡是最重要的航道，至少要確保水仙宮到鹿耳門、安平這兩段行船無虞。」德貴行老闆說完話後還是沒有坐下來，因為他大部分的產業全集中在水仙宮這一帶，要是水仙宮廢了港，那損失是難以計算的。

「那就請大夥有錢出錢、有力出力，共同來清沙排淤吧！」少年頭家也站起身子：「之前大老爺所說的籌設『九八行會所』，李萬利自當盡點綿薄之力，我們李萬利願意身先士卒，拿出去年一半的營收來辦理這件事情。」

眾人一聽盡皆驚駭，這李萬利家可是府內糖號大戶，若是真的拿出一半來，這事情成本也至少已有四、五成的規模了。

「該不會只是說著好聽吧！」還是有幾個商號老闆不相信，醜黿魚的龜兒子開口說人話了，該不會是贔屭[23]想給自己背個功德碑吧。

新益號老闆正色：「李萬利家的小老闆絕對是正人君子，如果李萬利家出一半，我們新益號至少也出三成……」

「李萬利家是正派經營……」不少商號開始附和著，這些商號多半是這陣子受了李萬利家幫忙的老闆們。

會議上開始分成了兩派，糖商與一部分的南北貨商是支持李萬利商號這派，認為清淤疏道的工作，交給李萬利家來主持最為適當；另一派則是以前吃過李萬利家悶虧的商號，怎麼說就是要反對到底，李萬利已經是水仙宮的頭牌大戶，若是爐主舉事，一定也能掌握廟務。假若廟務、商務加上疏通航道的工務全給了李萬利家，他家包山又包海，那其他商家豈不要都喝西北風了。

他話裡好聽，未來航道完通，若是李萬利家來個此路是我開、此樹是我栽，大老爺睜一隻眼睛閉一隻眼睛，讓他家給全部過股商紳抽幾個船銀路費，那豈不把這個龜兒子餵得飽飽飽。

「疏通航道是行船的大事，難不成你我要壁壘分明？」新益號老闆這可生氣了：「如果大家無共識，要不就各自疏通自己的航道！」

此話一出，眾人議論紛紛。正中台廈行老闆心懷，心中可是連連拍案叫絕著：沒想到龜兒子這般同我心意，自己不說一句話，卻張羅龜孫子替他出吭。

23 贔屭：又名「龜趺」，傳說龍生的九子之一，龜類，好負重。相傳上古時代能背三川五嶽，大禹治水時收服牠，古碑下的龜型即此。

「大家都是一家人，何必分出個你我。」陳璸大老爺臉色凝重。

「是啊，何必這麼做呢？」少年頭家也出了聲。

「我看李萬利是暗地裡竊喜，嘴巴說大家是一家人，背地裡慫恿新益號出聲分道揚鑣之事，我看這才是李萬利家的本意吧！」帶頭的台廈行林老闆說：「就如你的願，以我台廈行為首的行號，組個『台廈南九八行』、你們李萬利組『台廈北九八行』，我們修水仙宮港接安平的南水道；你們修水仙宮港接鹿耳門的北水道，以後我們井水不犯河水。我們南行的小船出南水道後，轉鹿耳門接駁大船，大家確認鹿耳門為公港，但南北各行經商以廈門為界，我南行僅做廈門以南諸港口的生意，你們北行做廈門以北諸港口的生意。」

「這樣也不錯！」新益號老闆拉起少年頭家的手：「我新益號舉薦李萬利為北行主簿……」

底下約有六七成的行商站起身子：「我們自願要加入北行。」

台廈行老闆不知會有這麼多人力挺李萬利，自己嚇了一大跳。不但台廈行本身意外，連李萬利的少年頭家自己也感到意外：「不敢當！不敢當！我李捷之能力恐怕不夠，還請新益號陳老闆主持公道為是。」

「嗟！我哪有能力，我只出一張嘴。我可沒什麼能力，台廈行的林老闆和你格調差遠了，以後我們北行走我們的鹿耳門道，安平就讓他們去走就是了：他走他的陽關道，我們過我們的獨木橋。」

「唉！也只能這麼辦理了。我會辦理軍牒，要求各汛營兵、各路水軍，配合南北兩行眾家疏道事宜。」陳璸頗為無奈，雖然不覺得妥當，但商場上有他們自己的作法，為官的也只能秉公處理。眼見局勢至此，就依這樣的計畫拍板定案。

少年頭家走出道署，就見到家裡的長工急急忙忙跑過來：「頭家！頭家！不好了，咱們李萬利的蔗田給大水沖毀了，早上各地陸續回報，武定里、永康里、廣儲東里、廣儲西里損失十餘萬石青糖；永豐里、新豐里、保大東里、保大西里、文賢里、仁德里、仁和里也損失十餘萬石青糖，加上……」

「這個先別管，回去問過老先生，李萬利還有多少銀錢，先拿家當一半出來處理疏通航道的事情。」少年頭家一點也不擔心損失，而是將疏通航道之事，放在頭等的位置之上。

「老先生一大早就出門了！」長工說著。

「出門了？他去哪裡？」少年頭家不禁疑問起來。

「我見老先生一大早就往北走，應該是善化里接近官佃一帶，那裡昨晚全在大水之中。」

「水退了嗎？」少年頭家可擔心了：「老先生為何去那些地方？」

「水應該還沒盡，早上許多地方都還是爛泥巴地。」長工說著。

「幫我準備抬轎，我們跟去看看。」少年頭家招呼人手，兩三個長工緊急跑回李萬利商號，準備一頂抬轎過來。

走了將近一個半時辰的路程，少年頭家的抬轎終於來到烏鬼厝附近。荒原惡水，泥黃帶黑的土地覆蓋了一切，抬轎的長工忍不住說：「頭家，這路全給泥水堵住了，若是再過去，我們都會陷進爛泥裡。」

「知道了，讓我下來吧！」他才剛說完話，就發現泥水地邊的草叢中，有個東西在蠕動，他定睛一看，是一個穿著白衣，全身沾滿泥土的少女，全身溼漉漉的瑟縮在那裡。

兩個長工把肩上的抬轎放了下來，高高坐在竹轎椅子上的少年頭家，從一個人身的高度上，下落到地面來：「你們去瞧瞧，那是哪家的小姐，怎麼在那裡？」

李萬利家的長工，頭裹著皂色的頭巾，全身沾著黃黑色的泥土，粗手粗腳地跑到草叢裡，醜陋黝黑的臉，張開缺了門牙的嘴巴：「小姐！小姐！」

那個女子緩緩地睜開眼睛，她看見了那張臉，忍不住叫出聲音：「走開，走開，不要過來。」

「哎呀，我不是什麼惡人。我是李萬利家的長工，我叫黑狗。」他笑得更尷尬，看起來更淫邪了。

少年頭家走了過來，他身上的錦衣也全沾上了泥土，但白皙的臉龐猶然手俊：「請問是哪家的小姐，怎麼一個人獨自在這裡？敢問小姐芳名？」

少年頭家看著她的穿著，臉龐和身材，看來約莫大自己幾歲，算起來也該有十八、九歲了吧！白色的衣服裹著那美若天仙的臉孔，零散的頭髮、驚恐的臉蛋，就像是天女落入了凡間，給凡夫俗子見著了面似的。少年頭家看了看她的那雙腳，是個天足大腳的女孩，肯定不是漢人。

黑狗也意會到了：「少年頭家，您瞧這娘子天足大腳，肯定是個番女。」

少年頭家不能理解，若是番女，怎會穿著錦衣華服，又怎會淪落此地。那個女孩不說一句話，眼淚就這樣汩汩流了出來，她嘴裡喃喃說著：「沒有了，就這樣沒有了。」

原來她是善化里蘇姓大家，自番族裡買來的丫鬟。原本就天生大足，加上她面容姣好，蘇家人就把她當自己的女兒養，從小就和蘇家的兩個姊姊在一起。這兩天的大水，一路湧進宅院裡，蘇家漢人的兩個女兒全都纏了小腳，不利逃生，就這樣給大水沖走了。她翻過圍牆，鑽到一個木門板後面，最後抱著大門板，一路漂到岸邊。此時，她已經氣力脫盡，緩緩地爬到草叢中，最後悠悠地睡去，但她始終沒有睡沉，就擔心大水再度來襲，隨時會把她沖走。

少年頭家正要說話，就見到老先生那頂抬轎出現在土壟上，由遠漸近。家裡兩個長工扛著他，穿過高高的壍地，往這裡走過來，老先生說話中氣十足：「先把這姑娘送回李萬利吧，招呼家裡的丫鬟們，先給她燒個熱水，讓她洗洗澡，洗澡水內要放八兩的麻黃、桂枝，五兩川芎、薏苡仁，之後再讓她飲一杯煎乾了的老薑湯就可以了。」

「哎呀，是老先生。黑狗，快照先生說的去做。」少年頭家這時心裡的大石頭也落了下來：「您沒事那是最好。」

「頭家不必擔心我，我只是來看看我們李萬利家的土地，這老天爺已經幫我們理完田地了。」老先生說著。

「李萬利家的土地？咱們家何時在這一區有掛佃？」少年頭家說著。

老先生在抬轎上指著四方，從那裡到這裡，從這裡再到那裡，眼前所及絕大部分被黃沙與黑泥水覆蓋的土地，現在都已經是李萬利家的資產了。

少年頭家驚訝地說不出話來，這片土地至少就有東安坊外、仁德里田地的三至五倍大，若是老先生說的屬實，更北方之外的那些土地，全部加起來是現在李萬利所擁有田佃的十餘倍之多。

「有請小姐上轎，小的黑狗這廂有禮了！」黑狗笑嘻嘻地攤開掛著黑垢指甲的手，迎著那個小姐上抬轎：「小姐不要給我這粗人給嚇到了，小的心思也是很細膩的。」

說著這樣的話，其他三個長工都笑了。

「黑狗！都什麼時候了，你還在尋人家小姐開心。」少年頭家正色起來。

「是！是！是，我們這就送小姐回李萬利去。」黑狗趕緊正經起來。

目送著那個女孩的身影離去，少年頭家猶然惦記著：「老先生說這些地方是我們李萬利家的土地，此話從何說起？」

「頭家不必驚躁，讓老朽給您話說從頭。」他示意下放抬轎，站到地面上，一五一十地把這事情的經過，說了分明。

只是少年頭家仍有不解，李萬利在老頭家時代，已經打下了很穩固的基礎，為何還需要這麼多土地來充數：「這麼多土地是何意義，還請先生明鑑。」

「所謂狡兔有三窟，僅得免其死耳。今李萬利有一窟，未得高枕而臥，此地亦即為李萬利之二窟……」老先生指著廣大的土地，就像是穩重的軍師一樣精明幹練，若是給他個羽扇，或給他戴上個綸巾，或許真的就是孔明再世也說不定。

「我李萬利家不與人交惡，何須三窟？」少年頭家說著。

「少年頭家有所不知，疏通航道，還需大筆資金，明年此時，此地必然豐收，屆時李萬利方能平衡收支。」老先生眼睛忽然一亮。

少年頭家心頭一驚，是誰跟他說明了李萬利，打算接手疏通內海航道的工務，難不成剛剛黑狗，還是哪個長工先跟他說了明白？

「頭家不必懷疑，李萬利會接手這個任務，老朽早已算計到了。咱們身為大戶商家，算盤一定要核計精確，才不會蝕本。今年是疏通航道的頭年，或許會賠一些。但老朽相信，不久就會回補營利了。」

他瘦乾乾的身影，讓少年頭家一度以為他是哪個仙風道骨的再世道公：「我們李萬利家有先生這樣的帳房，肯定是不會虧本的，有老先生在，真是李萬利家的福氣啊！」

「頭家過獎了，我們這就返回府內吧！招募民工之事，還得從長計議。」老先生說著：「請頭家上轎。」

少年頭家看著僅剩一頂的抬轎，搖搖頭：「先生比較辛苦，這轎子就您坐吧！」

「這不成體統，如果頭家不坐抬轎，老朽也不會坐。」老先生恭下身子回禮。

「這可不行，先生不坐轎子，我一個人在抬轎上面顛懸著，心裡也是七上八下的，要是先生不坐，我就賴著不走。」少年頭家擺出了一個孩童的撒嬌與稚氣。

「這可不行！」老先生尷尬地說著。

「唉唷，少年頭家和帳房老先生，你們兩個都不坐，那我們這竹製的抬轎可得一路空蕩蕩地回去……」長工們露出了不解的表情：「我看老先生您還是上座吧！看在咱們少年頭家心裡繫著你的份上！」

拗不過這款盛情，老先生只好點了頭，上了抬轎。

蘇巧巧換上了精緻的女裝，梳理了頭髮，就像是九天仙女下了凡塵。下人們竊竊私語著，這女孃是番女嗎？皮膚白得像細鹽滷、嘴脣紅得像赤酒糟，怎麼看都像個受過教養的漢人女子。

和老先生討論完招募民工的事宜後，正巧撞見走出廂房的蘇巧巧。在幾個丫鬟的簇擁下，慢慢地走到少年頭家跟前，她行了個禮：「多謝李郎相救。」

眼見天女般的身影，李逵內心噗通噗通的跳著：「娘子身體好多了嗎？」

「多謝李郎關心，小娘子身體無恙。」她沉下頭，抿著嘴，氣色中還是帶著點哀愁。

「好姊姊，妳就不要傷心了。如果妳不嫌棄，請娘子就在我李萬利家住下來吧！」李逵說得口乾舌燥，臉色原本不說不紅，但愈說愈紅，整個白底嫩肉變成了紅通通的粉桃。

丫鬟們吱吱喳喳地笑著，都說第一次看見少年頭家害羞的表情，就像是戲班子裡陳三給黃五娘的荔枝打到了腦袋，魂魄全給她勾走了。細語中有人說著：嫁豬嫁狗，不如跟陳三走。

這下連蘇巧巧也羞紅桃花般的人面。

府內各行號開始貼出招募民工的示榜，為了祈福禳災，地方父母官全都出席了水醮大典，陳瓊擔任主祭官，大典就設置在水仙宮正前方，從起鼓、奏章、祝聖、到安請水官大帝大禹入寶座，誦北斗真經，五雷燈科儀，安祀風、雨、雷、電諸神，沿著水仙宮兩側展延而去的大街，家家戶戶都設出香案。

大老爺祭拜完水神後，天空忽然出現了一個日暈，在太陽周遭產出一道白色的光環，感覺就像海會寺裡的彌勒大佛腦門後的圓光，眾人立刻跪地叩拜。不到一會兒，日暈消散。陳瓊總算定下心來，他轉了個身：「諸位朋友，我眉川在台灣任職這三年來，有各位的幫忙，施政順利。今日發生如此災厄，眉川向上天乞憐，待望上蒼、水路諸神庇佑我大清子民消災去厄。今日，也將是我與諸位最後一次相聚，自我上任台灣來，不借京債、不帶馱子，一切從簡、從善、從民，如今三年任滿，已接到吏部的公牒，這幾日就要動身回京銓選。」

聽到這裡，有些百姓不禁落下了眼淚，陳大老爺是這幾任官員，最清廉親民的一位，如今府內遭逢巨厄，長官又要解職回京，都讓人感覺到一種風雨飄搖中的不確定感。

之後新任台廈道梁文科就任，接續著陳瓊的政策，他原籍奉天府，正白旗的漢人，雖然做事不如陳大老爺般清廉勤快，但也不會誤差到哪兒去。只是做人做事，較為乖張。上任之初，就籌議撥款協助風災後建廟修亭之事，梁文科身為正白旗漢軍，對幽冥之事頗為迷信，上了大井頭後，還沒見過府城隍爺爺，就要轎夫繞著各坊寺廟周轉，好似自身就是王爺出巡一般：先是尖山南坡上的觀音亭，接著聽說陳瓊大老爺，在東安坊永康里龍泉井蓋了一間彌陀室，就要轎夫抬著他，一個隊伍浩浩蕩蕩去看這寺廟的規模。

「彌陀『室』，這規模比我老家奉天府的托塔天王廟還小，這蓋廟蓋亭總要有章有法，哪有天安門比十王府家大門還小的道理？這無量佛有無量佛的規矩、覺有情有覺有情的規矩，不能觀音輸給天王、如來輸給普賢。看這模樣，這可不行，要撥些經費給這彌陀增建幾個廂房。蓋完之後就順勢改了名，叫彌陀『寺』吧！我可不想在我任內，留個似是而非的政績、弄個似室既非寺、是寺而是室的東西。」

梁大老爺有心想掂一掂上一任大老爺的重量，好歹自己也是個正四品的官，來台灣辦理監司，設兵備道，管政又管兵，可不為說是一個化外之地的「台灣王」，他的自信與霸氣，來自那當旗軍的氣魄，現在別說是彌陀寺，就算是整個西方極樂世界要他蓋出來，也沒有問題。

「是！是！大老爺說得是。」台灣鎮總兵連連稱是。

「大老爺，這府內才剛鬧過大水災，現階段民心惶惶，不適合動支太多費用……」台灣府知府畢恭畢敬地說著。

「這可就奇怪了，台灣是你的『府』在管理呢？還是我『道』在管理？」梁大老爺有點生氣，故意顯顯官威：「諸羅縣、鳳山縣的縣境就夠你管了，我牽制幾個綠營、走走四坊，也只能這樣巡一巡、看一看，你只管給幾個修廟的錢兒，提點捐輸築亭的銀子，就是近期鬧了水患，才要過問神明的事……不過話說回來，你這從四品的官，還可理會我這正四品的官呀！現在是你在監司還是我在監司？」

「是青天大老爺在管理！小職知錯了。」台灣知府的腰彎得更低了。

去過關帝廳後，轉來轉去，最後轉到岳帝廟，梁大老爺出生於北方的盛京，之前才任於福建，六班大官來來去去，這宦海浮浮沉沉，不是一般人可以想像的：除班、補班、轉班、改班、升班、調班，這明清兩朝皆是如此。這各省各衙不得出仕於自家省分的官吏，因此有「南人官北、北人官南」的說法，梁大老爺出生北方，自然只配出仕於南方。掣籤大選[24]之時，原以為自己會中西南，結果卻中福建鹽驛道，官場上有云「時運通，掣二東；通又通，掣廣東；時運低，掣四西；低又低、掣廣西；下又下，泉漳廈；下下下，掣台廈」，此話就是說，時運好的官吏，會抽到山東和廣東，此兩地河多港多海口多，開通得早，鹽鐵豐盛，人民生活富足，其中最肥的就是廣東；若是時運不佳，拈鬮至山西、陝西、江西、廣西四地，那是悽慘落魄，其中最慘的便是廣西。至於福建一帶就屬泉州、漳州、廈門，雖然也是河海發達，但此地早有南明勢力的殘餘，這幾處地方海盜也多，若是中了福建，相對擔任「台廈道」的機會就高，時運最下的就是擔任台廈道這個職務了，台灣這裡聽說番多、變多、海盜多，年年颱風、時時地裂，刻刻瘟疾，在這裡任官真是下之最下。

梁老爺上岸之時，早有聽說嶽帝廟的打城活動，就突然有感自己人生的波瀾曲折：「人人都說台灣府的嶽帝廟『打城』，挺有意思的，給我說一說怎麼一回事。」梁文科指著台灣知府，要他會報。

知府不敢怠慢，緩緩地說：「東安坊的嶽帝廟是鄭經時期起造的，時與西南的三藩反賊想連成一氣，台灣多瘴毒，鄭家軍當時為了消災除厄，在此搭蓋草庵供奉東嶽大帝。台灣歸復我大清之後，小職之前的蔣毓英知府，特重修此廟，十三年前又增加了左護龍……攻打枉死城是嶽帝廟的傳統，諸如家事不順、諸事不寧，男未婚而女未嫁死亡、流胎、難產婦女、四十歲前因意外而終寂者，多半於中元時節，在此地進行『打城』活動。首先請神調營，然後落地府、藥王治病、超度念懺、牽亡相會、

24 清朝官員銓選方式特殊，單月為急選、雙月為大選，吏部會於天安門前金水河面華表前，公開抽籤，由吏部侍郎主持，監察御史監視。

送亡送神。東嶽大帝又稱『泰山府君』，統轄天下五嶽，主管人間福禍，是陰間最高的神祇，統御十殿閻君：第一殿廣秦王，司人間陽壽、統管禍福吉凶；第二殿楚江王，司寒冰地獄；第三殿宋帝王，司黑繩地獄；第四殿五官王，司血池地獄；第五殿森羅王，司叫喚地獄；第六殿的卞城王，司大叫喚大地獄……大叫喚大地獄，又叫『枉死城』，枉死之人盡皆枷鎖於此，而打城，正是破滅此城……」

「甚好，甚好。說得清楚明白，這下次打城法儀，我親自來主持。」梁大老爺捋著鬍鬚，胸前的章補[25]裡的雲雁神氣活現，看起來就像要飛出官服，飛出來叼啣著那一百零八顆朝珠中，四顆最大的分珠。梁大老爺呵呵地笑著，下垂的紀念[26]就在他的官服上晃過來又晃過去。頂戴的青金石，亮閃閃地，出身正白旗的他，一個單眼花翎懸在頂戴緣外，看來又顯眼又威風：「去了彌陀寺，又來嶽帝廟，這三界三元，上有天界、下有地界，天界地界都已經慰問過，這台灣府裡司掌水界的，是哪個大殿，哪間大廟啊？」

「大人，是水仙宮！」知府恭恭敬敬地說著，就好像在侍奉皇帝一樣。

「那好，就去水仙宮，我要給水神上上香，要這四海平安。」梁大老爺鑽回官轎，儀仗長隨就近準備。台灣府轉過身子，對台灣鎮總兵看了一眼，文武兩官面面相覷，知府嘆了一口氣，像蚊子般小聲地說：「這老大爺真難伺候。」

「只差你沒對他喊一聲爹爹……」知府側過身子，又補了一句。

「嗟，你去喊他爺爺吧！」總兵也回了一句。

水仙宮前搭起了竹棚，蓋上了茅草屋頂，水仙宮旁挖了五個大坑，做為旱塢，府內造船的工匠都被請來此處建造「濬河船」，自宋代開始，就有體制這濬河船的規格：兩船定泊在清淤的航道上，一條長繩繫掛在兩船之間，繩子中間擺設長八尺、齒長兩尺的木杷，並繫著石塊增加重量，然後投到水底。另一船轉動轆轤，讓木杷緩緩前進進行除沙，藉以分段疏濬。

府內各大戶都在招募民工，許多匠坊也開始趕製大齒的濬沙杷，在水仙宮前處處可聽見槌聲、鋸木聲、吵嚷聲。

「唉唷！這是怎麼地，這麼熱鬧？」梁大老爺來到水仙宮前，下來官轎。

「大人，這是在準備疏濬的工作。」知府上前向梁大人說明了原委。

「這主持的是哪家哪號啊？」梁大老爺說著。

知府立刻說：「北航道是李萬利、南航道是台廈行。」

「去把他們兩家給我找過來！」梁大人指指點點的。

不一會兒，長隨們便找來了李萬利的少年頭家和台廈行林老闆。

「台廈行？這商號怎和本道官銜相同，這樣不避諱還可得了。難道你不知道觀世音遇到了唐太宗，都要改幾個字……以後官書公牒，你台廈行就改……就改『金永順』好了。」梁大人叫人準備了筆、墨、紙，指著少年頭家：「你說說你叫什麼姓名？」

25 章補：清代官服胸前的圖示，又稱補服或補子，各品官員補子圖示皆不同，文官一品為仙鶴、武官一品為麒麟，雲雁為文官四品。
26 紀念：朝珠組成的一部分，每二十七顆珠子放一顆「佛頭」，佛頭兩側各有三顆小珠，珠末用銀絲琺瑯裹寶石，稱為「紀念」。

「我叫李捷之！」少年頭家說著。

梁大老爺就在紙上寫下李捷之三個大字：「那你呢？」

林老闆沒見過這樣的官威，吞吞吐吐地說：「林交！」

「哪個交？」梁大老爺側了耳朵又問了一句。

林老闆還是小聲的說：「交朋友的『交』。」

梁大老爺嘴裡念著：「有朋自遠方來，交朋友的交……」嘴巴這樣說，但手上的字卻寫成了「郊」。

四周各商各賈、各官各吏沒人大氣敢吭一聲，梁大老爺又說：「這台廈南北九八行，都諱了本道署的官銜，就以後全改南北……你這交朋友的『交』字不錯，與閩南人說的九八行第一個『九』字發音相當，就改叫北交、南交好了。」

梁大老爺還是沒發現自己寫了錯字，嘴裡說著：「李捷之、林『郊』……」攤開紙狀，上頭是這樣寫著：乙未仲春李捷之林郊商合浚南北道……

「去叫石匠，把這些字刻在石碑上，立在水仙宮旁，我要好好表彰李林這兩戶。所謂刊石勒頌，以紀功德，這『水仙宮浚津紀事碑』可要擺在最醒目的地方。」

少年頭家與林老闆跪地叩謝。

在旱塢附近看一看後便返回了李萬利。才剛走到門口，阿輝便在門口張望：「少年頭家，您可回來了。真把我急壞了！」

「怎麼一回事？」李逵拍拍身子上的灰塵。

「這一陣子風災，頭家擔心阿貴的狀況，因此請我派幾個長工到下淡水去，結果阿貴並沒有到鳳山縣興隆庄去買辦。」阿輝說著。

「沒去興隆庄？那他去了哪裡？」李逵望著阿輝。

「我有請長工去作打聽，下淡水的柴頭埤附近，往來羅漢門買賣的幾個鳳隆號行夥，都說最近羅漢門出現一個自稱小孟嘗的傢伙，在那裡糾夥養鴨，人人都稱他為鴨母王，他的幾個跟班也都認了羅漢門墾首黃殿頭家。他遇到人盡皆說與台灣府的李萬利家有些淵源，我想應該就是阿貴了。」阿輝說著

「怎到羅漢門去了？」李逵深深地吸了一口氣。

「……」阿輝想說的話忽然停頓在喉頭。

「我待他不好嗎？還去認了別人當頭家。不過近期疏淤的事已經讓我夠煩心的了，實在不太想去過問這樣的事情。」聽得出少年頭家話中沮喪。

「阿捷頭家，人說養虎貽患，這阿貴心底是裝著豉油，還是墨汁，任誰也不知道。」阿輝說著：「我倒是有個建議，由我去下淡水規畫分行。」

「你去？」少年頭家抬起頭：「這又是為何？」

「下淡水物產豐富，加上辦理分號，也可以就近監視阿貴的舉動，還待望他不要做出不利李萬利的事情才好。」

「你這麼說也是，你和老先生是我唯一信得過的兩個人了，你要多少人，自己決定就好，要多少錢，就去和老先生商量吧！」語氣中聽得出他的無奈。

數月之後，選了黃道吉日。「水仙宮浚津紀事碑」風風光光立在水仙宮的一側。大老爺親自參加安座大典，梁大老爺這大清帝國，東南沿海裡管得最寬的官吏，這一路又管廈門、也管台灣，夏秋兩季在廈門、春冬兩季在台灣，在台灣初上任的日子，立個頭碑可是最重要的大事，台廈道內的幕賓、師爺們，幫忙安插著吉時吉日，看來看去，通書裡也就這一天最適合，立碑、動土、祈福、入宅、安香，這多少瑣碎、多少道理。立碑立德，宣揚政績，從碑的規模、面相、形態，到選擇方座，還是龜座，梁大老爺可要仔仔細細的挑揀。立碑、建廟、造橋、鋪路，哪個工程上面不留下大老爺姓名？這類樹功又樹德的東西，頗迎合梁大老爺的胃口，要是疏濬前立個紀事碑、疏濬中立個紀念碑、疏濬完再立個紀功碑，這事情就圓滿吉祥了。

眾官吏一字排開，陣仗浩大。梁大老爺又看了看李萬利的少年頭家：「你年紀輕輕，就當了頭家，行過冠笄之禮了沒？」

「稟大老爺，還沒有！」少年頭家恭恭敬敬地回禮。

梁大老爺對旁邊的長隨指指點點，然後說：「挑個吉日，本道給你主持冠禮。」

周遭的人，聽了皆哈哈大笑。

梁大老爺忽然正色起來：「欸，你們笑什麼，從這定冠期，初冠、再冠到三冠，哪個細節不繁複。

這李家小老闆自幼喪母喪父，讓我來給他主持公道，也算合理合情。」

帳房老先生聽了他的說詞，心裡很不是滋味，也知道這梁大老爺看頭家年幼可欺，故意羞辱他。

「大人，我們家的頭家，行如松、坐如鐘、臥如弓，行正端莊，品德優良，這商人職務在前明時代，乃士、農、工、商之末，商人只能著布衣，不能穿羅綢，但請大人看看現在的景況，哪些不是眾商號出錢出力的成果？若是無商無賈，哪能四方安平、豐饒安康呢？」老先生走出人群，向梁大人說明。

梁大老爺看了看海面上，點點滄河船、舢舨船、商艒，就像當初施琅的水軍要來攻打台灣一樣浩蕩壯觀，但總覺得那句話帶了些刺，心底不好受：「今天是立碑，先不談那個了。」

梁大人念起碑文：「乙未仲春李捷之林郊商合浚南北道……」他忽然臉色一沉，頓了一下，轉過頭去問幕賓：「這交朋友的『交』，石匠給刻成了郊外的『郊』？」

「大人，您忘記啦，這是您自己書寫的。」幕賓點醒了梁大人。

這下可顏面掃地了，梁大人深知自己理虧，但他可是這島上最大的官了，賣弄文墨卻搞了個大烏龍，這下老臉可成了臭臉：「所謂益者三友，友直、友諒、友多聞……這交朋友啊，可要多用一個耳朵。這底下北交、南交以後都是朋友，都要多點耳朵。」

底下的人竊竊私語著，少年頭家讀過書，知道大老爺在對自己犯的過失找一條藉口，他故意不說破。但眾百姓大多目不識丁，這樣看了看字碑，才明白，原來所謂交朋友的「郊」，在上流士大夫之間流傳，是此等的寫法。

第二章：鎮瀾橋

「汝不知夫養虎者乎？不敢以生物與之，為其殺之之怒也；不敢以全物與之，為其決之之怒也；時其飢飽，達其怒心。虎之與人異類，而媚養己者，順也；故其殺者，逆也。」帳房老先生握著書，另一手朱砂筆評點著文字裡的奧義，轉過身子，下頭的學童也跟著晃起腦袋。

趁著老先生轉身的當時，學童們便鬧哄哄，彼此嬉鬧起來。

「我說息文啊！」老先生背著學童，念出了那帶頭搗亂孩子的名：「所謂繳了束脩、磕了響頭，入我學門，應該遵守哪些規矩？」

息文站起身子，底下嬉鬧、訕笑更過分了。

「有什麼好笑的？」老先生轉過身子，板起一張臉孔，頓時鴉雀無聲。

「夫子……疾學在於尊師。」息文說得溫吞，聲音由大變小了：「……疾學在於尊師。」

「怎麼說話這麼小聲？君子贈人以言，大丈夫說話應如洪鐘乍響，只有娘子說話才會嚶嚶諾諾。」

「我怕了夫子！」息文吞了口水，說出口。

這句話又惹得大家哄堂大笑。

「我有這麼可怕嗎？息文，你倒是說說，我是怎樣的人？」老先生忽然露出一個淺淺的笑容，就像是爺爺問起自己孫子般軟柔。

「夫子五德俱備：溫、良、恭、儉、讓……」

這下老先生笑得更開心了，看著息文回答得體的話語，就讓他想起頭家小時候能言善道的模樣。

「很好，那你說說看，什麼叫做『虎之與人類異』？說不出個所以然來，就要挨板子。」老先生這下故意瞪大了眼睛，有意要嚇嚇他，表情就像一隻惡狠狠的老虎。

「息文的爹說：『當朝府尹猛如虎、當朝縣尹毒如蛇』……」

聽到這番話，老先生表情立變：「夠了！」他停了一會兒，接著說：「退下去吧！以後這些話可都別說了。」

頭家正好轉進學堂，聽到老先生與學生的這一番對話，頓時覺得不妥。此時此刻時局敏感，街坊裡確實都對王大人施為有所不滿，但小孩子不懂事，說話沒有遮攔，這話中的針刺拿捏，稍一不當都可能引來殺身之罪。李萬利雖然頗有威望，但畢竟是個務實的商業家。頭家李逵明白老先生的用心，但老莊寓言清談文章甚眾，談道談德的篇幅亦廣，對這些坊裡七足歲的孩童施教，老先生怎會取這樣的文章段子：此文讓人感覺意有所指，若遭人口實亦為李萬利帶來麻煩。

通常習字讀文倚儒學，四書五經為科舉，這各地私學所教，不外乎《千字文》、《三字經》或《百家姓》，再不然就是《幼學瓊林》，但水仙宮義塾在老先生的主持下，除了入學頭一年教授孔孟學問外，除卻那一年後餘下兩年，便教起這些深奧道理，要不是《山海圖經》、《海道針經》，再不然就《莊子》、《道德經》，頭家也曾問過這件事，這幾個小娃娃不識幾個大字，怎麼會知道那些「玄之又玄、眾妙之門」的道理。

「頭家有所不知，這一方之地只任幾個大官，卻少了上百上千的海員……」

頭家聽他所言，這私學裡要培育的，不是做官的人，而是走海的人：「那老莊之學亦又如何？」

「頭家應該很清楚。」那時候老先生笑著繼續說：「形而上者謂之道，形而下者謂之器。頭家興學，不也是這個『以器鑑道』、『以器明道』、『以器載道』道理……」

是的，李逵非常的清楚，當初設立私學的用意，不單只是要造福鄉梓，其實說穿了，就是要為商號育養人才。李萬利空有大舟大船，能當海頭的人卻是少得可憐，行船走海也的確要體認各種無常與變端，具備充分的信仰、堅決的毅力才能克服萬難。看來看去，諸子百家之說，也只有老莊思想最為適合。

雖然當朝科舉對台灣具有保額，但畢竟能出將入相者還是有限，這些孩童未來做了生員秀才，但再上去的前途若堵住了，好一點的代筆書狀，鋤助尋常人家興訟；次一點的賣字賣畫，入夥盤棧記帳；最差的也只能淪落耕田漁牧，來個「空庖煮寒菜，破竈燒溼葦」，落魄潦倒過一生。或許及早認識這片大海，定會創造出另一番景況來。

當初就是聽了老先生的話，於是頭家決定在水仙宮一側廂房，開辦義塾，除了水仙宮這個義塾外，李萬利在諸羅縣的善化里、開化里，還有鳳山的永寧里、仁壽里各設一個坐堂學館。李萬利除了本身的事業經營外，對於造橋、鋪路、興學、鑿井這些福惠鄉里之事，也頗有作為，這些舉措樣樣都讓四坊百姓津津樂道，對李萬利來說，興學這件事是揭露了李萬利家名望最好的辦法。

本來不想打擾塾學進行，但剛剛的師生對話，讓頭家心底的不安更加劇了，他在窗前打量一下，緩緩地說：「老先生，等會兒是否可於水仙宮後廂房一敘？」

老先生看了看學童，止住了聲音：「今天暫且打住，準備好筆墨紙硯，先行提筆練字。息文，由你負責局面。我等會兒回來會檢查，打鬧嬉笑、停惰貪懶都要挨板子。大家聽到沒有？」

「是，夫子。」孩子們眾口同聲。

「老先生，阿輝回報，鳳山的局勢已經愈來愈火烈了，此端世局，人心惶惶。吾等要如何應變？」李逵說著。

「頭家莫心急，此後必有你認識的『老朋友』，會解此一局面。」老先生欲蓋彌彰，話中預伏玄機。

「頭家，頭家。」李萬利家裡的下人黑狗一路跑進水仙宮：「不好了，剛剛官諭各商號，要抽過橋稅，以後凡從鎮瀾橋經過洲仔尾的空牛車，每車三錢、每人一錢，若牛車有躉貨，再加兩錢，明日三竿起實施。」

頭家皺起眉頭，只見老先生臉色泰然：「物至則反，冬夏是也。頭家不用擔心，先繳了錢就是了。」

鎮瀾橋位於台江內海東北隅，出了府界，連續沙洲形成的長堤，在中途遇到毆汪溪的分支洲仔尾溪入內海的河口，靠近洲仔尾港一側，北郊眾商合資興建了鎮瀾橋，使得路運能一路由府內穿過洲仔尾，通往鹿耳門。若遇風大浪高之時，部分商號會捨棄小船接駁，改用牛車運抵府內，此時這座「鎮瀾橋」就顯得非常重要了。

冬去春來，四年過了，頭家此時已經長大成人，眉清目秀。從水仙宮直至安平、鹿耳門的兩條航道，陸續疏濬完成，台江內海又多少恢復了一些繁華景象。雖然是疏濬完成，但畢竟那場暴風雨帶來的泥沙淤積量實在太多，這兩條航道現階段只能通中小型的船舶，要是再大一點的船艦，也只能泊安平、鹿耳門兩地，再用小舢舨接駁到水仙宮碼頭。

頭家娶了蘇巧巧為妻，人人都說蘇巧巧長得像毛嬙、西施，與頭家李逵真是天生絕配。但這四年來，頭家以水仙宮上的草寮為家，監督疏濬的工程，一旬回家一次，到了疏濬後期，甚至是到家而過門不入，府內都說頭家是水神大禹再世，臉上多了點成熟、少了稚嫩的頭家，也只是笑笑說他不敢當。李萬利大小家事雜物，由帳房老先生主持，頭家一點都不擔心；阿輝主辦下淡水，辦理鳳山的分號，加上原先李萬利在諸羅的一些勢力，北、中、南各地幾乎都已有李萬利的影子，這頭三年風調雨順，李萬利家在官佃以南、新港社以北的大片蔗田，豐收滿滿，雖然李萬利在疏濬上付出了大把的銀兩，但始終不見李萬利家的敗象。

疏濬結束過後，氣象更迭，梁大老爺同調廣東。才上任一年的台灣府知府王珍，被以護理的身分兼台廈道，後梁文煊接任台廈道，卻放任王珍操縱政務，再過一年，鳳山知縣因病去職，王珍未向京畿稟明，擅自兼攝鳳山縣知縣，頓時台灣大小事務，全給了王珍掌控。

王大老爺若是自攝縣政還好，竟無端派自己的次子至鳳山當起地下縣太爺來。這鳳山縣尹是假，斂財索賄是真，每當收購官糧，鳳山縣每石總要折個七錢兩分，然後再以高價轉賣，官倉通私倉、官庫通私庫。過了五月初一，下淡水地區連續三日地裂，海水漲潮，雖未造成傷亡，但百姓皆懼，只好合夥籌錢，辦理戲班酬神的事情。未料到王大老爺竟然宣稱百姓無故拜把，捉拿了四十餘人，再者連砍竹搭戲棚的，都佯稱他們要揭竿謀反，一連在鳳山興隆、赤山、半屏山等庄逮捕了三、四百人，其目的無他，就是要勒索敲竹槓，凡是給了錢的就放回自理，沒錢的任憑家屬在縣衙外哭天搶地，叫皂隸們給那些哭爹喊娘的老百姓，打幾個板子，回家籌了銀錢再來保人。若連續幾天再來騷擾，就責四十的板子，打回原籍，遣送出海。接著又有新規定：每頭牛要給三錢打官印，未蓋官印的私牛就不許耕田拉車；糖磨要七錢兩分、布莊五錢兩分才能營業，由麟洛河至瀰濃山禁區抽藤的廣籍人士，全都俱勒抽分，否則全打入大牢。

此事逐漸傳入羅漢門，飼鴨為生的阿貴，已經頗具規模。阿貴很有家禽養殖之道，知道將大蹼的公番鴨，和灰羽的母菜鴨雜交之後，肉質會變細嫩。因此養出了新種脂多肉嫩的家鴨，阿貴給這些鴨取了個響噹噹的名號，就叫「大王三軍鴨」。所謂大王三軍鴨，就是胸前灰羽帶黑、蹼腳略黃、鴨嘴細扁，走起路來就像王珍的兒子，那個跋扈的縣太爺一樣。群鴨移動時，領隊的頭鴨就像千總般帶兵數百，直挺挺走在隊伍一側，領鴨前進，昂首挺胸、高高在上。

他總是對人宣稱，他能號令鴨莊中，成千成萬的「大王三軍鴨」，然後自詡是領大王三軍鴨的「鴨母王」。每天白晝盡講這些當鴨界大王的話，難怪夜裡就會想到要當人界的將軍頭上，這號令雜鴨三軍雖是一句玩笑話，但總讓他心情舒暢愉快，他自己知道，有些事情遲早要做，也非做不可。這天晚上，他和好友李勇在鴨寮前空地上聚柴升火，煮鴨烹酒，然後議論政事。

「我姓朱，跟大明本來就有淵源，自當理個清明暢快，要不號召各路英雄好漢，殺進鳳山縣衙，屠了王珍那條狗兒子。」阿貴酒酣耳熱之後，說起話來也愈鏗鏘有力。

「我和檳榔林的廣籍杜君英頗為要好，他和阿貴大哥一樣，對那些狗官頗為痛恨，要不介紹給你認識。」李勇說著。

「好，就找他來。我們三人一串，也來個檳榔林結義，你是關羽、他是張飛……」阿貴大聲嚷著。

「對，阿貴大哥自當和昭烈帝劉備相提並論。」李勇拿起酒杯：「來，先乾為敬。」接著一飲而盡。

阿貴已有幾分醉意，矇矓中，他看見他的大王三軍鴨子大軍，整整齊齊地排列在他跟前，拒馬互併、鐵鉤相連，是凡陣；鐵騎兩翼、強弩壁前，是疊陣，鳴鼓換之、鳴金收之，大開大闔，軍容壯盛。他大喊：「攻啊！殺光清家狗，還我大明朝……」

眼前穿過他剛來台灣的那幾年，在台廈道謀取轅役馬車夫一職，後因見不慣官場文化，轉入金興順商號，因李蘇鬥法失職，之後又附了李萬利商號，此些種種，就像是猛虎落為犬、鳳凰貶為鵪，他瞪大了雙眼，看清楚了鴨莊裡的大王三軍鴨子大軍，一陣狂風吹起，頓時群鴨亂飛，戰場依序展開在他的眼前，飛箭、刀光、鐵騎、長槍，直至太陽從山巔升起，在鳥雀聲中，朝露凝於葉梢，墜落後打在阿貴的臉上，他才緩緩睜開眼睛，看著已經熄滅的柴火，昨晚睡在這裡，旁邊李勇睡得香甜，這才明白這一切之一切，原來都是夢。

「貴哥、阿勇。」跟著阿貴出李萬利家的長工鄭定瑞，慌慌張張來到鴨莊旁，喚醒了阿貴與李勇：「貴哥，檳榔林的杜君英已經在山內豎旗起事了，揭旗『天清奪國』。」

「多行不義必自斃，我們去找墾首黃殿吧！王珍那條狗，我非親自除之而後快不可。」阿貴抹去臉上的露水痕跡，眼睛就像是一隻發現獵物的猛隼般銳利。

「練拳習武那麼久，總算可以派上用場。」李勇動動身體，從旁邊抄來一段青竹，猛力一戳，刺入了一旁樹幹約兩寸：「我必用這節青竹刺穿那狗官的心臟。」

眾人來到墾首處，當初和阿貴一起離開李萬利家的長工、鴨莊的食客遊俠、墾首號召的民壯丁勇，合計五十四人。焚表立誓，糾夥結盟。墾首黃殿下令所有墾戶，高懸「激變良民」、「大明重興」，眾人推舉阿貴為大元帥，攝軍旗、軍令，立「大元帥朱」高旗。

焚表後不到幾個時辰，羅漢門就糾集了變民千餘人。阿貴圍了件黑色披風，站於人群前端：「好！今日入夜，就攻岡山塘。」

眾人把尖竹刺槍舉得高高的，呼喊聲震天價響：「殺絕清狗，福我良民。翦滅王珍，中興大明。」

課過橋稅的當天，王珍命令戶房在鎮瀾橋上設課稅局，由兩員辦差暫代。自從王珍上任以來，從來沒有像他這樣會課稅的官吏，這街坊裡的人都流傳一句順口溜，所謂「陳璸德高、丹崖廟多、王珍稅重」，這一連三任，陳大老爺，憂心民生，德高望重；梁大老爺蓋廟建亭，樂此不疲；王珍暴戾殘忍，抽稅斂財。三人個性迥異，就屬王大老爺個性最為乖張。王大老爺上自諸羅山，下抵鳳山，這所課之稅，取予三多，所謂三多就是名目多、課程多、額度多。王大人自從上任以來，這六房獨尊戶房，一天到晚到戶房裡打探虛實，要求弄清楚這掌管境內家戶數、人口數、墾田數、再者倉糧、貨物、錢目，仔細調查河泊坐落於何處、鹽場金礦分布哪些地方，翔實記錄多少桑蠶多少絲、多少蓼藍多少染。這絲蠶柴桑、鹽鐵礦糖，全都要加以課徵稅額。

正當鎮瀾橋上排起長長的牛車隊伍時，忽然有人高喊著木橋下飄著一條褐色的東西，看起來像是海帶，卻不是海帶，或是說某種帶狀的水生植物。兩個抽稅辦差立刻往橋下探頭。

「哎呀，那不正是國姓公的腰帶嗎？」排隊的牛車隊伍裡，開始有人鼓譟：「聽說下淡水，已經有人豎旗謀反了。」

「不許胡說八道，這王大人主政，天順地應、政通人和的，哪會有誰謀反？」其中一個差人舉起手來，接著按住腰際的刀柄：「誰在這裡說邪些反話，小心人頭落地。」

另一個差人看了看他，眼神意會著，心底想著不知道要不要把那個東西「打撈」上來。自從前幾年陳大老爺當任之時，鹿耳門捕獲那尾晏公之後，那年果然就遇到最大的暴風雨，現在四出反賊，難不成「國姓公」真的顯靈了，跑出了條「玉帶」來。

百姓們是這樣流傳，相傳國姓公帶兵至諸羅山打番兵，一夜夢見諸羅山土地公託夢，告訴鄭成功，千萬不可打諸羅的鐵砧山，因為鄭成功前世是鯉魚精投胎，這鐵砧山上戍守著鐵砧山神，性情可乖張了。鯉魚精遇到鐵砧神，注定要一個成為魚肉，一個成為刀俎，鄭成功不信，醒來後照樣攻打番兵，結果在鐵砧山遇到番兵埋伏。他跪地祈禱，並將寶劍插入土中，結果地底湧出大量泉水，阻擋了番兵的追擊，幸運逃脫。

然而幸運逃離鐵砧山的鄭成功，卻躲不過瘴疾的侵襲，永曆十六年五月初五，國姓公因病不起，此時天空忽天昏地暗，黃蜂四飛，台江內海水波盪漾，直到初八，國姓公就撒手人寰了。國姓公死後，眾人就將他葬於洲仔尾，也就是過鎮瀾橋往南三丈路左右的地方。雖然國姓公在康熙三十八年，已經和其子鄭經骨骸，一同遷葬回福建覆船山，但仍有不少人宣稱，在夜裡的鎮瀾橋上，曾見過國姓公和鄭經的鬼魂在此遊蕩，說要復興大明。

這鄭成功的腰帶，也頗有來歷，不少奇聞軼事在府內流傳：相傳鄭成功在泉州仙公廟時，遇到呂仙公，他曾打探是否有中興的可能，呂仙公告訴他，只要取得三寶，就有這樣的機會。而這三寶分別是諸羅山的烏山柴、岡山的出米岩，及玉山上的玉印。

得諸羅「烏山柴」，築壇請山，則山中大樹會自倒，眾人唾手可得大木；得岡山「出米岩」，每日會自岩石縫中流出米糜，多少軍隊多少米，取之不盡用之不竭；得玉山的「玉印」，乃天宮的九龍玉璽，墜入凡間，獲此物者即能號令天下，得九五之尊的頭銜。

國姓公來到台灣後，就四方尋找玉印的下落，但皆無所獲，最後發現萬年縣內有座最高的山峰，終年雲霧繚繞，因此至那座山上去探索，一直走到深山裡頭，眼見天色已暗，生怕山裡有毒蛇猛獸來擾，於是就隨意找了個山洞，在山洞的石床上悠悠睡去，隔日醒來後，無心再深入搜索，只好無功而返。

回到府內在官邸裡休憩，那晚夢中就見到玉山的山神叫喚他：「你可知你入山石洞中睡的那個床是什麼床？」

「石床！」國姓公回答著。

「那是做玉印的玉床。」山神搖搖頭：「您如此聰明，為何會錯失這樣的機緣？唉！一切都是天意。」山神解下身上的玉帶給他：「不得玉印不稱帝，繫上玉帶既成王。」

此後，玉帶就是國姓公稱王的象徵，而那座萬年縣境內的高山，就被後人稱之為「玉山」。

一個差人拿起竹篙去打撈那條水中的「工帶」，這條玉帶長約九尺，寬約五寸，褐色的底層透著光亮，就像是血玉般沁色入底。

差人高高舉起：「這哪是什麼國姓公的玉帶，這分明是我家奶奶的裹腳布。」

當他舉起那條玉帶時，排隊的牛車和各商號車夫，全都感動得落下淚來：「果然是鄭成功的玉帶啊！」

那些跪了下來的人高喊著：「國姓公顯靈啦！」

高舉著「玉帶」的差人，身體也不自覺起了雞皮疙瘩：「胡說八道，這不是什麼玉帶，不許再胡說！」原本他打算將那「玉帶」扯斷，但說也奇怪，這「玉帶」韌性十足，不管怎麼拉，怎麼扯，樣貌都不會改變。

那差人將「玉帶」丟到地上：「要是再聽到什麼玉帶、國姓公之類的話，就要掌嘴。」那差人氣呼呼，喘吁吁地說著，只不過下頭跪著，那些「欲語淚先流」的百姓們，哪還聽著他的話，全都開始磕起響頭來。

入夜之後，府內寂靜。李萬利家的大宅，工人們開始忙碌地搬運物品，老先生指揮著一旁的僕婢，收拾各類帳冊、清冊。接著張羅雇工，點燃各房各處燭火。

「老先生何必驚慌？今天我才請人去官衙裡打探消息，官差都說鳳山一切平安，沒有匪徒滋擾。王大人昨天還親自去鎮瀾橋點收稅賦，沒見任何謀反的跡象。明天我再派幾個人去鳳山阿輝那頭探聽訊息即可……」頭家兩手背在身後，走進大廳裡。

「官差衙門說沒事，肯定就是有事了。」老先生轉了個頭：「今晚一定就要開始準備，否則就來不及了。這官逼民反，猶如猛虎出柙，氣勢難擋。」

蘇巧巧端了一個精美的瓷器茶碗進來，這裡頭的茶水是福建武夷正岩茶，裝在白色的瓷碗裡，琥珀色的茶湯，在燭光之下，像黃金般閃耀著金光。

頭家指著桌案，示意要巧巧把茶放在桌案上：「這杯給老先生飲用吧！」

蘇巧巧將瓷碗放在桌案上，對老先生示了意：「先生，請喝茶！」

「多謝夫人為我送茶。」老先生回了個禮，看著這金黃色的茶湯，可讓他想起身在福建的那段日子，老先生對茶也頗有研究，福建產茶自當武夷山為上品，而瓷碗當配建窯的白兔毫毛茶盞，這武夷茶的品種迥異：大紅袍、鐵羅漢、白雞冠還是水金龜，各擁身價不凡，尤其這大紅袍，長於峭壁岩石上，一年採收不到六兩，做為貢茶，只有皇上才喝得到。若配得上白兔毫毛盞，茶色更深、瓷色更白，所謂雲天破曉，相應趣味。再看看這茶色、聞這茶香，端正瓷碗，這茶瓷成套，若非此類等地，應該也相去不遠矣。

接著蘇巧巧又端入另一杯茶湯：「官人，您也用茶吧！」

老先生立刻意會到，這杯的瓷器色澤就黯淡許多，茶水香味也不濃，再從顏色斷別熟成度，頭家把自己待為上賓，最好的瓷碗、茶湯留給了他，而自己卻喝普通的茶。

「頭家不必如此多禮，此茶可留待往後另奉上賓。」老先生說著：「所謂惡虎出柙，見人就咬，喝茶聽曲子乃人生之樂事也，這好友前來叨訪，尚留一絲野性，還請講敘道理，方可免除此災。」

「依先生所言，我李萬利家要如何講敘道理？要如何免除此災？」頭家問了分明。

「此事簡單，這洪水來到，要開水閘疏通，別人家是擋水、我們家是疏洪。頭家乃堂堂李萬利大家號。我們就開大門、敞大路歡迎他即是。」老先生指著所有的門窗：「這之後門窗全部洞開，不得上鎖關閉；各房各室燭火不得熄滅，要大通光明。全員皆撤走，往鹽水港移動，所有帳冊、簿冊全都移入水仙宮的神像下方，庫房裡的貨品、帳房裡的錢財，棧貨不移、分文不動，唯需一人要留下來招待咱們的好朋友。」老先生看了蘇巧巧一眼：「我們要來唱個『空城計』。」

頭家雖還是不明白，為何物資不走帳冊走；全家不留一人留，這其中的合算怎落得不合情也不合理，只因信得過老先生的先機妙算，也就暫且聽他的鋪排了。

朱一貴豎旗大元帥，殺入岡山塘，圖滅七名官兵，接著屯兵於岡山的山腰上。台灣鎮標右營的周應龍領軍目加瑠、新港、蕭壠及麻豆等社的平埔番百人前往鎮壓，此時天空下起綿綿雨來，周應龍軍攻入山腰，擊潰朱一貴軍，朱軍先退往山裡，和杜君英部隊會合於檳榔林後，又殺往赤山而來。此時清軍官兵怯戰，王珍、梁文煊等官員，早已搭上開往澎湖的兵船。

朱一貴走進府內西定坊大路，聞到過往熟悉的繁華氣息。眼見天色漸暗，他想起李萬利家的大宅門，這一回總要給李萬利的頭家問個安。朱一貴安插大軍拐了個彎，直往大天后宮，然後和李勇、鄭定瑞三人往另一側大井頭方向挪動。

三人來到李萬利家的大宅院，眼見所及，讓朱一貴起了疑心。這李萬利家不但門窗未鎖，卻反而是門戶洞開。裡面燈火通明，一個女子抱著雕工精細的琵琶獨坐一旁，那琵琶上頭四相端莊、九品華麗，琴身杉木、琴面梧桐，女子獨坐於黃燭之下，上了口脂的嘴裡，襯著雪白的臉蛋，那櫻紅的嘴巴唱著南管曲調：「呦呦鹿鳴，食野之蘋。我有嘉賓，鼓瑟吹笙……」

「阿貴，這門裡是不是有伏兵？」李勇對阿貴說著。

阿貴想起了老先生矯捷的身手，一定是這老傢伙的主意，這門戶大開是何主意？府內各商各賈、各家各戶，早就聽聞我朱大元帥軍隊要來，哪個不是門窗緊閉，管消了燈火。這李萬利宅邸家門大開，難不成真有埋伏？阿貴向前走了一步，屋子裡唱曲子的女子仍沒停下來。朱一貴身後跟著李勇、鄭定瑞。阿貴看見大廳中央桌案上，好像放了什麼東西。他繼續走，穿過兩個大門，直進廳堂，那個唱南管的女子總算止住了聲音，是一個標緻的美人兒。

阿貴看了看那個桌子，桌上放了一只瓷碗，裡頭裝著琥珀色的茶水。茶碗旁邊壓了張小紙，這紙上的字阿貴認得，是個朋友的「友」字。

「大將軍請喝茶，上好的武夷正岩茶。」那女子說著：「我已在此久候多時，要否我繼續為大將軍再唱一曲？」

「妳是誰？」阿貴問著。

那女子緩緩地說：「我是李逵之妻：蘇巧巧。」她繼續低下頭，調撥琵琶弦。

「怎麼只有妳，妳家官人，還有那個裝神弄鬼的老頭兒呢？你們怎麼信得過我？不怕我劫了你們李萬利家財物、燒了這房舍宅邸。」阿貴看了看四周，這屋內門戶洞開，燈火通明，心疑有詐，特別是那碗茶水，更是不敢恭維。此番過來只有三人，若在此遭遇埋伏，恐性命烏有。

「我相信大將軍的為人，我們家官人一切隨緣歡喜，此門為您開、此祈為您齋，內廂有錢有貨，大將軍要借要用，自取即是。大將軍不必擔心，我李萬利家是正人君子，這茶水不會有詭詐的，還請將軍坐下來喝口好茶，聽首好曲子。」蘇巧巧說得字字鏗鏘有力，眉目之間柔中帶剛，絲毫不讓。

「果然是李萬利頭家之妻，巾幗更勝鬚眉，好個英雄氣概。妳若生為男，定當我大軍的千總兵，我若不喝這杯茶水，就顯得我小氣膽怯了。」朱一貴一手拿起茶碗，一飲而盡。

蘇巧巧調好音弦後，悠悠唱出：「開闢荊榛逐荷夷，十年始克復先基；田橫尚有三千客，茹苦間關不忍離……」

朱一貴一聞此曲，臉色立刻凝重，轉過身子，揮動了黑色的披風，往門外快步離去。這歌曲喚起了他內心良善的那一面，思考著反軍與早先的國姓軍何異同？這朱家大軍離此不遠，召回軍隊，即可放火燒了李萬利、劫打李萬利家的財物、姦淫了李逵的妻子。燒殺擄掠很簡單，但這樣作為，和不仁不義的清軍有何不同？對，整飭軍紀、約法三章，是現階段要做的事情。阿貴心底這樣想。

「怎麼了，阿貴大哥？」李勇、鄭定瑞腳步險些追不上他。

「到大天后宮去！」他臉色鐵青：「日夜派兵駐守李萬利，不許任何一人打劫此家財物、傷害此家人，此號頭家是吾友。若此娘子要離去，就派兵護送嫂子出府界，千萬別讓賊人覬覦了她的美色。」

杜君英大軍入府後，先行攻打台灣府、台灣道衙門，然後將庫房裡的錢財和眾兵卒平分；賴池大軍轉入赤崁城，入內拏取了火藥兵器，拆了鑄鐵門去鎔鑄武器，赤崁城上的紅衣大砲，全都對往台江內海鹿耳門方向，賴池派七人駐守赤崁城上，大將軍下令，夜裡擅自出海的小船、白晝無端進港之大船，一律開砲迎擊。

隔日白晝，在大天后宮上，朱一貴的先鋒軍已經築了高台，設鼓置鐘，朱一貴頭戴通天冠，身穿黃袍玉帶，手拿天子詔書，登上高台，祭告天地祖先，延平郡王，宣告定國號為永和，詔書找了個富學識字的書齋先生，寫了洋洋灑灑千餘字，眾人叩地膜拜，高呼萬歲。朱一貴神采煥發，眼前仿若坐於金鑾殿上，接受文武百官、萬千子民的擁戴……但眼前這景象隨即改變，朱一貴腦海裡立刻幻想起破敗的京城，殘牆、荒涼的街道，景山上烏鴉飛、冷風吹，一具發黑的屍體高高懸掛在樹上，他依稀可見，那是一件漂亮的龍袍。朱一貴立刻閉上眼睛，眼前的幻覺倏地消失。

「……任王玉全為國師；王君彩、洪陣為太師；國公杜君英、李勇等二十七人，另由蘇天威、鄭定瑞把守鹿耳門一地。」朱一貴念完後，接著下達軍令：「吾等出身貧寒，深知民瘼。今日應天起義，與民同憩。凡淫掠百姓者，不論身分，就地正法。」

朱一貴眼線橫掃下方，就是不見新任國公戴穆，他停住了話，說道：「戴穆人呢？」

旁邊的國師王玉全看了看四周，詢問了一旁的小兵，附耳對朱一貴說了些話。朱一貴臉色凝重，朱一貴曾和這些人煮鴨烹酒論英雄，這些人的品行如何，他最為清楚，這戴穆是個登徒子，性好漁色，曾姦淫下淡水七民女，遭官府捉拿，此番入了府內，也許會做出什麼不好的事情來：「張岳將軍派三百人，搜西定坊、寧南坊；卓敬都督兩百人，搜鎮北坊、東安坊、把整個台灣府翻過來，黃昏前也要把戴穆給我找回來。」

正當朱一貴在大天后宮登基時，國公戴穆帶著三個民兵，穿過西定坊，見一戶房舍門第精美，忍不住說：「我這個人就是大老粗，從來可還沒住過這麼氣派的房舍。」

他兩眼瞇成一條線，低下頭去聞那門環響器，那狗鼻子嗅了一嗅，鼻孔微微脹大：「唉唷，好香好香，這有錢人家的門環滋味可真是不得了。」

其他三個民兵也跟著訕笑起來，一個民兵拿起自官府兵房裡打劫出來的火器，對那門環開了一槍，那門環應聲掉落，但裡頭的門閂還是卡得緊實。其中一個民兵，在下淡水本來就是幹雞鳴狗盜勾當之事，拿出了一支扁匕首，從門縫裡一穿，向上拉提，門閂應聲掉落。大爺們依序走入屋內。

此時裡頭眾人見到民兵擅闖民宅，嚇得頓時說不出話來。

「這房子是誰當的家啊？見了我朱大國王跟前的戴穆大將軍，還不出來招待。」戴穆捏著臉上那撮肉瘤上長出的毛鬚，瞇著眼睛說：「這房子已經是我戴穆所有，這房子裡所有的男子全給我出去，所有女子全給我留下來。」

息文依附在母親的身邊，表情驚恐。息文的父親是布衣買賣商人，近期出門去福建做買辦尚未回家，家裡現在也只剩下兩個僕人與母親。息文的母親雍容華貴，坐在椅子上就像一朵盛開的牡丹花似的，息文和兩個僕人站在一旁。她瞪大了眼睛，一手擁著息文的身體。

「唷！這小媽媽還挺標緻地，看起來皮膚也挺滑不溜丟地……」戴穆上前伸手去摸息文母親的臉蛋：「不得了，吹彈可破。」

她瞪了戴穆一眼，一旁的息文張大了嘴巴，一口咬了戴穆伸出來摸他母親臉的手。

「啊！」戴穆撤回那隻手：「把這隻小瘋狗給我攆出去。」

兩三個民兵去攫住息文，連同兩個僕人，一起趕出了房子。那個民兵將匕首當門閂卡在鎖巢之中。

息文滿臉是淚，猛敲著門：「快放開我娘，快放開我娘。」

此時另一批朱一貴的民兵趕到，全圍住了這幢房子，張岳將軍自後方出來，見了這光景，心想肯定是不會錯了：「戴穆在裡頭？快把這門給衝破了，再不然就要出岔子了。」

朱一貴踱步在大天后宮前，命令捕手將罪人拿下。這大天后宮原是寧靖王爺的故宮，寧靖王自刎後，施琅將此地改為媽祖廟，此地與前明有著極大的關係，理所當然現在就成了大明國府邸，廟前「平台紀念碑」前豎著兩支大軍旗，軍旗飄飄、軍令如山。

大天后宮廟埕抬來一具屍體，這身上插了一支匕首，鮮血染紅了女衣，朱一貴氣得拍桌大罵，施琅時代即已營建了巨大媽祖金身，約莫兩個人那麼高，一旁的千里眼、順風耳塑像也比擬一個人高度。朱一貴這一拍桌，連屋梁上的灰塵都受到晃動而抖落，大天后宮裡的大媽祖金身眼睛睥睨著，桌上的小香爐輕輕動了一下，略略撒出了些香灰：「所謂軍令如山，是誰犯了這麼大的過失？」

息文和兩個僕人一同跪在那具屍體旁，息文撫著屍身哭泣著：「你們這些賊人，為何殺我娘？」

戴穆被民兵壓制在地，嘴裡嚷著：「我可沒動這娘們，是她自己抽了我們的匕首自戕了。」

「你可好，我這大明國天字第一號軍令才頒布，你就給我犯了色戒。」朱一貴問了國師：「所謂軍令如山，這該如何處置，才能整頓軍紀？」

「這……」國師看了看局面，一時答不上話來。

「貴哥，我以前淫人妻女的時候，你大話都沒吭一聲。」戴穆說著。

「胡說八道，我這國有國法，以前的下流勾當還敢提在這裡說嘴。身為永和的國公，幹出這類不齒的勾當，我不懲治你，還到你亂我王法……」朱一貴勃然大怒：「把這戴穆一干罪人給我拿下，拖到水仙宮港上斬了，屍身給我踢到水裡餵魚。」

「唉唷！朱大哥哥呀！我可沒殺這小妮子，是她自己自殺的呀！冤枉我啦！冤枉我啦！」戴穆邊喊邊踹，雙手給民兵勾著拖行，兩腳仍不斷地踢著。

圍在水仙宮港前，各民兵圍著執法現場，合計四人罪犯，每個罪犯配一人向前拉著他的辮子，另一人拉著罪犯的雙手，那四個白亮亮的脖子全都露了出來。

戴穆嘴裡喊著：「朱一貴，你不得好死，我要看你這渾人，怎麼遭到凌遲……」話還沒說完，劊子手落刀，噗地一聲，四顆人頭依序取了下來。這後邊的民兵朝戴穆等四人的屁股一踢，四具無頭屍身撲入了水中。

民兵回報執法後，朱一貴嘆了一口氣，入了天后宮內取出一把匕首：「我大明永和與康熙那賊朝不同。傳令下去，各官兵號令四方，我這大明國內，至今日起，廢薙髮令、除旗服、剪長辮，還我漢民原始模樣。」說完，拿起匕首，一把割除了長辮。

海頭抓著匕首，那條長辮就像是被割去了蛇頭的黑蛇，軟柔柔的垂在手掌之上。這黑水溝水勢漸弱，船路開始順暢，此時桅桿上頭的阿班大叫著：「唉唷！看見西嶼塔了。」

「謝天謝地，謝水仙尊王唷！佑我這行船一路平安。」海頭在甲板上，也親眼見到西嶼塔，這小小的古塔也不知是誰建立的，終日其上，總有人會給它點膏油燈，使周遭行船順利平安，海頭高興地流下眼淚：「這次要給娘娘立個誓，若此行一切平安後，要捐些銀錢給西嶼修個七級浮屠。」

「那我也要立個誓，捐些銀錢修那西嶼浮屠。」頭家走出官廳，望了望大海：「西嶼到了，媽宮港應該就不遠了。」

頭家可心繫妻兒，出來買辦那麼久，不知道息文是不是有好好念書。這書齋先生是不是給了他打板子，轉過身子對海頭說：「這下你可安心回家鄉，討你那房媳婦了。果然划水仙，還是挺有用處的，真能順應海局。」

除了頭家以外，海頭和一干人等全散亂了頭髮，阿班說話的聲音還有些顫抖：「這都承蒙水仙尊王的保佑！」

平底船緩緩駛入媽宮港，海頭鑽出官廳。這土堤岸上集結了一大群官兵，岸上瞭望的人看見他們全剪了辮子，驚恐大叫：「唉唷！是朱一貴那反賊的水軍哪！反賊也有水軍。」

此時王珍、梁文煊等人已經逃到媽宮港，聽聞這訊息，立刻從官舍裡走出來。這台灣謀反的訊息早已傳至福建，施琅之子施世驃任福建水師提督，陳大輦監造平底船，大軍出廈門，領清軍兩萬人、戰船六百艘，與南粵總兵藍廷珍將會合於澎湖。但等了兩日，王珍、梁文煊這一行人還不見援兵，卻見到了這船不怕死的討命鬼。

「沒想到反賊也有水軍，賊軍船偽成海商船，可休想誆我。來人呀！準備紅衣大砲，要給這亂臣賊子們一點顏色瞧瞧。」王珍退到土堤下方，媽宮港內戰鼓大作，豎起清軍大旗。

紅衣大砲推出土堤，金順發船號上眾人見了吃驚，海頭大叫：「這發生什麼事？怎推出大砲來了，我們是買辦的商船呀！不是海盜。」

阿班爬下桅桿，這輩子就這兩次行船不順遂，而這次又比上次更糟。相傳划水仙之後，若逃過死神一劫，總還要再得一劫。多年前，這阿班也在那時的金順發海船當班，也遇過風浪與不順遂，結果才晚了半個月進水仙宮港，原來的頭家和李萬利家大鬥法就輸了，之後金順發海船被現在的北郊頭家購入。

金順發雖換了頭家，但不順遂並沒有因此消失，反而愈加嚴重。此地刣了水仙，竟被岸上的人誤以為剪辮反賊，這可是金順發海頭行船走海以來頭一遭。

不一會兒，天空處咻咻作響，砲彈飛來，一發砲彈穿過左舷，掉到海裡；另一發擊中桅桿，風帆著了火；另一發打中鷁首，船上各員開始跳船。

「船要沉了，快些跳船。船要沉了！」海頭衝入官廳，抱出娘娘的塑像：「娘娘，您可要保佑大家一切平安哪！」

「我不會游泳啊！」頭家可也慌張了，從來沒遇過此事，也不知道這事情要如何處置。

海頭看著頭家慌慌張張，將娘娘塑像一把塞入頭家的懷中：「這娘娘就交給你了，命懸此間，娘娘會保佑你的，各自珍重。」海頭說完話，縱身一跳，撲入森黑的海水之中。

朱一貴在大天后宮登基後，杜君英不服。這劉邦先入咸陽城，理當帝位屬於沛公。朱一貴這個西楚霸王，後至台灣府，盤算起來，只認得當「水仙王」的分兒。怎能在此念詔書、披黃袍。他四處遊說，希望改立兒子杜會三為王，但朱軍官將，大都與黃殿、李勇等人熟識相好，怎會去聽這個外人的指揮。

加上閩客之分，杜君英不甘趨附於閩人之下，遂有了反意。奪台灣府後三日，杜君英進了南寧坊，擄了七個民女，其中一人是國公吳外的姪媳婦，吳外上告朱一貴處，要求杜君英放人，但杜君英置之不理。朱一貴也因為杜君英之勢力龐大，投鼠忌器，暫且安下，一方面安撫吳外、一方面派楊來與林蓮做仲介，但杜君英竟然將楊、林兩人綁了起來。朱一貴忍無可忍，命令李勇、郭國正圍攻杜君英，閩、客雙方在台灣府內劫殺，頓時腥風血雨：關帝廳前屍橫遍野、抽籤街上血流成河，朱一貴為了平息內亂，抽調了原本應戍守鹿耳門的鄭定瑞、蘇天威兩將，改派為追擊杜君英。赤崁城上的紅衣大砲，現在也全部轉了個方向，內朝西定坊一側，朱一貴下令，凡有閒雜人等靠近大天后宮國府者，不論理由一律開砲。又隔一日，兩軍在西定坊短兵相接，杜君英不敵，率客籍餘兵北走貓兒干、虎尾溪，從此朱、杜分道揚鑣。鄭定瑞追軍先於前、蘇天威追軍稍於後，兩股追軍依序北上游擊杜君英殘餘勢力。

李逵一行人來到大龜肉庄，此地現稱鹽水港堡。少年頭家返還這裡，還記得老頭家顛覆於倒風內海之災，鹽水港和麻豆港遙遙相望，心裡感嘆。李萬利家長工傳來了消息，說頭家夫人蘇巧巧一切安好，朱一貴民軍護送他出了善化里，現在正坐牛車隊伍往鹽水港方向而來。李萬利宅邸日夜有朱一貴民兵守護，暫時不會有什麼危險。

頭家抵達鹽水港南邊的土坡堤上，總算開了口：「阿貴謀反，先生早已算計到了。」

「不敢當，此為運命之鋪排，而果真如此矣。」老先生說著：「江河盪盪，還倒是人生如夢，一樽還酹江月。」

「那老先生又如何知悉阿貴不會打劫李萬利？既然不會打劫李萬利，怎麼需要移走帳簿、清冊。」

頭家在移往鹽水港的牛車上問著。

一旁的老先生說了：「不！李萬利是遲早要被洗劫一空的，只不過不是朱一貴。」

頭家驚訝地說不出話來：「不是朱一貴還會有誰？」

「這戰鼓已響，風雲變色。不到數日後府內就將遭兵燹，清軍此一回頭，必當屠滅朱軍，台灣府勢必遭殃。」老先生從身後拿出算盤，撥弄著珠子：「咱們李萬利可是不做蝕本生意的，這錢貨給了人家，留下清、帳各冊，至少還有東山再起的機會。現階段，頭家留待鹽水港，現在安安心心地，還可經營一番事業。」

「經營一番事業？經營什麼？」頭家問著。

「『鹽水煮糖』的生意！」老先生說得明白，言下之意李萬利在此，往後會有另外一番買賣。

但頭家就是不清楚：「這鹽水如何煮糖？豈不是鹹死眾口？」

老先生先是語焉不詳，接著指著下坡之處，鹽水港一側：「你瞧見那座廟？那叫做『武廟』，祭祀關羽、周倉、關平，裡頭有三十尺高的關帝像，康熙七年時築建的。我們李萬利家應該捐點銀錢，修那座武廟，這關老爺會保佑咱們李萬利家，不致蝕本。月津此後兩百年內，必當為這『鹽水煮糖』之事，救我李萬利家之事業……」老先生看了看鹽水港的布局，繼續說著：「其實這事情乃天機之所繫，說不得也。這變局將息，我們李萬利窮則變，變則通，不應拘泥守成。我在泉州之時，可懷念那些家鄉口味了。李萬利在台灣獨做青糖生意，如技法不變，未來必遭其他商賈取代。」

「依先生所見，李萬利應當如何改善？」頭家問著。

「這糖的種類繁多，依序有青糖、菜糖、白糖，但最高價者為冰糖，可以保存最久的則是麥芽糖。然李萬利從始至今，獨做青糖、菜糖與白糖，雖量多質豐，但變化太少，尚缺冰糖及麥芽糖兩個品項。」老先生說著：「這漳州人做滷麵，乃加冰糖；泉州人做醬油，就加麥芽糖。頭家有所不知，甘蔗經石車榨汁，過一鼎煮沸乃更至八鼎，端控火候時辰，稍後再加入石灰、芝麻油、花生油，以提高濃度。青糖就轉為軟泥狀般的菜糖，將菜糖置於陶製大錐漏內，下開一口，上覆淤泥，半月換之，往復三次，使淤泥的水分充分滲入軟泥菜糖中，以罐置於錐漏開口下方承接，就可得到白糖蜜。」

「這個我知道。」頭家望著老先生：「還請老先生詳說冰糖與麥芽糖的製作方法！」

「冰糖製法傳於四川內江，相傳一位名叫扶桑的糖坊姑娘，因為貪吃，舀了一碗糖漿，正準備送入嘴裡，坊主恰巧回來，扶桑姑娘只能將糖漿到入豬油罐中，送到柴堆裡，上頭掩了穀糠。多日之後取出，上頭長滿像水晶般的東西，質脆而味甜，更勝於白糖，於是『冰糖』就這樣傳開了。這漳州人也做冰糖，製法改良：將白糖蜜再與水混和於鍋中煮沸，待滾燙約半刻鐘時，將糖水移出熱鍋，改放入土坑內。上蓋大棉被、下燒熱水使之漸漸降溫，約等七日之後，坑內熱度與常溫相同，即可得冰糖結晶。」老先生又說：「泉州人製麥芽糖，則是先將糯米浸泡，後將糯米水和孵出之六、七日之小麥葉一同滾煮五個時辰，可得麥芽汁。再將白糖蜜加水滾煮，緩緩加入麥芽汁，最後可得麥芽糖。」

「太好了，得這兩方法。我李萬利製糖的事業，可又更上一層樓了。」頭家看著鹽水港，這下可明白了老先生的用意，善化里那些綿延的甘蔗田地，在這裡找到了出口，那些大片田地由北進出，就是鹽水港了。此地既非台灣府內，可稍稍偏安於一方。又離諸羅山、台灣府距離相當，離早先諸羅縣治佳里興所在之地又近，加上鹽水港現不如台江內海淤積嚴重，在此經營「冰糖」、「麥芽糖」兩事業，實為最佳地點：「就請老先生在這裡，協助闢建幾個糖廍。」

擒住了王珍與梁文煊兩個罪人後，施世驃與藍廷珍兩軍祭旗出師，自澎湖浩浩蕩蕩出發。六百水船大軍最後停駐於鹿耳門外半里處，靠近原來加佬灣與北線尾沙洲附近，此地自古就有「鐵板沙洲」[27]之喻，除有暗礁密布、潮流風險、風信詭異外，更有廣大綿延的沙洲、狹小的水道。水軍緩緩進入，沿途都須以竹插竿於水道上，以示標記，才不至於迷途擱淺。

「應從笨港或打狗攻入台灣。」施世驃於旗艦上說著。

但藍廷珍的堂弟藍鼎元力主從鹿耳門殺入：「所謂激水之疾，至於漂石者，勢也；鷙鳥之疾，至於毀折者，節也。順其形勢，攻其要害。要殺反賊就應從他們最弱勢的地方開始。從此下手，可立即潰散反賊勢力。」

施世驃在船上官廳指著海輿圖：「前日探，原先反賊布局於鹿耳門的守備森嚴，近日不知如何地，全沒了守軍。依玉霖所言，則應當攻其要弱之處無誤，若從此險道進入，必能速戰速決。好！就攻此處。」

鹿耳門外風雲密布，朱一貴的海防守軍早已見到六百水軍大船集結，立刻報大天后宮，朱一貴心頭一驚，立刻遣調鄭定瑞、蘇天威回防鹿耳門，然鄭的軍隊追擊杜君英已遠，緩不濟急，蘇天威乃至中途率三千餘人，轉回入鹿耳門港。

清國水軍一字排開，海上猶如一條長索把各船牽連在一起。施世驃下令，砲擊鹿耳門。朱一貴先前已將各類火器遣入府內，用於對抗杜君英，現鹿耳門港上砲彈空虛，一個飛砲襲來，擊中了營帳，頓時軍心潰散，蘇天威寡不敵眾，只好退往安平鎮。清水軍成功奪回鹿耳門後，改攻安平。安平鎮上街肆空虛，百姓聞風逃難，連三個晝夜砲擊，不多時安平亦失。

朱一貴在大天后宮裡來回踱步，台江內海之外的兩個犄角，全給清軍拿回去，這情勢對自己大大的不利。此時探子又報，清軍改乘小船，分南北兩路，北攻西港仔港、安定里港等處；南攻喜樹、灣里兩地。眼見清軍已到，朱一貴內心涼了半截，站在大天后宮前，看看這最後的領地，嘆了一口氣。下令剩下軍隊追隨他的腳步往北離去，數萬大軍穿過灣里溪，一一撤離，人群逐漸潰散，至諸羅溝仔尾時，追隨朱一貴者已所剩不多。

阿貴髒兮兮地穿著黃袍，頭戴破爛的通天冠，最後僅剩十餘人跟著他，這些人手拿一只破碗，沿途向溝仔尾人家索食。

「那是誰？戴戲子帽的那個？」一旁幾個百姓竊竊私語。

「鴨母王朱一貴呀！你不認識？我剛從台灣府內出來，這台灣府內到處都貼了榜示，要說要捉拿他了。」有人附和。

「怎麼鴨母王會走入咱們溝仔尾？」好事者訕笑著：「豈不是死路一條？」

27 鐵板沙洲：台江內海七個沙洲，所構的海域。郁永河〈竹枝詞〉提到：「鐵板沙連到七鯤，鯤身激浪海天昏。」即指此處浪濤之險峻。

「要不現在就去官府舉報，還可得到打賞。」那個附和的人說著。

正當大家思量要不要領這份賞銀的同時，忽然從旁邊穿出兩個人，看起來是兩個壯碩的大漢，直到朱一貴面前：「哎呀，英雄！英雄！大英雄，這不是朱大元帥嗎？我是楊雄，這是舍弟楊旭。忘記我們啦！以前羅漢門見過面。」

朱一貴抬望了眼，看了看楊雄，好似認得這個人，或許是煮鴨前，或許是烹酒後，細節已經忘記了，他那大王三軍鴨子大軍裡的呢喃，昏餓的腦袋，已經記不住這些英雄好漢的面容。

楊雄要弟弟楊旭領路，嘴裡說著：「朱大哥是真英雄呀！我楊某要殺牛給你慶功款待，來來來，各位大爺、英雄好漢，今天來吃我楊某的牛，充足了氣力，再去殺他的三千人。」

這十餘人隨著楊雄、楊旭的腳步，轉入溝仔尾的一幢民房裡，楊雄大聲嚷著：「我認得這溝仔尾六庄，明日敲鑼打鼓，還能號召個四、五千人，再隨朱大哥與清軍一搏呀！」

楊旭趁著大哥楊雄說話的同時，轉出了民房，早已通報了官衙。

當夜，朱一貴睡於民房內，朱一貴夢中的戰場依序收攏，煙飛塵滅，那些英雄好漢盡皆戰死，唯獨自己猶戴通天冠，身披黃袍，穿過死傷慘烈的戰場。

「殺那反賊！」屋外突然金鼓大作，四下振臂高呼，皆曰可殺。

朱一貴等人驚醒，這才知曉已經中了埋伏，眾人倉皇逃出房舍，官兵接踵而至，不一會兒就逮住了朱一貴。次日白晝，朱一貴被五花大綁，押至八獎溪畔的下加冬，施世驃親自訊問：「大逆不道的朱賊，落在我手中，此番還有什麼話說？」

朱一貴昂然挺胸，一旁水兵大喊：「見到提督大人還不跪下？」

「應是你跪孤家，不是孤家跪你！堂堂漢人，卻做旗人的狗。你父親滅我明鄭，要不同孤家到延平郡王墓頭前哭個夠，讓你記一記你原來漢人的模樣。今日孤家落到你手頭，我這大明國，可不任你這樣剮割。」

「好個反賊，說話辱我家靖海侯，來人呀！用鐵鎚擊碎他的膝蓋，讓他跪下。」施世驃一聲令下。

兩個水兵舉起鐵鎚，往朱一貴的膝蓋擊個粉碎。朱一貴頓時委坐於地。他眼前一黑，感覺上千上萬的鴨子飛過他的眼前，穿過長著芝蘭的森林、通過綿長翠綠的隧道，一道金光灑在他的臉上，倏地消失得無影無蹤。

平靖朱變後，各官吏陸續返還台灣府。這商役回報，朱一貴亂台灣府時，終日派兵戍守李萬利家，肯定是打劫了鳳山、諸羅山等地財貨，全藏到李萬利家裡頭。接交點收的官吏，只好查封了李萬利家大門。幾個想藉此斂財的官員，打算在李萬利家的簿冊裡添上一筆，好將之與反賊勾勒牽掛成串，用以勒索李萬利家錢財，但卻發現裡頭貨物、錢財皆備，但怎麼找都找不到帳冊、簿冊。最後無從下手，只好順手牽羊幾個錢兒即罷。

當初朱一貴事變起，台廈道梁文煊、台灣府王珍擅離職守，私自逃往澎湖，對此康熙帝頗為震怒，要求將兩人解回台灣，就地正法，剖梟示眾。

在水仙宮港上，眾百姓就是要看這兩個大官，如何遭斬，梁大人、王大人身穿囚服，逐一跪在水仙宮港邊。

「呵！王大人，您可有今天呀！」人群裡不知打哪冒出來的話。

王珍想側頭看一看是誰，這劊子手拉住他的長辮，嘴裡怒斥：「罪犯不得東張西望！」

「還是使幾個銀錢兒，讓仵作給您斂屍唄！屍格上可會把您填寫清楚的。」那個聲音又竄了出來。

「哪個王八羔子在這裡尋開心……」王珍話還沒說完，一個大刀落下，人頭和身體就分離了。

頭家在鹽水港駐了一個月，設置了兩個糖坊，開了一個分號。打點好府內的事情，果然是老先生算計厲害，這本宅裡財貨遭查封，但未見任何帳冊、清簿，衙門裡也不敢擅動，財貨充公後，宅邸只能撥交回李逵手中。朱一貴起事以來，府內大大小小商號無不受到影響，世局混亂之時，有些無端遭到地痞縱火打劫、有些在朱一貴、杜君英街頭巷戰中慘遭波及。能像李萬利這樣規模又大、損失又少的商號，真是少之又少。除了原宅邸內尚存的財物遭充了公，其他也沒有什麼損失。

頭家、蘇巧巧和老先生，三人同坐在一輛牛車上，緩緩回到府內。才剛進西定坊，就見到一個孩子，穿著破爛、骨瘦如柴，獨坐在祭祀武殿的石階上，這祭祀武殿正位於大天后宮一旁，早先供奉岳飛和關公，但雍正開始，清朝不容百姓有對抗異族之心，就將岳飛自廟中除去，至此尊關雲長為武神正朔。

「這不是息文嗎？」頭家認出這個孩子。

老先生也回過頭：「果然是文兒！」

頭家跳下牛車：「怎麼一個人坐在這裡？」

息文看見了熟識的人，抱頭痛哭。一五一十道出這一段時間來的遭遇，這些日子，只能縮在武殿前，四處乞食。朱一貴當初代為安葬母親，斬了大明國公戴穆。朱一貴軍氣息尚在的時候，將息文視為嘉賓，仔細照料，但他食不下嚥、終日不寢，瘦了好大一圈。後期朱一貴逃難，再也無暇管這個孩子，只能任憑自生自滅，息文就這樣在大天后宮、武殿附近徘徊，直到頭家的出現。

頭家聽了鼻頭酸：「息文，這就跟我們回去吧！亂也平息了，以後你就跟了我們，不如就收你當螟蛉子。」

蘇巧巧看了看武殿：「官人，讓這孩子認關老爺做契子吧！保佑這孩子堅貞勇敢，一切順心。」

頭家看了看武殿，老先生點了點頭。於是就帶著息文一同走入廟內，認了關帝爺爺。頭家心裡想著，鹽水港也有武廟，而這息文既然認了關老爺，不如好好栽培他，未來鹽水港就交由他去打理。

曾擔任過諸羅知縣的周鍾瑄調回台灣府。上任以來廣設糧倉，大興埤圳，政績頗為豐碩。朱一貴事件後，府內元氣大傷，李萬利自家卻經營得有聲有色，下淡水分號由阿輝總管，已橫跨鳳山七個庄；鹽水港另開一個分號，專司冰糖及麥芽糖的製作。老先生返回水仙宮取回帳冊，而原先府內的幾個據點，也陸續恢復元氣。蘇巧巧懷了頭家的孩子，過了十個月，孩子呱呱落地，下落之後頭家給他起了個姓名，就叫「李元」。

頭家有意栽培息文，派他到鹽水港堡分號學習，但他一心牽掛父親的安危，不明白為何去福建買辦，已逾三年卻遲遲未歸。傳說笨港媽祖廟頗為靈驗，這一日便驅車前往。

息文來到笨港媽祖廟前，此為泉州人據地。廟前好不熱鬧，此時恰巧是媽祖生，到處張燈結綵、供品併放、七到八個唱官音的戲團，在媽祖廟前各展曲藝，使得氣氛熱鬧非凡。

息文入內參拜，媽祖金身莊嚴隆重，他默默祝禱：「娘娘，弟子姓蕭，名息文，今年九足歲，台灣府人士。家中遭到朱賊的危害，致使家破人亡。父親前往福建買辦已逾三年，不知是生是死。如果娘娘允許，讓不孝子息文能再見父親一面，就讓這鐵釘能貫入娘娘廟前的石階之中吧！」

磕完響頭後，起身到笨港媽祖廟石階上，身懷一支鐵釘，徒手拿出那支鐵釘，停頓一會兒，吸足一口氣且全神貫注，倏地向下一壓，這手上鮮血直流，但這鐵釘卻也奇蹟似的插入媽祖廟前的石階之中。

「唉唷！你這人怎麼這樣大膽，在娘娘廟前釘鐵子。」香客竊竊私語。

息文流下眼淚，說著那段悲慘的故事。眾人見狀直嚷：「真是娘娘的奇蹟。」

「小兄弟，你姓什麼，叫什麼呀？」一個年紀比他稍大的少年問著他，然後丟給他一條白布巾。

「我姓蕭，叫息文。」息文說著，接著用白布巾把流血的手掌包裹起來。

「大家瞧瞧，這媽祖允了他的諾，這不正是『蕭子釘』嗎？」那個人高聲嚷著。

眾人圍在媽祖廟前，議論紛紛：「果然是『孝子釘[28]』，這釘子可不能拔起來呀，要留在笨港媽祖廟前，百年、千年，供後世憑藉。」

笨港媽祖廟前熱鬧非凡，這「蕭孝子」徒手入釘石階的事蹟，立刻在笨港地區傳開了。媽祖廟前賣芝麻油的泉州老闆，聽聞三年前海防港上，一艘商船搭救到一位在水中載浮載沉的商人，他身上沒有任何證明身分的物品、亦無任何錢財盤纏，只有一截拇指大的娘娘塑像。那商船頭家還以為是海盜打劫，把這倒楣鬼拋到水裡。那個被救起的人，卻記不得過去種種，也說不出個所以然，為何身上會有這截娘娘塑像。

油行的頭家立刻到廟前，把息文招呼到自己店裡，說了分由，還指點了那個被救起來的商人，現在就在笨港街上一家醬油鋪子裡工作。

陪著他的少年很開心：「聽起來，準是你父親沒有錯。」

「還問大哥哥姓名？」息文很感激，對著那個少年一直道謝。

「諱名不足掛齒，要不大家都叫我『賣鹽順仔[29]』，你也可以這樣叫我。」阿順說著。

「『賣鹽順仔』，你在賣鹽啊？」息文說著。

「那當然，我三兩天就從布袋嘴挑鹽，　路往鹽水港賣過去。今天要不是聽聞笨港媽祖生日，熱鬧非凡，也不會貪圖一個懶散，休幾天工，來這裡鬥個熱鬧。」阿順說著：「先別管我，要找你父親要緊。」

油行老闆領著他，阿順跟在後頭。三個人穿過巷子，來到一家醬油坊裡，地上一甕又一甕的陶缸，

28 孝子釘：此釘尚存於北港朝天宮石階上，其傳說由來甚多，較常聞之版本源於道光年間的蕭姓孝子，思親情深乃徒手入釘於石階上。
29 賣鹽順仔：台灣民間傳說裡機智與俠義者的典型，赤崁人。在廣播年代推波助瀾下，成為大家熟知的故事人物。

醬味四溢。息文一眼就認出來，那裡正在為竹篩上黃豆抹鹽滷的人，正是自己的父親。

「父親大人，我找你找得好苦呀！」息文一把抱住了那個人。

但他並沒有回頭，忘失的記憶，讓他停留在那最純粹的世界裡，慢慢地為那些竹篩的角落，記憶的傷口上撒鹽。

「沒想到竟是此模樣。」李逵見了息文的父親，這下可不禁嘆息起來：「沒料到行於海上，竟然會遭海盜打劫。所幸五月澎湖海水，由南往北流，這息文父親才能一路漂去海防港。」

沒人知道息文父親落海的真正原因，是被那群貪生怕死的狗官給砲轟的。

「這海盜真是可惡，我這北郊應出錢出力，鞏固台廈海防。」李逵安撫著息文：「文兒，你就不用擔心。你父親就交給我李萬利家來照料……」

來鹽水港分號巡辦，進來屋裡聽了那麼久、講了那麼多話，李逵總算發現息文身邊站了一個陌生人：「這位小兄弟是？」

「我叫阿順，叫我『賣鹽順仔』。」阿順伸出食指，在鼻子前抽了抽。

李逵看了看他的品相：「我這鹽水分號，還欠幾個壯勇，看來小兄弟身手不錯，有沒有意願在這裡工作？」

「真的啊？我可以在頭家這裡工作啊！」阿順笑出聲來：「我這挑鹽賣鹽這幾年，也感到倦了。能在頭家這裡改賣糖，還挺新鮮。」

「可不是只有賣糖製糖，我李萬利也打算賣鹽，這鹽水分號就是這個意思。」頭家說著：「這糖、鹽、豆，都是醬油的基本原料。我鹽水分號已經有麥芽糖，也進了分配好了下淡水的大豆，若再加上布袋嘴的鹽，這醬油的素材可就齊備了。」

康熙年間，施琅的《台灣棄留疏》，仍未打醒當朝康熙皇帝，台灣府四十餘年來從未建城。朱一貴事件後，台灣府內湧現建城的呼聲。於是雍正二年，台灣府開始建築木柵城牆，沿三坊邊界劃定，各商配合捐銀，規畫兩千六百六十二丈，合計七門，收了一千四百餘銀，卻蓋出了半缺的城池。台灣城西邊靠海之處不建，獨留大西門有門無牆，形態詭怪。往來鹿耳門、府內的各家商人，在官道上談論台灣建城的事情，還心有怨忿。

「這是哪門子的台灣城啊？」見了木柵城模樣的百姓們，莫不竊竊私語。

「要是又有賊來反，三兩下就給燒光啦！」捐銀的商家有些氣憤，這官家要他們繳這樣的「保護費」，卻蓋出了不像樣的狗籠子來：「這柵欄城別說洋人大砲擋不了，連番兵來犯，三兩下子就給他們的番刀刨除了。」

下元節水官大帝生日之後，理應進入冬季，但卻連續幾日酷暑。幾個談論台灣城的商人，正好過鎮瀾橋，就有人發現一艘奇怪的彩船從洲仔尾溪的上游緩緩漂來。鎮瀾橋高度不高，眾人驚異，怎會有這麼大的彩船從上游而下，那艘彩船不偏不倚，正好卡在鎮瀾橋旁一側。

「這是哪家的船呀？」商人們看那上頭彩繪華美，甲板上放了各式珠寶，驚覺有異：「唉唷，這是瘟王船呀！」

「哪個瘟家村請了王爺遊地河[30]，隨意放流了王船。」這各家退避三舍。相傳這王爺船遊處，是不留神明過夜的，王船停下後要立刻送走。定是這歐汪、洲仔尾溪河的上游哪個村落放行，怎王爺他處不去，偏偏往內海裡鑽。所謂請神容易，送神難。這王爺請來，還是讓祂途歸大海比較好。

「這可怎麼辦？」鎮瀾橋上的商家，面面相覷：「這王船毀不得，也沒人敢動瘟王爺爺的寒毛。」

「要不，拆了鎮瀾橋！」有人出了餿主意。

「拆了鎮瀾橋，以後怎去鹿耳門啊？難不成你的牛車要下水潦過去？」旁邊的人敲了他的腦袋。

「這傳聞瘟王船停駐某地不走，表示近期就要起瘟疫啦！」幾個好事的夥計，嘴巴嘟嘟囔囔。

「你這說話再不見見時機，到時候就用針線把你的嘴巴縫起來。」那個人惡狠狠地瞪了說話的夥計一眼。

「不然地，找青天大老爺來處置這王船。」眾人得到一致的結論。

在李萬利商號裡，老先生無端發了高燒，躺在臥榻上。頭家非常關心，要蘇巧巧盛來一盆涼水，擰了布巾給老先生擦汗。

「頭家啊！老朽隨你這麼久，也足夠了。」老先生說話氣如游絲：「我這一生為李萬利算計，怎也可算計到總有今日呀！」

「先生請不要說話，還是好好休息靜養。」頭家說著。

「這十五日之後，各地定有大事發生，我這老身體，是看不到李萬利家的成長啦！」老先生從褲腰帶裡掏出一張黃紙，上頭密密麻麻一串中藥材：「這藥方還可再助李萬利度過此劫，李萬利應舉家往鹽水港去……」

「為何要去鹽水港？府內又要起兵燹了嗎？」頭家問著。

老先生搖搖頭：「天機不可洩露，這一劫數來去，要到明年上元節才能結束，鹽水港堡的關老爺會助李萬利家消災平安的。」

頭家看著老先生一口氣似乎要喘不上來，執意要找個郎中給他看病，老先生搖了搖頭：「我這疾病是治不好了，陽壽將至，請頭家切莫傷心。我身後就渡隨小船，請以一舢舨載我肉身，出鹿耳門。我這就要返回我泉州老家，黃泉有酒不孤單。這喪儀隊伍之末放一甕老紅酒，任何人都不許喝，我要你用牛車載過去，用牛車再載回來……」

此話一出，可急壞了頭家，雖不懂放老紅酒的涵義，還以為那是老先生家鄉的習俗，就沒多問。但他眼淚卻已經不聽使喚流下來，頭家一手握著老先生的手：「先生如我父親、如我爺爺，您若撒手，我李萬利未來又將如何？」

「頭家不必驚慌，此去往後兩、三百年，李家起起落落、浮浮沉沉，歸隨自然，順應天理。頭家

30 遊地河：早期瘟王船放逐於溪上，使之隨溪入海；後改焚燒方式，為「遊天河」，迄今王爺醮以遊天河者居多，台南西港醮尤為出名。

世代命中注定受水神的庇佑，李萬利自當大開大闔，大起大落，唯順水推舟，則一切安矣。」老先生指點了迷津：「此劫之後，又逢一劫。李萬利就在這些順遂與不順遂中茁壯，前劫得合、後劫就分，息文和李元的子子孫孫，會持續這一股分分合合的勢力，一人若為劉邦、一人就是項羽，此分合是李萬利之助力，亦是阻力。」

「先生你說什麼，我都不懂，還請好好安養休息。」頭家安撫老先生。

他瞪大了眼睛，嘴裡喃喃念著像一首詩讖的話語：「港郊之駝，尤為公重。信商誠實、童叟無欺。墨守既失、鼎新輒利。」

那天夜裡，老先生就這樣過去了，李萬利準備給他辦了一場隆重的喪禮。所謂生，事之以禮；死，葬之以禮，祭之以禮。李逵披麻持杖，頭上斬衰冠戴草箍，初生的李元苧上加麻，戴苧包、息文穿義服。

李萬利上上下下僕婢雜工，全都配發一片小白布，男子別於左臂上、女子戴於髮上。

老先生仙逝，李萬利家頓時一片哀悽。李逵給老先生準備了上好的福州棺材，請師傅為他整理儀容，其棺殯出，猶如天地同哀。眾人將老先生的棺木上槓，頭家打幡，一腳踢倒放棺木的兩張板凳。旋棺之後出堂，持幡、豎魂帛、提香爐、撒紙錢。出了家門，李逵自己也嚇了一跳，街坊之上，一街同出了七個喪家門。再拐過一個轉角，連新益號也掛出喪制，詢問之下才知道，昨夜新益號的老闆忽然一口氣喘不上來，得到怪疾，未到亥時就已經一命嗚呼了。

送行隊伍一路浩浩蕩蕩，穿過北門，往鎮瀾橋的方向而去。通過鎮瀾橋，那艘巨大的王船還泊在橋的一旁，眾人避而遠之，官府派了幾個小兵，站在王爺彩船前，日夜把守，閒人不得靠近。通融之後，准許喪儀隊伍穿過鎮瀾橋，過橋後沿途經過幾個小村、幾家小戶，好巧不巧，約莫八、九戶人家都掛喪。

至鹿耳門，配了一艘小舢舨，眾人將老先生的棺木，擺放在舢舨之上，合力一推，舢舨隨海水漸漸漂向外海。

眾人退回沙灘上，頭家忽然看到一個奇怪的東西，團縮在沙地旁，他拿起孝杖，輕輕地撥了一下，那個東西轉過身子，原來是個人，他扭動呻吟了一下，就死在眾人的面前。

「這是怎麼一回事？」頭家驚駭不已。

撒紙錢的黑狗，也跟著抽搐了一下，那缺了牙的臉歪了一邊：「這黑狗就不知道、不知道了。」他退了兩步，跌坐在地上，空籐籃向前咚地一聲，滾到那個屍體旁：「難不成台灣府城內起了大瘟疫了？」

聽聞此話，頭家心頭涼了半截。趕緊自小囊袋中抽出老先生寫的那張黃紙，定睛一看，上頭洋洋灑灑兩味藥方：「第一味是連翹、銀花各一兩，苦桔梗、薄荷、牛蒡子各六錢，淡豆豉、生甘草各五錢，竹葉、荊芥穗各四錢；第二味是麻黃四兩去節、杏仁五十枚去尖皮，炙甘草二兩、石膏半斛，以棉囊絞碎。溫邪上受，用第一味；汗出而喘，無大熱者，用第二味。」

下方還有一行小字「益土荒殘，殆無孑遺，且莫返府，直去龜肉，移者速速，怠者篤篤，老弱與溫邪者，取孝服沾老紅酒，塗於鼻息之間，口內亦含老紅酒，徐徐噈飲，始保性命」

從頭看到最後一字，李逵大驚失色，遺書的言下之意，真起了瘟病？他立刻想起老先生交辦放在隊伍後面的老紅酒，招呼幾個雇工，摘下孝服上的小白布，一人一片抹上老紅酒，若有黃紙小字上症狀的人，也都口含老紅酒。轉了個彎，喪儀隊伍立刻往鹽水港堡的方向，快速移動。

這一天，台灣府內清晨有涼風，日正當中時炙熱，到了傍晚又下了場小雨。疾病擴散的速度超乎任何人的想像，這一個白晝，四坊就死了十餘人，還有三十餘人躺在病榻上。府內的幾個大牌郎中也全沒了辦法，索性任何人來敲門，不作應答。

「果然是瘟王降咎於民！」台廈道陳大輦在道署中踱步，不一會兒天色就暗了下來。他心裡想著，這下可詭怪了：王珍、梁文煊死於壓制民變不力，遭斬首於市；陶範大人負責收拾殘局，才任一年就解職回京，台廈道上下連續三任皆未滿任期。而我陳大輦，原福州督造運兵船，沒想到還有此機會任此高官。是說我八字重呢？還是八字輕？我陳大輦廣西、福建這樣任上一輪，天不怕地不怕，就怕閻王夜叉來敲門。

陳大人體型高大，心卻膽小如鼠。他眼睛骨碌碌地轉，心想著：「人說台灣多魍魎鬼魅，現在瘟神到處找人索命，我要是沒處理得當，上頭怪罪下來，可又要人頭落地啦！」

此時外頭忽然一聲巨響，緊接著一個呻吟的聲音嚷著：「唉唷喂呀！陳大人……」

陳大輦嚇出了一身寒毛，左思右想是不是牛頭馬面在這裡招喚他的名諱。他忍住不出任何聲音，脹紅臉這一口氣忽然喘不上來，險些就要昏了過去。

「陳大人！是我呀，這階梯上怎麼擺了兩丸大石頭？」那呻吟聲音愈發清楚。陳大輦這可聽足了那個聲音，原來是他的幕賓，負責辦事的書啟師爺，在廂房外的石階上跌了好大一跤。

「不是叫你去整頓東海書院，怎麼這麼晚了還來？還來這裡作啥？」陳大人有些抱怨，聽他剛剛所講的話，肯定是撞到了他早上安放在石階旁的兩塊「泰山石」，這每塊泰山石至少三百餘斤重，陳大人可是編了個冠冕堂皇的理由，誆了工房的幾個匠師，一大早就自道署的斐亭假山上，合力搬過來這裡安放著，這放著就是放著，如不擋邪，至少擋煞，這事情有輕有重、有緩有急，擺石頭這件事，可是陳大人心兒上的當頭第一順位。但這事情要小聲地做、悄悄地做，不驚動任何一房，不打擾任何一役，也不能讓哪個幕友知悉，更不能讓下面那幾個該死的傻縣丞瞧見了，嗤笑他貪生怕死。

「哦！是什麼事情？」陳大人清了清喉嚨，故作鎮定：「沒事我要就寢了，明早再來報！」

「陳大人，不得了。這台灣府內起了大瘟疫，謠言四起。」書啟師爺說著。

「得了，得了。我明天就去鎮北坊真君廟請大道公，來這四坊遊走兩圈，鎮一陣煞氣。」陳大人心中嘀咕。

師爺囉哩囉嗦，嘴巴細細念著。聽得出來，他現在可能一手正摸著屁股，一腳去踢那兩塊石頭：「陳大人呀，這不曉得是哪個渾球，把石塊疊在您這兒，害我……」

陳大人聽了刺耳，心裡想著，好哇！小小的書啟師爺，竟然拐起彎來罵我這個老爺來，本想斥責兩句，隔著門窗，又擔心起這事情宣揚了出去，恐遭下面那幾個縣丞笑話，恬不知恥地說：「是哪個渾廝？在本道房門前擺石頭的，明日去給我查辦查辦。」陳大人說得正氣凜然，但這後頭的話就顯得氣力軟弱：「查不到就罷了，其他要緊事快些處置，那瘟疫的事情才是正辦。」

「說到這裡，陳大人。師爺們找來這府內養生堂的師傅，加上幾個幕友合計了《傷寒論》。」師爺在門外說著：「典籍有註，這藥方需要：桂枝、芍藥、甘草、生薑、大棗等五味……這『桂枝湯』主太陽病，或已發熱，或未發熱，必惡寒，體痛，嘔逆，脈陰陽俱緊者，名曰傷寒，得到『桂枝湯』藥方一帖，或許可治一治這瘟疫寒氣。」

陳大人知道養生堂的老師傅，原來是在朝廷西御藥房裡擔任宮直[31]，做過太醫，因為沒醫好貝勒的腳疾，而被降為從八品的吏目，後來辭官告老，來到台灣開了惠民養生堂藥局。話雖如此，這老師傅至少是現階段府內醫藥知識較豐富的人。陳大人還未聽他們說完，這心上的石頭就落了下來：「既然已得要法，還不去準備藥材，明日就發藥給百姓們？」

「大人，這幾種藥材，都需藥鋪子、南北貨行裡才有，但今日早上起，府內幾個大家都掛起喪號，如糖商李萬利、南北貨新益號、東安坊興隆號……現在這些藥材可缺得不得了。」書啟師爺說著。

「這本道不管，要嘛去逐戶敲門、要嘛去擬文下令，要他們明日繳出這些藥材，去叫台灣府辦這件事，明天招集我道下各署交辦，收購藥材，製作蜜蠟藥丸後發給百姓。」這下陳大人說起話來可威風。

話說這陳大老爺，除了貪生怕死、敬神怕鬼這樣的小缺點之外，其實還算得上是個好官。上任來建小北門地藏庵、修東海書院、設課士規程，廣興番塾義學，選會讀經書的番童為釋奠佾生[32]，主番社漢化政策，改先師廟崇聖祠，政績其實還算不惡。

隔日一大清早，陳大人端好服裝，穿過石戒、儀門，出了譙樓，上了官轎。師爺代替陳大人招集各署：東安坊的附廢署、知府署、西定坊的經歷署、鎮北坊的知縣署，總兵署各里游擊、守備營、安平鎮的水師、蕃薯寮的巡檢司等。

大家各司其職，分配好工作，點收一籮又一籮的空筐，府內商人們可想發這筆橫財了，大家都聽說衙門已知道壓制瘟疫的方法，商人們莫不想破了腦袋，要在這當中攏揞掏利。

街坊上的耳語傳開，才一聽說這瘟疫有解，府內市街上忽然又熱鬧了起來：西定坊、鎮北坊幾條商街人聲鼎沸，大家都在搶藥材。開張頭一件事，就是桂枝每兩先漲了一錢；隔壁藥鋪子見狀，芍藥也提高兩分；挑擔行走零售生薑的小販也不得不拉高價格，下至出擔[33]、路擔[34]，中至文市小賣、上至武市大賣，全把價格拱到天上去了。

陳大人一聲令下，官府收掛的隊伍分別到藥材行、南北雜貨行批集，依公定價格收購。鎮北坊幾個商家惜售，把甘草藏到牛舍裡頭。衙役們繞過五條街，卻連半簍藥材也買不齊全。到了中午，陳大人可生氣了，貼出告示，凡藏藥私售者，就捺五十大板，且藥材盡皆充公，才於申時之前收足了十五大籮筐的藥材。

但問題又來了，師爺點收籮筐，才發現這些官差又給那些沒良心的商人騙了，原本應該是大棗的，竟然一籮筐棗仁；原應是一簍的甘草，現在成了一簍的知母。

陳大人請來的養生堂配藥師傅苦笑著：「唉唷！大人呀。這可是要做『桂枝湯』，不是要做『酸棗

31 宮直：依《欽定大清會典》所載，太醫院內對宮內提供醫療服務的分班，待命輪值者曰「宮直」，給事外廷服務輪值者稱「六直」。
32 釋奠佾生：祭孔時跳佾舞的舞生，台南孔廟雖建於明鄭，但康熙年間才開始有祭祀活動。
33 出擔：自店鋪裡批發物品的第一手商人，稱「出擔」，類似現今的無店鋪零售批發商。
34 路擔：自出擔那裡批貨，挑擔至路邊叫賣的小販，稱為「路擔」，類似今日的攤販。

仁湯』。」

稍懂藥理的師爺們嘻皮笑臉，冒出了一句：「發熱頭痛、風寒在表沒治成，痊了虛勞肝疾之症也是不錯地。」

「去把訛我衙門的商人全給我抓過來！」陳大人怒氣沖沖，這可嚇壞所有的人。本來眾人還當這個不會說話的官是個病貓，沒想到咆哮起來，還挺有嚇人的威力。

「是！是！是！」知縣大人哈腰比師爺們還低，這態度分明就像是隻小狗：「小職立刻去查辦，這就去查。全部……都抓起來。」

不到一個時辰，商人們就乖乖吐出正確的藥材。陳大人怒氣難消，交代了書吏，凡是訛詐取巧的商販，全都用大白紙寫上「奸商」二字，貼於商號門楣之上三個月，以示警惕。一切就緒後，養生堂的師傅就到籮筐前點收。他看了一看，搖了搖頭。

「還差一味！」養生堂的師傅說：「這藥材要全都做成藥丸，還差一味藥引子。」

「什麼引子？」陳大人側過頭。

老師傅指著街上大門緊閉的李萬利主家：「就差烏糖這一味。」

官差敲了敲李萬利家大門，裡頭還留守一些雇工，門口高掛「嚴制」：「李家相公在否？李家總管、家長在否？」

「誰呀？」應門的是棧房留守的領首。

官差在門外說了來意，領首想了一想：「咱們家喪忌之中，現在我主子不在家，還請官爺先回去，等我頭家返回府內之時再轉告他。」

「不行！不行！事情急得很？你們頭家哪時返府？」

「算算時間，也應該快回來了。」領首開了門，但不打算讓官差入內：「官爺！不好意思，李萬利家中尚穢，不便邀您入內喝茶。」

「我就在這裡等！」官差堵著大門，兩個眼睛不時打量這個人。

過了酉時，還不見頭家喪儀隊伍轉入街廓，這下官差可急了：「你不是說你頭家快回來，是去閻羅殿掛單住宿，不回家了？」

「官爺您別氣！」領首正要安撫官差，就見到一個李萬利家的長工急急忙忙跑了回來。

「頭家有令，要李萬利尚在府內的各糖坊全部暫時關閉，若還有甘蔗、烏糖、白糖等貨品，先遣送給府內百姓人家。所有雇工即日起暫移下淡水分號……」那個長工喘吁吁地說著。

官差也能感覺到這事情的不對勁：「怎麼地？你們家頭家夾著尾巴逃走啦？」

「官爺，您也聽到我家帶話的說了，這就為您準備好牛車，現在就去糖坊開倉，烏糖白糖就任您取拿。」那領首苦笑著，招呼寮房裡休息的工人，準備好牛車載貨。

得到了李萬利各糖坊的烏糖後，陳大人命令將各式藥材擺布於水仙宮外。此時已漸漸入夜，眾人高舉火把，打著燈籠。養生堂老師傅指揮著眾人架設九個大鼎，升火煮糖，頓時焦糖香味四溢。地方上十六個各地民營的施藥局、地方鄉紳成立的惠民藥局師傅，全都出來幫忙，他們幫忙把生薑煮為汁、大棗搗成泥，其他藥材依序切為片、研缽磨粉，然後和薑汁棗泥再併合，依比例配方，最後淋上糖膏裹附配方粉末，以手搓成丸狀，再過竹篩，像滾湯圓般來回往復，上點芝麻油避免沾黏，最後以乾荷葉包裝，就成了陳大人口中的「抗風蜜蠟丸」。

開始製藥第五日後，傳頭梆，道署擂鼓，衙役、書吏開了道署大門；接著內衙以槌敲擊雲板，打點五下，那點聲似如「臣事君以忠[35]」的呼喚，宅門、大門、儀門再傳「二梆」，昨日一夜未闔眼的陳大人，準備盥洗，預計到簽押房。書吏們點卯簽到，陸續匯出公文至簽押房。等陳大人盥洗完畢，內衙又打點三聲，意味「清慎勤」，宅門、大門、儀門接著上「三梆」，表示大人要進衙門，各部門書吏、衙役皆須起立肅靜，隨著梆聲，陳大人走入了簽押房。

「唉！這瘟疾能否壓制，全看今朝了。」陳大人坐上椅子簽押公文，心裡這樣想著。

在府內大街上，城隍廟、天后宮、關帝廳、開元寺上合計十餘據點，開始分送藥丸，戶房官吏依各籍各家，按門戶發丸。幾個乞丐團賴在旁邊，哀求著：「官爺爺啊！我們也要這治瘟救命的蜜丸。」「去！去！去！這可是公家發的蜜丸，還任你們這些無名無姓的賤籍、癩痢狗來討食。」官差拿起杖見勢就要打。

各據點人聲鼎沸，各署皆派員協助維持秩序，很快的藥丸就發送一空。

頭家大隊人馬來到了鹽水港堡，總算鬆了一口氣，果真有這老紅酒的護持，一路上無人出現病恙。

頭家入住鹽水港分號後，指揮所有工人，收集老先生遺書交代的藥材。慶幸著李逵之前的大娘後頭家，在麻豆港是個藥材商，李逵親自登門拜訪，說明了來意，主持的舅父看了看藥單：「這些材料怎麼與台廈道陳大人索要的不一樣？」

頭家一臉疑惑：「官府也來買藥材？」

舅父把這些日子府內的事情說了一番，最後補上一句：「你這兩帖方子打哪來的？沒有一味和官府的藥方重疊！這藥味真的有效？」他補了一句：「幸好沒有重疊，否則藥材可缺了。」

李逵信得過老先生，也不打算瞞舅父：「告知這兩帖方子的人，已經仙逝了。」

舅父這才不再懷疑，打從老頭家在世的時候，他就深知李萬利帳房老先生的厲害之處：「看來我也要在這上頭，留幾些藥材保住性命。」

又過了三日，台灣府內瘟疫不但沒有止息，更愈發激烈。城隍廟大門外一日白晝，就死了七個要飯的；小北門內一帶，總共又多了十二戶喪家。水仙宮港上，每天都有人想搭船逃離台灣府，生怕瘟疫擴大，不只廈門，連澎湖媽宮，也不得所有出安平、鹿耳門的船隻靠港。

陳大人積勞成疾，這日夜裡無法入眠，頭痛的狀況也愈來愈嚴重，他躺在床鋪上，眼睛睜得亮。在台灣任職，他未攜家眷前來，獨自一個人在府內公辦，頗覺寂寞。側過身子，透過窗紙，他看見一

35 衙門報更有一套規矩，頭梆到三梆，幾個打點，何時通知官人上堂等。其步驟皆有喻意，處處充斥朝廷對為官者的訓誡與提醒。

個好似人影的「東西」，倏地穿過門外走廊。

陳大人天生膽小，這心頭一揪，心想該不會是什麼歹物出祟：「門前有泰山，不怕。」他喃喃自語，念了兩遍後又看見一個影子晃了一下。這下子冷汗就這樣飆了出來。

該不會是什麼鬼物吧？人說台灣多瘴癘，這會兒就見著了山妖水怪、河伯地精的：「誰啊？」才剛一講完，這影子又晃了一下。陳大人看了一下，是個大黑面的索命鬼：「唉唷，我的媽呀。是瘟神爺爺唷！」

這一驚嚇可不得了，陳大人一口氣喘不上來，大老爺就死在自己的床上了。而他所看見的黑影，只不過是月光下，輕風吹過道署澄台庭園上，倒映於門窗上的樹影罷了。

但這事情沒能善了，隔日道署內大亂，眾人驚慌失措。連陳大人都死於瘟疾，此等耳語早就傳入街坊巷內，台灣府一時陷入了混亂之中。

「絕對是瘟王爺降罪！」台灣知府會商千總兵，這管兵令的大老爺到閻王殿報到去了，一時之間大家都失了方寸。

「這就招集士兵，抬幾門紅衣大砲，到鎮瀾橋上，炸了瘟王爺的彩船。台灣有俗，這瘟王船不可駐地久留，留久了瘟神就住下來了。」總兵說著。

「看來也只好這樣！」知府也沒其他辦法，不等上京來消息，只好同意如此辦理。

反觀鹽水港堡，李萬利在此分送兩帖散瘟藥，領藥之時，李萬利家的雇工都會依老先生的指示，交辦給領藥人，依症按藥服用，過了一個足月，未聞鹽水起大瘟。這一日，鹽水武廟的乩身降諭，說這台灣府內瘟疫四起，預防堡內遭殃，要在上元節天官大帝生日那天，各處鳴放炮竹，方可去瘟擋煞。到了上元節前一夜，鹽水街內各家準備炮竹，到了子時，聽到更聲，全境炮聲隆隆，煙硝頓時瀰漫於空氣中，整個地方就像是祝融下了凡塵，來鹽水港上給天官祝壽[36]。

隔日台灣府內，好幾個士兵，口含銜枚，嘴上圍了一條布巾，抬來兩門紅衣大砲。分別架在鎮瀾橋前後兩側，瘟王船依靠在橋上，這鎮瀾橋白從下元節以後，瘟疫大起前，幾乎沒有人打這裡經過。鹿耳門等處的人寧願搭小舢舨往來水仙宮，或繞至更北方的陸路，出入各汕。架好大砲之後，一聲令下，砲彈飛出，轟然巨響，鎮瀾橋與瘟王船頓時陷入火海，灰飛煙滅。

36 鹽水蜂炮：正式發展時間眾說紛紜，普遍說法起於光緒十一年，瘟疫流行，元宵節請示關聖帝君後燃放爆竹祛瘟疫，遂成傳統。

第三章：三益堂

台灣府大瘟之後，到了冬天，府城下了一場大雪，凍死了三百多人，瘟疾才慢慢壓制下來；再隔一年，夏季發生大雨，歐汪溪併了洲仔尾溪，成了灣裡溪，順著原來洲仔尾溪舊河道，流經鎮瀾橋的遺址處，注入台江內海，致使內海淤積愈發嚴重，內海北面出現許多綿延不絕的浮水沙洲，許多百姓在這些沙洲上搭建草寮，捕魚為生，諸如十三佃的竹子寮、王蕊蓮寮、王厝寮、海淵寮、和順寮、草湖寮等。之後不到二十年，台江內海僅剩一隻如手掌形狀的水域，往後又出了幾個颱風，灣裡溪再度改回至鹿耳門溪流域，蜿蜒曲折後從鹿耳門北方出海，這一改道，才又延緩了台江內海三十年的淤積時間。

這個如手掌形狀的內海水域，分別岔開如五個手指，拇指是新港墘港，港尾接鎮北坊的德慶溪，另一個小分支抵達禾寮港街；食指是佛頭港，岔出三條水路，直入大天后宮、祭祀武殿及米街的廣安宮旁，最長的分支叫內王宮港，尾正好是在朱一貴事變中，遭到破壞而頹圮的赤崁城垣；無名指是南河港，還可通到原來的大井頭地區，乾隆元年，郊商們在南勢港旁集資，興建了海安宮媽祖廟。乾隆四年，清廷在南河港與南勢港之間建了新的接官亭、海安宮旁蓋了風神廟，擔任起往後府城三十年內，派駐台灣大小官員，上任仕官的接風之處，港頭設置海關一處，辦理交關事宜；小指是安海港，到水尾又岔出三個分支，接松仔腳港、外新港與蕃薯港。這手掌上最重要的部分，便屬中指了，曰南勢港，也有人叫它「北勢港」。南勢港和佛頭港區隔在主祀神農大帝的藥王廟腹地，交叉橫街路口，由此展開了北勢街最熱鬧的市墟，南勢港繼續往東，中途經過泉州碼頭苦力們集資，興建主祀關帝爺的金華府、河道平行著北勢街屋前進，港尾直通原來風華繁盛的水仙宮港埠。至此之後五條港就成了府城新的代名詞。

府城地形地貌有變化，城市的建築亦也起了變革：雍正十一年後，台灣府城由木柵城改為莿竹城，小北門和小西門設砲台，將原來有門無牆的大西門連接起來，水仙宮就位於大西門之外。水仙宮附近再設四座敵樓，以鞏固城防。五條港剛好就位於台灣城西側，以水仙宮為中心，這個新興的海埔新生地上：小舢舨、艚船進出五個水道頻繁，出新港墘的港頭，就能遇到水域開闊處，渡安瀾橋之後又岔出兩條河道，往西接三鯤鯓，就可直接通安平；往西北入洲仔尾，可轉鹿耳門。

府城水道縱橫、運河密布，頓時五條港上商號巨賈林立，帶動了府城的整體發展，原有金永順、李萬利這兩個南、北郊疏濬團體，濬後共組商事，彼此聯繫交關買賣事宜，因此聲名遠播。此後大小相同性質的商號，陸續結盟成為行會組織，諸如：藥郊、布郊、茶郊、煙郊、綢郊、紙郊、鼎郊、香郊、魚郊……凡是想得到的產業，都窺其會所組織。雍正到乾隆年間，是郊商發展的風華年代，此風一開，漸漸拓展至島上各地，一時之間鹿港、笨港、打狗港、竹塹港、艋舺、月津港、媽宮港，各處港埠要津皆可看見商人糾郊行夥，建置會所、會館，附設於寺廟之旁，七寺八廟[37]香火更盛。雍正年間，府城南北兩郊漸漸改組，北郊由蘇記、李萬利為首，稍後改了商號，被府城百姓合稱為「蘇萬利」；南郊依舊為金永順為首，首領商號頭家林交已傳至第三代；林爽文事變後，出了糖郊「李勝興」，分出於北郊蘇萬利，此等三郊主導了府城往後百年的商業發展。

回頭再說乾隆五十二年，台灣知府孫景燧取締天地會、台灣兵備道柴大紀貪贓枉法，因而興起的林爽文事變，民變大軍和清軍在台灣府春牛埔至桶盤棧之間決一死戰，沒想到最後莊大田的部隊向清軍投降，至此林爽文事變趨勢急轉直下。隔年林爽文於老衢崎就逮，被壓回府城，準備送往北京凌遲。

林爽文在站籠中悲嘆，要不是起變後泉漳互械、閩粵互鬥，也不至於會落得如此悽慘落魄的下場。福安康指揮眾人，挪動站籠下頭讓囚犯站立的紅磚，這一挪動，讓囚犯的脖子架在站籠上緣，兩腳短暫懸空在站籠上，差爺們將站籠連同囚犯一同推上平底小船，才這麼一點時間，林爽文就差點喘不過氣息，差爺們立刻將紅磚補回站籠底下懸空處，讓林爽文得以站立。

「怎麼，還怕死啊？」那官爺惡狠狠地瞪了林爽文一眼：「嘖！你是遲早都要死的。」

站籠上的林爽文披頭散髮，眼神渙散，他看了一眼南勢港土堤上的水仙宮，許多府城百姓們圍繞在水仙宮廟前，要觀看這台灣最大的民變首領，遭到緝拿歸案後下場將是如何。

37 七寺八廟：開元寺、法華寺、竹溪寺（改建過）、彌陀寺（改建過）、龍山寺（改建過）、重慶寺、黃蘗寺（已消失）、府城隍廟、水仙宮、武廟、大天后宮、藥王廟（改建過）、東嶽廟、風神廟、龍王廟（已消失）。除改建過或消失之建築，大都為古蹟或歷史建築。

囚船緩緩駛出南勢港，水仙宮前的百姓盡皆拍手叫好，通過金華府時，以泉州為首的碼頭工人們高掛爆竹、紅綵慶祝。而才一年前，可能還有不少府城內無知百姓、奸巧商賈、潑皮無賴等著見風轉勢，眼見守城的清軍自中洲一役敗下陣來，起變的莊大田軍掠府城東郊外、殺入新店尾，分一股勢力攻小北門，然後屯兵柴頭港；再分一股勢力襲擊小南門、衝破大東門、截斷大北門，頓時府城門戶大開，人心惶惶。

莊大田親自上了大東門，焚燒大東門上的敵樓，台灣府城內斷糧，有錢有勢的大戶人家逃離大西門，自五條港出走海口。叛軍衝破大東門後，府城雖然未失守，那些無知百姓、奸巧商賈、潑皮無賴混在大東門內的人群之中，高呼萬歲，準備歸附順天。

稍後清軍第三波反擊，水軍再登鹿耳門，攻守雙方就在府城、諸羅、彰化一府二縣來往僵持，直到民軍莊大田降清，局勢才又轉回到清軍這頭上，那些百姓、商賈、無賴，全又兜了回來，高呼當朝乾隆帝皇恩浩蕩。

林爽文事件平定後，乾隆皇令宮廷畫師畫「平定台灣得勝圖」，親寫「平定台灣聯句」、「平定台灣廿功臣贊」，說自己是十全老人，這還不夠，既要「十全」，就叫人給福安康豎了整數為十的紀功碑：四座滿文、四座漢文，兩座滿漢合文，打算九座豎於府城、一個立於諸羅，連同「嘉其忠義」的褒揚令，改諸羅縣為嘉義縣的聖旨，一同送來台灣府上。沒想到運碑船才進新港墘港不遠，搬運工人就不慎將一個龜座遺落三鯤鯓水中，只好緊急用砂岩立座代替。

當這九座紀功碑豎立在福安康宅邸上的同時，蘇記李萬利的大當家李逵，早已病入膏肓。蘇記李萬利躲過了上一個瘟疫的侵襲，李逵頭家的世代也逐漸凋零。息文的親生父親，一直沒能恢復舊時記憶，鬱鬱寡歡，在大瘟後三年就已經去世，徒留一只娘娘塑像給息文，息文將此塑像迎入鹿耳門沙洲上一間紅瓦小廟，當地人都說這間小廟所在處，是當時鄭成功趨荷登陸之處。明鄭時代早已留有兩尊媽祖金身在小廟中，息文撥了些善款，修繕媽祖廟，迎入父親遺下的那只娘娘塑像，使之三尊共祀於一廟之中。

主辦下淡水分號的阿輝，生育兩子，子又生孫，下淡水鳳山各分號改而經營南北貨、布疋買賣。在乾隆三十二年時，鳳山縣城內發生大火，那時已經上了年紀的阿輝，因為逃生不及，被活活燒死於李萬利鳳山興隆庄分號上，之後鳳山分號改由阿輝的子孫們經營，又過了三年，李逵之妻蘇巧巧又死於熱病，李萬利商號的第二個世代就此殞息。

至於李逵頭家本身，設分號於鹽水港後，又買下笨港街上息文親生父親所待的醬油坊，交辦息文一同管理。息文和阿順將鹽水分號、笨港醬油坊，經營得有聲有色，一路從糖業進入到醬油釀造事業。息文聽了賣鹽順仔的話，改賣醬油、醯醢、漬物等產品，且將其醬油改以小陶甕散裝零賣，令工人用糯米漿糊貼「孝子牌」商標於陶甕之上，迅速打響了知名度，頓時南至府城、北抵彰化聲名大噪。

府城內李萬利本號，則由李逵親自經營，先是併入瘟疫中死去頭家的南北貨新益號，接著又吃下東安坊興隆號。依循著老先生的遺言教誨，李萬利不只專營製糖事業，而是開始思考轉型，其子李元成年後，李逵欲使其獨立，將善化里、仁德里、東安坊等地製糖事業，劃入「李勝興」商號之下。李萬利則專做糖業轉零售、糕餅、南北貨等各項事業，為了感念妻子蘇巧巧的付出，惦記她一生為蘇記李萬利的貢獻，李逵花了一些銀錢，聘請幾個糕餅師傅，在赤崁大街上開設「蘇記糕餅鋪」，用少許麵粉、芝麻油、豬油、蔥酥，然後取李勝興商號的黑糖、麥芽糖，用炙煎的方式產生一種圓形的麵餅，以低價販售。赤崁大街上百姓，頓時對這種圓形凸餅無不感覺新鮮有趣，這種餅皮內蓬鬆中空，內側塗有黑糖、麥芽糖的圓餅，就被大家取名為「膨風餅」。

朝廷易主，作法不同。雍正帝上任後，施行火耗充公[38]、養廉銀子等措施，讓官箴氣象為之一新，李萬利因減少了抽稅、賄官的銀兩，獲利蒸蒸日上。之後各省廢除賤籍，南洋海禁、開放粵籍人士入台，更讓舉遷台灣的人數倍增，商業開始欣欣向榮。五條港水道上每天都是小舟如數，港邊岸上商號雲集、街肆林立，五港展開各條街廓：臨南勢港的北勢街、南勢街，直貫兩街的杉行街、看西街；往北媽祖樓街、往南太子爺溝街，往東粗糠崎、十八洞、無尾巷、帽仔街；往西草寮渡、鎮海營、小北廠、老古石街，哪條街不是終日挑夫牛車穿梭其中、叫賣殺討之聲充斥四周。沿五條港而建的廟宇、義學如雨後春筍，頓時文風大開、文昌鼎盛。李萬利的南北業、蘇記糕餅業、鹽水分號的釀造業、鳳山分號的布疋買賣業，李勝興商號的製糖業，串起了李萬利整個集團的龐大事業版圖。

李逵的螟蛉子息文共生了七子三女，一至四子及三女皆姓蕭，從第五子後改姓李，李逵指點七子各取「護國佑民城邦興」之一字，這老六單字一個邦，接續息文在李萬利本號上的事業經營，大女、次女、么女則各取「念奴嬌」之一字為名；李元則生得五子，前四子早夭，獨剩老么李羽活了下來，因此很得父親李元的溺愛，他小就有一股商人的霸氣與傲氣，這一點連李逵都察覺到了，因此時而提攜著他，時而提防著他。到了林爽文事變結束末期，李逵已經是個九旬的老人了，他在去世的前一天，招集子孫，在病榻前對子孫們講述李萬利發跡的故事。

最後，他自項上拿下一個木牌項鍊，那黑漆木牌上正面陰刻著「李萬利」三個大字，背面則陽刻著小字：「港郊之駝，尤為公重。信商誠實、童叟無欺。墨守既失、鼎新輒利。」數一數，合計二十四字。「這李萬利家業，就交給你們經營了。」李逵將黑漆木牌，交給正好滿二十歲的息文第五子李邦。

一旁的李元十九歲的獨子李羽，看著哥哥李邦拿走李萬利家的木牌，心中有怨忿。心想著，我才是李萬利家的嫡傳正系，黑漆木牌若不給我，也應該給我的父親李元才對，怎麼給這個蕭家改姓之人，他眼睛略略往上瞟，恰似語氣淡淡，卻是心意深沉地說：「太公是否有物品，要交給羽兒？」

李逵用混濁的雙眼看了一看李元的么子，搖了搖頭，過了一會兒指著櫃子上漂亮的錦盒子說：「我這錦盒子裡放了李萬利的帳冊，老先生死前，託我交給庶子。如果羽兒想學些計算的功夫，這盒子就給你吧！」

李羽內心大受打擊，他再轉頭看了一眼哥哥李邦，站在他旁邊的李城表情詭異，他又看了伯父蕭息文。心底燃起了星星的怒火，一股恨意悄然而生。

「之前告訴我這二十四個字的老太公仙逝前，特別囑咐我：李萬利未來兩、三百年還有分合。商

38 火耗充公：鑄銀時金屬會耗損，稱為「火耗」。官員會提高折扣，使多出的銀兩入自己口袋，雍正時代將此制度化，減少弊端。

業上的競爭總是難免，但李萬利、李勝興商號總要齊心對外，不可傷了自家人的和氣。」李逵伸出滿是皺紋的手爪，拉住李羽的嫩臂，攤開在他的手掌上，用手指輕輕寫了個「和」字：「禾之眾口，留人一口，必當合和。家和事業和，家興萬事興。羽兒，你可要記住了。」

「是！謹遵父親大人教誨。」蕭息文和李元異口同聲。

「是！謹遵太公教誨。」李羽和李邦接在自己的父親之後說話，李邦說得鏗鏘有力，李羽就顯得虛與委蛇，心口不一。

李逵壽終正寢後，李萬利集團驟然劇變。茶壺裡的風暴，儼然就要來到。

李逵死後，息文回到李萬利府內的大宅邸裡，家裡大大小小的下人、傭人都稱他是總頭家。至於李逵親生兒子：李元。則眾人皆稱他為二東家。總頭家的長子蕭護，和賣鹽順仔第二代共同掌鹽水分號、笨港醬坊；二子蕭國，握李萬利管銀兩的帳簿；三子蕭佑管棧房、倉房，擔任家長；四子蕭民管蘇記糕餅鋪；五子李城兼管義學書齋、橋路牌坊、施公益等大小事務，也兼管水仙宮廟務；六子李邦，出任府內李萬利各號的大頭家，縱理蘇記、李萬利名下各房；七子李興管水路船舶、牛車挑夫、大小批發事務。

雖在李逵頭家尚在人世的時候，已經發配了「李勝興」分號，但二東家及二東少爺李羽，仍是住在這個豪門深似海的李萬利府邸裡。各里的糖坊、糖廍，雖縱交李勝興管轄，但二東家早已不管商務，前些年李勝興家的獅子太座還會管些閒事，四十六歲老蚌生珠後，這幾年身體就漸漸不行了，才全都讓給十四歲的少兒李羽打理去了。

現在的李萬利大宅邸，是府城南勢港大街上最氣派的富戶，經過了各次民變，幾次修繕，毀於林爽文事變乘亂而起的暴民之後，又徹頭徹尾地做了一次重建，新的宅邸，已經具有相當的特色與規模。李萬利氣派的本店大宅挪移了些位置，就在藥王廟腹地附近，離水仙宮不遠。與其說是一個李萬利「大宅」，或是一間李萬利「大店」，倒不如說是一條李萬利「大街」。

一連九個開間，是台灣式傳統「街屋」：依序是做神明出巡用的大轎鋪、李萬利雜貨鋪、竹篾草鞋鋪、棉被鋪，中間是李萬利本宅。過了本宅，接著是醬油鋪、醬菜鋪、布莊染莊、做麵線的曬麵坊。中間開間的李萬利本號，平時也有開門營業，賣李勝興自家的「府玉」白糖，正面格局一門二窗，屋內狹長，門窗雕花細緻，促長梯可以到「半樓」上，半樓疊棧各式貨物，中間設樓井，加轆轤捲桿、滑輪繩索方便吊掛物品。穿過狹長的一樓通間，夾隔一方樓井、是廚房。通過廚房再到了第二進，設神明廳，神明廳後面，有幾間晚輩的臥房，再穿樓井、澡間，到最後一進，是長輩們的臥房。屋後是南勢港水岸，房子傍水而居，半樓上的貨物進出，有時候也從這後方的開口，從運河的小船上吊掛上來。

息文有感這九開間街屋裡，有著前人李、蕭、蘇三姓所共同創造出來的家業足跡，在中央正廳上掛起了「連三堂」的字號，代表三姓聯合，再壯李萬利輝煌的世代，他要求四子蕭民，將蘇記糕餅鋪更為「蘇記李萬利」，使之更能正確代表本號。但府城「膨風餅」的名氣實在太響亮，更勝過李萬利的頭銜，這一改號，許多人都嫌招牌銜名過長，買的人徒累贅、賣的人也費唇舌，久而久之，大家都管這糕餅鋪子叫「蘇萬利」，這一改動，九開間的南北雜貨、醬油零賣、布莊、米莊等全都受到牽連，大家都忘卻了「李萬利」這個正牌，連帶本宅家號，全都稱之為「蘇萬利」了。

從廚房出來的下人們，穿越二進，通過放著歷代祖先牌位的「神明廳」，直出蘇萬利號店面前，店面櫃台前，高掛一幅圖畫，左邊楷體大字寫著「清明上河圖」，此乃模仿北宋張澤端的同名畫作而來，是北郊眾商自江蘇雲台山集資購來，要贈給郊團首商，做為霸主的象徵，此畫在江蘇、浙江一代流傳甚廣，筆潤雖有不及，但也沒有人看過〈清明上河圖〉的真跡，不知其中的優劣，在頭家與客人彼此的寒暄，議價論殺之中品頭論足這幅名畫，那畫面中如夢似幻，繁華似錦的汴梁，似乎真的活靈活現地，從畫面之中展現在眼前當下：車轎小船、屋宇樓房，街上挑貨小販，入城門的駱駝商隊，穿過大街，往虹橋的方向走去，感覺那畫上的大路，現在正直通熙來攘往的北勢大街。幾個孩子從旁邊的巷子裡鑽出來，圍著蘇萬利門前上那個劍獅圖案嬉鬧著。

北勢大街上人聲鼎沸，牛車、挑夫來來往往，蘇萬利九開間旁的精米所裡，精米、糯米、薏仁粉、綠豆粉、雜穀，放在一簍又一簍的竹簍之中，店鋪後頭大倉庫一台土礱，正在碾米：土礱外表用竹篾包覆，上下兩個石磨是以紅黏土混合鹽水硬化而成，並用木條柴齒崁入上方石磨之中，使之上下交錯。上方的竹唇圓口之處可以放入米粟，然後工人再用手轉動推桿，使上座的大石磨運動，穀米被柴齒碾過後，脫落穀殼、胚芽，然後掉入下座的竹簍之中，脫殼去胚的白米會滾落石磨旁邊的溝緣裡，然後從四角形的漏斗嘴滾出來。

「來唷，圓圓埕、四角廳，鑼鼓響一下，兵馬走出城。」推著土礱的工人揮汗如雨，嘴裡嚷著順口溜，這「圓圓埕」指的是竹脣，四角廳指的是四角形的漏斗嘴，自然而然那走出城池的兵馬，便是現在那晶瑩剔透，白花花滾落的米粒了。

米店的旁邊是中藥店，門口一張飄揚的麻布旗，寫著「古井藥局」。古井藥局離藥王廟不遠，受藥王庇佑，來藥王廟裡求藥的善男信女，一出廟門，就拿著藥王橱子裡的藥單，來古井藥局抓藥。一進古井藥局，就可看見一大排木製藥橱，木製藥橱正前方刻著藥材的名稱，但全都是三個字對應整齊，兩個字或四個字的藥材名稱，那些藥名不是多增一字，就是減少一字，例如「九節菖蒲」就寫成「節菖蒲」，「郁金」寫成「塊郁金」。橱櫃一字排開，依序還有禹白附、山慈姑、化橘紅、毛冬青、沙蒺藜等各式各樣的藥材。藥橱裡一味又一味的藥方，依性質分門別類，打開藥橱的抽屜，又分裡、中、外三格，曝曬多日乾的，壓扁或切片；浸於酒中滏的，置於小陶罐裡，草本植物、塊莖根鬚、礦石琥珀、殼甲皮蛻洋洋灑灑，令人嘆為觀止，目不暇給。

藥橱上放著一個又一個大小不一的陶缽、磨缽，櫃台上擺了個彌勒佛的雕像，櫃台後面的包藥與配藥的夥計正在拿捏一帖方子，另一個角落幾個未滿十歲的小學徒，用腳勾著磨藥輪，在一旁來回滾輾胡椒。門口煎藥夥計拿著一面蒲扇，對著泥塑的小火爐風口猛搧，上頭砂鍋正滾沸著，他在代煎客人要的那帖湯藥，卻把整個大街弄得藥味四溢。

煎藥最忌諱魯莽造次、水火不良、火候失度，這藥局裡的基層夥計，入門的第一堂課，就是學習如何煎藥，其次是包藥，再其次是配藥，文火武火要配合藥性、砂鍋陶具要端看時宜。煎汁要多濃、藥色要多深，就看煎的人的技巧與功夫了。

「洪氾！那帖蘇萬利二東家老夫人要的『黃耆鱉甲湯』煎好了沒？煎好了就給他們送過去！」古井藥局裡的老師傅對外頭的夥計喊著。

洪氾站起身子：「就快好了。」

「古井藥局」是府城大瘟之後，李逵交代設立的，康熙末年，府城的這個瘟疫來勢洶洶，合計造成府城約九百餘人死亡，其中還包括被嚇死的台廈道陳大人，陳大人的屍體，在瘟疫平息後，就被運回老家安葬。官府大開常平倉，施粥賑災，各營開營倉、府衙開府倉，縣衙開縣倉，各官廳衙門依據狀況開倉廒平糶，以抑米價。李逵配合官府的賑災義舉，合計捐了一千兩白銀，又和北郊眾商集資，於府城關帝廳旁合建義倉，為府城內郊商建義倉之嚆矢。李逵又特別將老先生在生前，所交代下來的兩帖抗瘟藥方，遞給捐資籌設的古井藥局，修繕了佛頭港旁的藥王廟、開通了水仙宮前的北勢大街，要求古井藥局免費提供百姓抗瘟藥，才抑制了疫情的發展。裡頭新聘來的惠民藥局老師傅見了這兩方味，不禁大為驚嘆：「真是藥王爺爺再世啊！原來如此，原來是要用這兩味以抗溫邪，而不是用『桂枝湯』。」

古井藥局成立後，老師傅再從這兩味藥方衍生出「萬利銀翹散」，做為古井藥局制瘟抗風的第一線用藥，府內的瘟疫消失後，連續好幾個年頭，秋冬交替或早春時節，也就未再聽聞風邪的流行。隨著萬利銀翹散的響亮名氣，加上十幾二十年來的經營與發展，古井藥局早已經成為府內最大的藥局。

「我這就給蘇萬利二東家老夫人送過去。」洪氾先口含一些清水，徐徐噴在毛頭紙上，再用這微溼的毛頭紙包裹熱砂鍋，最後用乾鹹草捆妥砂鍋，放進竹籃裡，提起竹籃，然後就往蘇萬利的大鋪子走過去。

李元的妻子蓮花，與息文的妻子荷花是姊妹，兩人是南郊合意興商號老闆的女兒。當初這兩樁婚事，可是驚動府城商界，這兩樁婚姻，開啟了南北兩郊商合作的契機：從早先李萬利商號太祖公時代的互向攻訐、李逵頭家時代的互動冷淡，直至現今締結良緣，冤家成了親家，現在可以說是彼此互補互輔、互助互利，各取所需，共存共榮。

另一個府城商界茶餘飯後討論的話題，就是這兩樁姻緣的組合方式：蓮花是姊姊、荷花是妹妹；李元是弟弟、息文是哥哥。這姊弟互配、哥妹互合，在蘇萬利裡頭誰是當兄嫂、誰做弟妹？頗耐人尋味。加上李元這個人的個性似宋人陳季常，而李元的妻子蓮花，個性大開大闔，恰似季常之妻柳氏，所謂「忽聞河東獅子吼，拄杖落手心茫然。」府內商界都嗤笑著，說李勝興裡頭肯定是他老婆在管事情，二東家的少奶奶日日盡坐無敵金剛座，二東家天天領受大覺獅子吼。

總頭家息文也好不到哪去，雖然長得英俊瀟灑，貌似潘安，但他的妻子荷花，卻是個「無鹽女」，是個鍾離春。不少下人看見頭家娘的長相，忍不住撇過頭去，不忍卒睹，致使荷花常閉門於蘇萬利大宅內，極少出門。李家的第三代，現在也都步入了老年，息文時而出席商事活動，時而至水仙宮上香祭祀水神，大家看見他，都覺得他身形雖然老邁，精神與風采依舊，人人都說他是個十足的老商紳。

但再也沒有人在公開場合見過他的太太荷花，大家只能猜測，或者是想像這鍾離春老邁之後，成了老妖精，老夜叉的模樣。街上的孩子們指著掛在蘇萬利門楣上的劍獅圖像，直嚷：「門上開了一朵花，叼劍皺皮母夜叉；人人都說萬利好，誰見蘇記大荷花？」

「去！去！去！哪戶人家沒教養的短命鬼，在這裡瞎說。」蘇萬利的下人，衝出門口，拿起竹帚在門口趕著那群孩子

下人趕走門口嬉鬧的孩子後，李羽正好走進店鋪，他在店鋪裡東看看、西瞧瞧，裡頭工人進進出出好不熱鬧。蘇萬利正門口下擺著各式糖簍，青糖的糖簍上，插著一支又一支鐵椆樹做成的木牌，上頭分為出類、上鬥、中鬥等級；白糖則放在鋪子更裡面，因為價格較高，木牌改以榆錢樹製成，木牌上又分頭擋，其次為二擋，再其次為三擋。「府玉」白糖遠近馳名，特別是蘇萬利家的白糖，形如霜雪、色如皎月、嗅如晚香、嚐如蜂蜜。蘇萬利的總頭家蕭息文，特別喜歡拿陳皮沾府玉白糖吃，每天非要吃上這麼一回，才肯罷休。

李羽用手指沾著口水，在出類的白糖上抹過一回，然後再把手指放進自己的嘴裡，從甜味一路跟著唾液下嚥到咽喉之中。他想起了前幾天前和父親李元的爭吵，李羽有意讓李勝興和蘇萬利分家，但父親不許，他說這是祖先留下來的基業，只要他在世上的一天，就要維持這基業的完整性。但李羽心裡想，只要我待在這大房子裡一天，勢力就會被伯父一家壓著走，要是這樣，他就不可能飛得更高、走得更遠。

古井藥局的夥計洪氾正好把湯藥送到蘇萬利來，他拿起竹籃放在櫃台上，然後對櫃台的店夥嚷著：「這是二東家老夫人要的『黃耆鱉甲湯』，給您老夫人送來了。」

櫃台的店夥算了算藥錢，要拿給洪氾，正在門口四處張望的李羽看見了他，再看看那個紙包著的砂鍋就問：「你這鱉甲湯是什麼功用？」

櫃台的店夥低下聲音來，用氣音對洪氾說：「這是我們二東家的少爺，老夫人的兒子。」

洪氾回頭看了看他，一個小娃娃，說話口氣像是在指揮下人，心裡有所不悅，但礙於是東家的面子，只好冷淡淡地說：「飲食減少、鼻涕黏稠、多困少力、四肢無力等，均可用『黃耆鱉甲湯』來滋補精力。」

李羽打量洪氾，知道他現在說話有氣無力，其實是在敷衍自己，故意拉高音調說著：「這藥可會幫人，可也能害人啊？你這湯藥火候拿不拿得準？摻了哪些乾淨或不乾淨的東西？吃了會不會讓人出吐下痢啊！我家老母身子孱弱，可不能吃到不清潔的東西。」

洪氾一聽，火冒三丈，這分明是羞辱人：「不知二東家少爺吃過我們家治口臭的藥方沒有：藿香、佩蘭、金銀花、甘草各取一些，佐入為藥，這藥名就叫『狗嘴象牙散』。府內都說『古井藥局』的狗嘴象牙散，是府城內治口臭的百藥裡最為有效的頭牌，連癩痢狗的臭嘴都能吐出象牙來。」

櫃台裡的店夥聽到後，一手貼著額頭，整個臉都快揪成一團，嘴裡嚷著：「唉唷喂呀，我的爺爺唷！」

李羽看著洪氾笑嘻嘻的臉，說起這話來真冇幾分霸氣，知道他在罵自己，心中不覺得忤，反而喜歡這樣豪爽直快的個性，不禁英雄惜英雄起來：「這位大哥說話真是有趣，古井藥局是我家太公一手創立的，沒想到除了治瘟散外，我還真不知道口臭藥已經那樣出類有名。」

櫃台的店夥轉了個身子，假裝整理庫簿算盤，不敢再看，就怕少爺會責難自己，嘴裡喃喃念著，怎會有個青瞑不知路的冒失鬼，來這裡送藥。

「敢問大哥哥尊姓大名？」李羽問。

「洪福齊天的『洪』，氾勝之書的『氾』。」他說著。

「你認得字？寫得字？」李羽問著：「櫃台的，給他一張紙、一枝筆，寫寫看『洪』字如何鋪排？」

洪氾心頭怒火更盛，這小娃娃以為自己不識字，糟蹋他。洪氾在藥局裡當了三年夥計，藥櫥上幾百個大字，哪個字是不認識的，不識字能在藥局裡配藥嗎？這分明是在恥笑他、羞辱他，嘴裡虛應：「寫就寫，誰怕誰？」

櫃台遞上紙筆後，洪氾挽起袖子，提起毛筆，在紙上寫了兩個「汪」字。

「汪！汪？」李羽念出口，心裡想這哪是「洪」字。

「怎麼有隻嘴臭的大黃狗在說話？」洪氾說著。

李羽立刻脹紅了臉，上了這傢伙的當，接著看洪氾又寫了第三個字，是個「港」字。

「港？」李羽這可看清楚了，他把「洪」和「氾」字藏在一起，組合就成了港字：「果然是洪氾兩字，對洪兄失禮的地方，請多多包涵。我李勝興出於蘇萬利，門下尚欠手腳，像洪兄這樣博學多聞，通知藥理的人才，不知能否來我李勝興？」

洪氾看著他，現在這樣說話的李羽是極為誠懇，剛剛這樣作弄他又覺得不好意思起來，畢竟他還是個李勝興的小頭家：「剛剛有失禮的地方，請二東家少爺不要見怪。」

「不會！是我說話失了分寸，我該向你道歉才是。」李羽看著那「港」字，心想這個古井藥局的夥計，反應很快，若是攬他來李勝興，肯定是有幫助的。

洪氾回去後，李羽走出蘇萬利本鋪，正巧見到李城返回蘇萬利：「羽弟要出去走一走啊？」

李羽一見蕭家的人就有氣，看見李城模樣，隨口亂說：「我要去買毒藥鴆死蘇萬利倉庫裡的七隻大老鼠。」

李城知道他在羞辱自己，讀過學問，書卷氣息濃，脾氣好。臉上仍是笑嘻嘻地：「這糧老鼠也挺討喜的，沒去招惹外頭矮牆上的虎紋貓，沒有樹上去偷喜鵲的蛋，只是安分端己看守著自己的倉庫，羽弟弟何必如此心狠手辣。」

李城長得斯文，個性也是蘇萬利上上下下最好的，蘇萬利夥計、府城內許多頭家、義學裡的先生都管他叫「城五公子」，看他笑嘻嘻的嘴臉，就像一塊海綿般，罵他也不是，羞辱他也不是。李羽自討沒趣，不想跟他說話，逕自順著路往北勢街東行而去。

蘇萬利家的櫃台見到了李城：「城五公子回來了，一路上辛苦了。」

「剛從崇文書院回來，還有些事情要打理。」李城說著。

櫃台夥計見到李城慈眉善目的模樣，忍不住抱怨：「李羽少爺真是個公子哥兒，錦衣紈褲，可不似五公子這般賈儒商秀……」

「……我看是一邊書香，一邊銅臭吧！」李城自賤身分：「我只不過比羽弟弟多讀幾年書，多長幾歲，不可拿我和他比較，也不許議論我家羽弟弟的是非！」

原本和氣良善的城五公子，難得動了氣。櫃台的夥計臉上堆滿了尷尬的笑容，連連稱是。

人稱城五公子，是蘇萬利家最善良、最慈悲的人，但李羽對這說法有些保留，李羽六、七歲時，喜歡和李城、李邦玩在一起，那時候天真，總覺得人性不會改變，但現在年紀長了一倍，才發覺他堆滿笑意的臉上，是深藏一股可怖又難防的城府。他想起七歲那年的清明節早晨，他和李城一起步行到東安坊東嶽大帝廟前，發現一個乞婆髒兮兮跪在地上乞討，乞婆伸出滿是汙垢的雙手，手捧著一只破碗，高舉在半空中：「兩位高貴的公子啊，行行好賞口飯吃吧！」

李城臉上笑嘻嘻地不說一語。李羽年紀還小，不知輕重，本意是開個玩笑，學起地痞無賴的語氣劈頭怒斥：「妳這是做啥。賞口飯？我只知道人是吃飯，狗是吃屎。妳這老母狗，也敢在我們兩人面前索要好處。」

「哎呀！羽弟弟莫要對這女菩薩無禮，人爭一口飯，佛爭一炷香。枉死不如賴活著，女菩薩把碗捧得愈高，代表我們的功德就愈多，你我都福氣受用呀！」李城自錦囊裡摸出了些碎銀子，放在碗裡，那個乞婆磕了好幾個響頭。李羽瞪了乞婆一眼，冷不防在她的破碗裡吐了一口黃痰，李城見狀不但沒有斥責李羽的無知，嘴角反而露出了一抹令人冷顫的微笑。

李羽快步走出蘇萬利本鋪，站在街上想著這個畫面，心裡愈想愈寒，當初是鬧著玩，沒料到李城竟是這樣的舉措，嘴裡忍不住啐了一聲。回過神後繼續前進，就來到位於北勢街，和赤崁大街交叉口的蘇萬利餅鋪外頭。做餅的、做糕的師傅與夥計們忙進忙出，上下幾個學徒們，幫忙將秈糯米用石磨研磨成米漿，然後倒入布囊中瀝乾水分，伸手取出漿團後，加入一小撮色料，也就是來自貴州、雲南兩地的川紅花瓣，曬乾後如小米粒般的「紅花米」，頓時讓整坨漿團變得像鮮血一樣紅。

做餅師傅熟練地拿出木模子，將紅色糯米漿團塞到模子中，中間擺入花生粉、綠豆泥，再敷覆上一層外皮，最後扣出漿團，放置在蒸籠一片片的香蕉葉上，等學徒們過來將蒸籠一一堆疊在大灶上，待蒸熟後就成了福氣吉祥的「紅龜粿」。

過了節氣霜降之後，就要遇到水仙尊王千秋，所謂天官賜福、地官赦罪、水官解厄，蘇萬利的紅龜粿名氣與膨風餅不相上下，上元節的紅龜粿寫「賜福」；中元節的寫「赦罪」，若是見到蘇萬利的紅龜粿寫著「解厄」兩字，就知道下元節即將要來到。

水官大帝負責執掌人間危厄，水官解厄就是禹帝壽誕，十月十五便成為府城每年最後一場極為重要的祭典。對於經常當水仙宮爐主的蘇萬利來說，可有輸不起的排場。蕭民張羅餅鋪中的工人，很有效率地搬運著紅龜粿。餅鋪的櫃台前，一個街坊裡的穩婆正在詢問椪餅煮麻油的方法，日傳已久，蘇萬利的膨風餅成了口耳相傳的「椪餅」，在這個雞肉取得不易的時代，這種黑糖椪餅煮麻油，再加入一個雞卵煎熟的菜色，就成了府城婦女必備的坐月子餐。

「阿羽！你怎麼有空來這裡？」蕭民正巧從後面廚房裡轉出來，看見李羽進了餅鋪就過來打招呼。

「這一陣子水仙宮要辦水官解厄的法會，肯定是會忙壞四哥餅鋪這裡。我今天沒什麼事，隨意走走，想看看有什麼可以幫忙的？」李羽看了看他，總覺得四哥個性和善，一臉呆頭呆腦，大伯都說他沒有什麼做商人的骨氣，難怪接掌糕餅事業，無法深入蘇萬利事業的核心，心裡瞧不起的，無關乎現在嘴巴上說著的：「今年水官解厄後，就該我北郊輪值爐主，因此今年的祭品要特別費心。需要我李勝興提供哪些東西，儘管開口，我們可要辦好這次的法會，不許府城其他大戶家看了笑話。」

「這是當然！」說他笨，他也未必如此，蕭民總看得出這異姓兄弟的野心，抿了一下嘴脣說著：「總頭家設立餅鋪的時候，可重視這些細節了，你瞧瞧這紅龜粿，龜皮要紅得發亮、襯葉要綠得鮮明，上頭的福壽吉祥模印要清清楚楚，蘇萬利就是蘇萬利；李勝興就是李勝興。」

李羽原本還笑嘻嘻地，聽到這句話，就好樣吃魚鯁到了骨刺，總覺得這句話兒後頭怪怪的，但也說不上來哪裡有問題，正要再講一些話時，就見到了李邦進到餅鋪裡。

李羽心裡不開心，原本跟蕭家這群兄弟就沒什麼交集，來這餅鋪闖一闖，只想籌解無聊，只看在四哥做人委婉和氣，誰都不得罪的份上，來這裡做些表面功夫，寒暄問暖，假意虛情一番。沒想到進到了森羅殿，就瞧見了閻羅王，一股惱怒又衝上來：「我想，我還是回去好了，母親今天早上叫古井藥局燒了一帖補藥，我等會兒去看看她老人家服下了沒有。」

「等一等！」李邦一見李羽，嘴上有些話不說不痛快：「弟弟見到我，怎麼這麼快就要走？做哥哥可有一件事想問問你。」

李羽停下了腳步，眼神還是沒有直視李邦。

「前些日子，我聽到李勝興有些工人在高談闊論，說我蘇萬利故意壓低了李勝興的糖價，扣押了給製糖工人們的零錢，這些謠言不知是誰在起造的？」

李羽淡淡地說：「這我不知道，不是我。」

李邦看了他一眼，說話頗有教訓的意味：「你不知道太公生前，最重視我們兄弟之間的和諧。所謂兄弟齊心，合力斷金。我們蘇萬利可不曾打壓過你們李勝興！我去問過帳房的二哥，他也說未曾壓低過糖的價格，也不曾扣押任何苦力們的款項。」

「好個我們蘇萬利、你們李勝興。嘴巴說得像吟長短句，抽冷板曲一樣好聽，你心底早就分出個你我他。你剛剛說這些工人們的對話，不是我宣揚的，但我也不覺得那是造謠胡說。我這李勝興底下的工人，每個人都有自己的嘴巴，嘴皮兒黏在每個人的臉上，愛說些什麼，愛講些什麼，誰干涉得了誰的自由。蘇萬利吃乾淨李勝興的豆腐，得了便宜還賣乖……我倒覺得他們說的句句是實。」李羽嗓門也大了起來：「你這餅鋪做椪餅的麥芽糖、做紅龜粿用的青糖，做鬆糕的白糖，哪個不是用我李勝興產的糖？蘇萬利帳房要是給我每簍扣壓了兩錢，賒了錢還不許我用上円、二擋，這怎麼會不蝕本？你當我這李勝興府玉白糖，是用泥水土漿提煉的啊！前些時候，我叫李勝興的工人們，把白糖從東安坊糖廍搬來北勢街的店裡，掌櫃的二哥不但沒給工人們喝涼茶的零錢，連走路的盤纏也沒給，你們就是吃定我李勝興是蘇萬利的旁支、是你們兄弟下頭的附庸，把我給吃得死死的……」

「好了，好了。不要這樣，大家都在看笑話。」蕭民個性比較敦厚，在李邦與李羽之間較為和緩，他趕緊打了圓場。

「叔叔要是知道你今天所說的話，一定會非常失望。他把李勝興和蘇萬利看作同一家人，也不希望我們兄弟在商場上分出個敵我，你今天這樣說，分明是不把我當作親兄弟看。」李邦說著。

「我們本來就不是親兄弟，我忍受你已經很久了，要不是父親大人的堅持，我們早就斷絕關係了……若是我能在李勝興裡頭做主意，我頭一件事就是和蘇萬利花押鬮書[39]分家。」李羽幾乎用盡全身的力氣，說出了他心底最深的願望。猛一回頭，心裡一驚，發現了自己的父親大人李元，好端端地站在餅鋪的門口。

「你……你竟然會說出這樣大逆無道的話。」李元給了李羽一個耳光：「這李勝興招牌上頭還掛著我的名號，我可還沒死……我和你李邦哥哥，剛剛一路從本鋪過來，辦事的說你往這兒來，你哥哥同我說這些事情，原本我還不相信是你造的謠，今天親耳聽到你這樣說，我實在丟臉、心頭難過，我沒臉去黃泉路上見你死去的老太公。」

李羽摀著臉頰：「我說的句句都是實話，哪句有扯謊？他們聯手起來對付我們李勝興，姓蕭的猴猻鳩占了我們家的『蘇萬利』，父親大人你不吭聲就算了，還這樣偏袒他們，我不甘心、我不痛快！」

「混帳東西，誰鳩占了蘇萬利，大家本來就是兄弟一家，誰在分頭尾？誰在扯後腿？如果你不是這家人，你就給我出去！」李元咆哮著。

李羽聽到後，快步跑出餅鋪。

沮喪的李羽，穿過了帆寮街，轉進了一條暗巷。暗巷藝館裡頭，一個虔婆跑了出來：「唷！穿著錦衣的少年公子，來我這藝館裡歇歇腳，喝口茶舒坦舒坦。」

李羽看了看這條暗巷，心底一種幽暗的情緒上來，他想著要報仇，他有怨、他有怒。他的心底想著：李勝興和蘇萬利就此結下了冤仇，心中的那個不舒坦、不痛快，一路把他推到了黑暗的邊緣：「妳們家的紅牌是誰？我要她替我煎茶！」

「少年公子果然識貨，我們家小雲雀煎茶的功夫，可是一流地，包準你嚐過之後，意猶未盡、回味無窮啊！」那個虔婆滔滔不絕地說著，接著就領著李羽走進了暗巷內。

李羽糊裡糊塗地，就將自己的童身，給了這個不入流的地方。出了藝館的大門，就見到一個略胖且醜陋的藥婆，左臉頰上還有一顆口舌痣，像隻大蟾蜍般高舉布招牌，上頭寫著「春方無限好」，底下一個大大的「藥」字格外明顯。李羽轉了個身子，還不明白那五個字的涵義，好奇地問她：「妳這賣的哪門子的藥？」

「這位小哥哥，我董春梅賣的藥，可是府城街上最出名、最頂好的，哪怕是你要的春藥、風藥、麝藥、陽藥，再不然是婦科藥、安胎藥、流胎藥、催胎藥，舉凡床笫上的山高水長，還是珠胎裡的歲時六甲，問問我董春梅藥婆子準沒錯。」

「這樣說來，你可有賣鴆藥？」李羽心煩意亂，有意搗亂，隨口一問。

「唉唷唷，小哥哥，您怎麼要買這個東西，該不會是被潘金蓮的竹竿打到了腦袋，要毒死他家的

39 鬮書：以往分家時會拈鬮抽籤，由族長或長輩見證，所有繼承人畫押（花押），並在祖先會神明面前「告祖拈鬮」、「當神拈鬮」。

武大郎呀！」她故意連說帶笑，最後一句正經起來：「我董春梅這兒可沒有那樣的藥！」那個藥婆故意壓低了聲音，靠近李羽的耳朵：「但世間可有一種奇毒，更勝鴆藥，那種毒可以殺人於無形。可比毒死武大郎的『砒霜』強上個幾百、幾千倍唷！」

「有什麼藥會比砒霜更毒？」李羽順口一接。

「那種奇毒是取自一種稀有的蛙類，是一種蟾酥，又稱『嫦娥奔月』，別號不死之藥：『明月珠』，我董春梅以前在鹿港，跟隨歸隱的老郎中韓康賣藥時，就見過這號毒物。」

李羽一聽，心中起了一層歹念，眼睛睜得又圓又大：「世間真有此毒？那如何取得『明月珠』？」

「我這裡可沒有！」董春梅聲音壓得更低：「但藥王廟前的『古井藥局』或許可以問一問！」

李羽一聽「古井藥局」四個字，心中怔了一下：「嗯！古井藥局是府內響噹噹的正派藥鋪子，怎會有這樣的奇毒？」

「小哥哥有所不知，蟾酥用來治毒癰瘡、專攻頑強的皮膚病。明月珠是毒亦是藥，此乃五毒的藥王，只要摻一點點水，抹在癰疽上，包準三個時辰見癒。」董春梅頓了一下：「不過話說回來，小哥哥怎會對此奇毒如此好奇？」

「這也沒什麼！」李羽打了哈哈，顧左右而言他：「我這家裡有一窩蛇鼠，鳩占了我們家的灶房，霸道了我們家的屋梁，白天嚙我祖先的牌位，晚上打量我倉房裡的糴米，妳說我該不該毒死牠們？」

「哈！小哥哥說得真逗趣！你家的蛇鼠還挺肆無忌憚的，對付牠們倒也無須用明月珠，這毒鼠就用砒霜、鴆蛇的就用雄黃，取此兩樣即可，殺雞焉用牛刀？」董春梅說著。

離開暗巷，李羽的腳步更快了。他一路來到古井藥局。藥局裡忙進忙出，抓藥的抓藥、曬藥的曬藥、煎藥的煎藥。李羽左右張望著，眾人看見他，急忙招呼：「二東家少爺！」

「哦！王坐堂呢？其他老師傅呢？」李羽這裡看一看，那裡摸一摸。

「師傅剛剛配合西定坊的惠民藥局，到內庄、大目降一帶去施義藥了。」一個磨藥粉的少年說著。

「那現在這裡誰在作主？」李羽還是四處張望。

「是我。」洪氾從柴房裡出來，手裡還拿著一團乾掉的藤葉，但不知道那是在搭配哪種藥材：「二東家少爺在這裡尋找我家師傅，不知是哪裡微恙？我也可以幫你搭配幾個方子！」

李羽一看見他，說話忽然支吾其詞起來：「嗯，也沒有什麼病痛，只是老夫人最近身體長了毒瘡，想要買幾帖藥給她老人家抹一抹、擦一擦。」

「可以試試『三七葉』，藥性較溫和，適合老夫人的身體……」

洪氾話還沒有說完，李羽就急著回應：「老夫人的毒瘡甚是嚴重，不知道有沒有『嫦娥奔月』這東西？」

「這是什麼藥？」古井藥局裡的夥計們面面相覷。

洪氾待在藥局裡較久，知道這味藥，但此藥尤為劇烈，幾乎甚久沒有出現在任何一味方子上，他看了看李羽，從他的談吐之中嗅得到一點蹊蹺，故意說：「二東家少爺說的可是不死藥『明月珠』？」

「對對對，就是這一味。」李羽臉上頓現喜悅的表情。

「可惜！早上給老夫人煎的黃耆鱉甲湯和這一味衝突，黃耆主脾經、肺經；明月珠關心經，若施此藥恐怕傷及心肺……要不然等師傅回來，我請他過去給老夫人看一看。」

「不……不需要了，她的毒瘡也沒有多嚴重，還是過些時日我再來拿治瘡藥。」李羽豆大的汗珠子滾落臉龐，嘴裡說著：「不然給我一些砒霜好了。」

「少爺要砒霜做什麼？」底下夥計們面面相覷，議論紛紛。

李羽看著大家議論紛紛的模樣，汗珠子更多了，急忙說著：「竹蔗豐收，倉庫滿溢。近來我李勝興幾個糖坊裡鬧鼠患，要用砒霜來做一些鼠藥！」

「這可不湊巧了，我們古井藥局裡的砒霜，剛剛全給蘇萬利餅鋪的夥計拿走了，他們說最近趕製紅龜粿，沒想到四處的大黑鼠，好像會通風報信似的，全搬進餅鋪，住在裡頭。牠們四處嚙咬，不勝其擾，要砒霜去做毒餌鼠藥。」洪氾說著。

「砒霜沒有！罷了！算了！」李羽悻悻然而去。

洪氾望著李羽走出藥局的身影，喃喃地說：「明月珠啊！」他轉過身子去，在藥櫥上「蝦蟆衣」和「蟾蜍膽」中間，找到一格「棋子酥」的抽屜，拉開藥櫥，在一堆堆乾癟黑黑如棋子般大小的蟾酥中，拏取一罐小小地、精緻的青綠色瓷瓶，瓷瓶外頭以綠釉草寫著「明月幾時有」五個小字，瓶口上塞著軟紅布，內瓶頸也塗了一層蠟，他拔除瓶口的紅布，小心翼翼地將裡頭的東西倒出來，攤在毛頭紙上，總計有五顆白色的小圓珠，像珍珠般透著粉紅色的色澤，洪氾知道這些來自呂宋的「嫦娥奔月」，是取自新西班牙墨西哥的金蟾蜍，聽說世間稀有，這種金蟾蜍只活在墨西哥以南的地方，洪氾不知道墨西哥是哪裡，但聽說這種金蟾蜍會爬樹。在月光之下全身散發金光，兩條耳腺鼓脹脹，像銀月牙般，活脫是神話裡住在天上宮闕裡的生物。

殺金蟾蜍時必須選在滿月時節，且過程不能沾到任何鐵器，否則分泌的汁液會立刻變黑。這種頂級蟾酥價格也相當可觀，光是這樣區區一小瓶，內裝五顆，就要價三十枚「佛面銀」，一間北勢街的開間店鋪，也只要五十枚佛面銀：所謂的佛面銀，是西班牙人的鑄幣，上頭有西班牙國王的側像，台人多用此銀錢流通，因眾人不識上頭的西班牙國王，覺得那鬈髮蓬頭的模樣，像極了「釋迦摩尼佛」頭，因此就稱之為「佛面銀」，又稱「番面銀」，最常簡稱為「佛面」或「佛銀」。

李羽一路嘀咕，慢慢地走到水仙宮前。廟前張燈結綵，寫著今年的主辦爐主大紅紙貼在醒目的正中央、其他獻香助銀各號各商的小紅紙由兩旁一一展開。「水官解厄」是水仙宮的大事，自從水仙宮港浚津完成後，每年就輪流由南北兩郊辦理。府城內各郊各商林立，眾人各事其主。在水仙宮裡，主任廟務及當年祭典的頭商就叫「爐主」，其餘獲得參與廟務的商號就叫「爐腳」或「董事」，剩下的各商號再依實力、財力，捐獻廟銀數量，分出頭香、貳香、叁香及助贊等。

水仙宮規模日益擴大，早先台灣知府王珍敬贈的「著靈鰲柱」匾額，因惹了爭議，被擺放到後頭。蓋住王珍那塊匾額的是乾隆六年，以台廈商人陳逢春為首獻上的「萬水朝宗」匾額。在乾隆二十八年，水仙宮前的河道日益狹窄，遭到許多不肖商人占據，當時台灣知府蔣允焄下令拆除，才又擴建了廟埕廣場，也豎立了「水仙宮清界勒石記」碑在「水仙宮浚津紀事碑」的一側。

十月初十為水仙尊王千秋誕辰，過五天的十月十五日又逢下元節，也是府城的「水官解厄」日，從十月初開始，水仙宮前就好不熱鬧。自南北兩郊開始輪值爐主那一年起，每年到了此時，承事的郊團和當年爐主，莫不以這五天辦理「謝平安」法會，做為郊團集體實力的具體展現，上回南郊敦請北京知名的皮黃戲班，連唱五日官音、擺開了壯觀的全副豬羊牲祭、紅龜粿、糕點堆得像小山一樣高，連廟中陪祀的福德正神也沾到了此等福氣。

去年南郊的爐主也招集各地屯墾丁首，四至田主管事，練拳糾會的尋常百姓，相偕組成了刀槍武陣、牛犁車鼓，也有西拉雅番抹粉扮丑，唱〈十八摸〉[40]。隔日白晝，水神浩浩蕩蕩出巡，舞四色蛟龍、弄八色醒獅，號召而來的各式遊藝隊伍，安排在五頂水仙尊王出巡的轎子前頭。最末壓陣的是打扮成白龜彩魚、蝦兵蟹將的官將武首。等五頂神轎隊伍通過後，緊接著上場的是每年水仙宮大祭上，會出現的水龍藝閣，全府城約二十分之一，三至七歲的孩童都被招集來裝扮成肉傀儡，頭四車依序為四海龍王，接著後頭孩童扮成山神河伯，天地諸神，主事的郊團之下各商各號依據配額人力，需要支援一定數額的抬閣，每車抬閣下方裝一個木輪，由一位童生站在上面，四名壯漢推抬，數車接連相併：頭一年北郊起頭的水龍藝閣有一百零八輛，代表天罡。之後那年南郊大車拚，又加了七十二地煞。再隔一年，不服輸的北郊又添十二天干、再一年南郊又加了地支，水龍藝閣愈來愈長，也愈來愈壯觀，只要水龍藝閣一出，府城的車路就頓時壅塞，萬人空巷。到了去年南郊的水龍藝閣之時，抬閣數目已經到了令人咋舌的三百餘輛之多。

遊藝出巡之後，水神返回水仙宮安座，接著是水官解厄的重頭戲，由當年爐主獻香。爐主先上三炷來自武殿後街上，金記香鋪特製的烏沉大香，安插在正殿石刻的「解厄香爐」上，三炷香各代表天地人。之後就由今年輪值的董事們上香，董事之後依序再由頭香、貳香、叁香、助贊等商號進香，人手三支金記細香，全都是以檀香、大黃、甘松、丁香、肉桂精心特製而成，各商號依序將代表「天」的那一支香，插在水仙宮門前的銅鑄大香爐上敬獻三界；代表「地」的那一支香，插在大殿水仙尊王面前，解厄香爐之中，用以祭拜水神。

在大殿左右兩側，擺滿了數百個木製斛器，每個斛器正好能容裝單位「一斛」，一斛等於五斗，容器四邊大概是一個成年男性的胸膛寬，這些郊商事業內的米鹽糖豆，各處開間商鋪、割店販仔無不是用這個標準「容器」來做為計量工具。因此每年此時，各商各號就將自己手中「水仙斛」移回宮內，廟內管事會用紅紙幫各商斛器貼上自家名號。每個斛器大小一致，高低相同，外觀均雕刻雙龍抱柱，上刻「水仙斛」三個字，底部壓刻印龜紋，細細可見「水神見鑑童叟勿欺」八個小字。大殿左側擺著當年主事郊團各商號的斛器，右側則為另一個郊團的斛器，隔年位置彼此互換，斛器裡頭各鋪上三斗蘇萬利米店新米，獻香典禮的最後，各商號將手上代表「人」的那支香，插入寫著心中預選出的「董事」斛器中的白米鋪墊上，南北兩郊各占董事七名，主事郊團斛器中最多香的那個董事，自然而然就成為新任的「爐主」。此儀式完畢後，再回頭去看原先爐主，獻祭的那三支金記烏沉香譜，用以斷占未來

40 十八摸：中國民間小調，在台灣常見客家版本，亦有閩南語雜調，內容多為挑逗與性暗示。

一年危厄吉凶。

去年的爐主獻香，香譜出現了天地人三香等高的「平安香」，眾人終於鬆了一口氣，高呼水神顯靈，闔家平安。會這麼緊張不是沒有道理，因為數年前南郊輪值時，爐主獻香就曾出現天香略短，地人香偏高的「口舌香」，迫使當年爐主鬧了雙胞，不得不抓鬮羅漢錢來解決這件事，而當年內訌的那兩個商號，最後也都紛紛經商失利，所以各商信眾莫不對水神的香譜敬信不已。

所謂抓鬮羅漢錢，是指在水仙宮的水仙尊王「項羽」的肚子裡，藏了一枚「康熙通寶」，也就是俗稱的「羅漢錢」。相傳當年康熙決定鑄幣時，朝廷尚欠鑄幣的材料，北京清涼寺僧侶敬獻廟中的黃金十八羅漢像，供朝廷戶部寶泉鑄幣局融鑄為康熙通寶，於是眾人皆訛「羅漢錢」內摻有黃金。另一個版本又說，康熙大帝六十大壽時，回贈一尊內藏康熙通寶的羅漢像給清涼寺，做為紀念。到了雍正年間，藏於羅漢肚內通寶，遭到不肖僧侶的取用，流入民間成為佛贓，於是民間所使用的羅漢錢，一部分來自北京清涼寺的羅漢肚中。

雍正年間，府城水仙宮的水仙尊王中：項羽，因白蟻蛀蝕而需要重塑。匠師擅自參酌了羅漢錢的傳說，在項羽塑像底部開了個小口，剛好塞了一枚康熙通寶。此後數年，這枚羅漢錢就成為解決爐主紛爭的重要工具。抓鬮羅漢錢又被眾商稱為「楚漢相爭」，凡是當年有兩個以上的商號得到的斛香最多，就由水仙宮住持，負責取出項羽塑像底部的羅漢錢，擺入預先準備好的空斛器之中，接著再將這個斛器，與另一個空斛器一同移到大殿項羽塑像面前。蓋上紅布，紅布分別寫著「楚」與「漢」兩字，如為三個商號，就寫「魏蜀吳」，四個就寫「梅蘭竹菊」，再由楚漢相爭的商號依序筊杯決定取用哪一個字，凡是取得內有羅漢錢者即為當值的「爐主」。

此制建立之後，從雍正到乾隆，北郊從來沒有發生過「楚漢相爭」、南郊卻出現了三次，原因在於南郊眾商號中，並無如北郊的蘇萬利如此巨富者，南郊當中最大的商賈「金永順」，家業程度也才與蘇萬利的旁系李勝興相當而已，且北郊蘇萬利，有了府城最大的糖業商號，李勝興的支持，從此如虎添翼，立於不敗之地，加上北郊內合夥入盟的商號，約莫只有南郊的一半，少有競爭。就因如此，蘇萬利光是北郊爐主，十次之內就取得了九次。

李羽站在水仙宮前，心底總想著那件事情：什麼時候才輪得到李勝興做主意？難不成我李羽這一輩子都只能這樣有志難伸？淪為蘇萬利的一部分？正當他望著水仙宮大門看得入神，獨自興嘆時，三個女子手提著竹籃，穿著絲綢製的婦服，走向廟前大門，李羽一眼就認出來那是蕭家三姊妹，大姊蕭念在十二歲時才纏足，扭斷了蹠骨，使腳趾脫臼，明馨灑了又灑、帛布纏了又纏，才致使穿上弓鞋走起路來，有現在婀娜多姿的模樣。其實老太公李逵是相當反對女子纏足的，妻子蘇巧巧天生就是個大足番女，也因此他再三告誡蕭息文及李元這兩個兒子，往後李家不得有女子纏足的陋習。

但隨著太公去世，蕭家有女初長成：愛美的大姊蕭念總算忍不住了，背地裡在香閨中逕自纏足。等到總頭家發現時，她的腳掌已經潰爛，生米也煮成了熟飯。

話說蕭家三姊妹，不得不提到二女蕭奴。她年紀與李羽相當，事實上李羽對蕭家所有人，都不曾存在著好感，唯獨蕭奴與眾不同：她喜愛琴棋，略通書畫，晚霞時分她時常獨坐蘇萬利本鋪的西側閣樓，彈琵琶，獨唱「風住塵香花已盡，日晚倦梳頭。物是人非事事休，欲語淚先流。」

此時此刻的李羽，心情和魂魄全被她的歌聲給勾走了：「蕭家的二女歌聲真的好美！」

他努力回神一看，才勉強從那晚霞滿天的琵琶歌聲中，抽離返還現實之中，李羽的眼睛直視著蕭奴現在的身影看著，腦子裡還是念念不忘那些歌詞兒：「真是美得透徹，美得絕倫啊！」

「唉呀！那不是羽哥哥嗎？」蕭家辣妹子蕭嬌發現了李羽的身影，把竹籃塞給二姊，咚咚地跑到了李羽的跟前：「羽哥哥，您也來給神仙尊王獻香啊？」

「哦！」李羽望了阿嬌一眼，知道這蕭三妹子蠻橫，神經大條，蕭家可沒有人管得住她。說也奇怪，伯娘醜陋得像妖怪，三個女兒卻美得像天仙，特別是蕭奴，活脫就是一曲昭君出塞的〈一痕沙〉，如果二女是落雁，大姊也約莫是閉月、么女則是羞花。

「羽哥哥，來嘛，陪我們一起上香！」阿嬌拉住李羽的手，連拖帶拉把他拉到姊妹們的面前。

「二東家的少爺，你也來上香嗎？」蕭念望著這個異姓的弟弟，可沒有好感，說起話來冷冷淡淡地。

「肯定是的，姊姊！我們就和羽哥哥一起進香吧！」蕭奴的小臉羞紅成粉芙蓉色，連忙低下頭去，不願正面去看李羽英俊瀟灑的品相。

「對啊！我要羽哥哥同我們一起上香，誰都不許阻止！」阿嬌嘟起小嘴巴。

「未出嫁的黃花大閨女，這樣纏住李勝興的少爺，讓任何人看見了成何體統？」蕭念說起話來像個皇太后一般。

「有什麼關係，我以後要做羽哥哥的妻子，只許他媒我，不許其他人媒他……」阿嬌勾著李羽的胳臂愈來愈緊：「我的羽哥哥可比家裡其他阿兄們英俊瀟灑多了。」

「妳說這些話也不害臊，羞也不羞？」大姊蕭念有些惱怒：「妳在這裡撒野胡鬧，我回去要稟報阿爹！」

「我又沒說謊，不信妳問二姊，羽哥哥長得怎樣？生得如何？說不定二姊心底也在盤算，非羽哥哥不許！」

此話一出，蕭奴的粉紅臉更紅了，就像一隻煎熟發紅發燙的蝦子：「阿嬌，不許胡鬧了！」

「說嘛！說嘛！二姊妳說說，妳是不是非他不許……」阿嬌正在胡鬧著，忽然一個聲音叫住了大家。

「原來你們都在這裡啊！」蕭國招呼了一聲，他和蕭佑與李城、李興四個人一起走了過來。

「沒想到蘇萬利管錢的、管貨的、管船管車、管路管橋的人都來了，這可容不下我這個小角色！」

李羽看了看蕭家三姊妹，撇過頭去，臉上略顯不高興。

擔任義學管理的李城說著：「羽弟，我們李蕭都是同一家人，你也跟我們一起進廟上香吧！」

「不了，反正每一年水官解厄，代表李勝興的那個人，都會把香安插在蘇萬利的斛器裡。」李羽說著：「我可沒資格給水神爺爺上香，我可從來沒任過水仙宮的董事！」

「你這是在指誰啊？羽弟還是不要拐著彎，指著和尚罵禿驢。」蕭國略慍說著：「今早李元叔父和我家的邦弟弟就在談論，有人背地裡在我蘇萬利與李勝興家之間做挑撥，離間情感。我相信這個人應該不是李羽弟弟你吧！你應該會和我們一樣同仇敵愾，找機會就澄清這樣的訛言。」

李城笑嘻嘻的臉立刻變得凝重，好像心底藏了什麼東西。橫在兩人中間，企圖化解不愉快：「二哥，不要這樣責怪羽弟弟，我們李蕭兩家兄弟之間絕對是一條心，羽弟斷不可能如此說。」

「我與你們從來就不是兄弟，你們大可不必假惺惺！」李羽甩開了阿嬌的手。

蕭國垂下來的手握緊了拳頭，李城脾氣好，一把抓住了蕭國的手：「打虎還需親兄弟，在這裡吵吵鬧鬧，府城裡大家全看了笑話。」

「我沒什麼好澄清的，誰跟你們家打虎親兄弟了，我看在你們心裡頭，只認我是個豎子，是個窩囊廢。」李羽咆哮一番後，就往蘇萬利本鋪的方向走去。

眾人被他這樣突如其來的舉措給嚇到了，阿嬌一臉不解地說著：「羽哥哥是怎麼了，活脫變了一個人似的？」

李羽回到家中，心底鬱悶。脫去鞋襪後，就在大床上悠悠睡去。直到接近傍晚，下人們叫醒李羽：「羽少爺，總頭家與二東家招集所有人到祖先上廳之上。」

李羽洗了把臉，心裡想著一定又是父親要責怪自己。李羽心中也做了可能要受到家法懲戒的準備。一個人慢條斯理地來到祭拜祖先的上廳，此時裡面早已經站滿了蕭家的男丁：蕭伯父退於一邊，自己的親生父親李元站的可是主祭的位置，除了鹽水分號的蕭護大哥沒有返回外，其他蕭家男丁依長幼序別，站在右側後方。

蕭息文說起話來特別渾厚深沉：「大家聽好了，我蕭息文生得七子，蒙太公給我們機會，兼顧了蘇萬利的家業。但我畢竟不是嫡子，還到蕭氏子弟以後要依你們李元叔父為尊，不可逾矩。」

「大哥，我可不希望孩子們這樣想。蕭家人就是李家人，這一點在父親生前就已經確立過了。」李元打算讓出主祭的位置，但遭到蕭息文的拒絕。

蕭息文走到李羽跟前，李羽撇過頭去，原本還在猜想，伯父會大聲斥責自己，沒想到他看見伯父把自己拉到左側的尊位之上，然後要蕭家所有人退到卑位：「我們蘇萬利有今天的成就，全靠太公的苦心經營。無論如何，有些事情是從前不曾改變的，以後也不會改變的。」

說完就退回後方，等候李元帶領大家祭拜祖先。所有祭祖上香儀式完成後，交由李元來宣布重要的事項，他轉過頭：「羽兒！我知道你還在抱怨我，今天早上打了你一個耳光……」

聽到這裡，李羽原本以為會再遭一頓毒打，沒想到李元繼續說：「所以我和你伯父商量後，決定遜位，將蘇萬利與李勝興交給你們這一個世代，未來就是你們自己的天下了。」

「讓出蘇萬利與李勝興？」不只蕭家兄弟震驚，李羽嘴巴也差點闔不上來。

「就如你們叔父所說，我和他決定退出蘇萬利和李勝興的經營，以後蘇萬利就稱李邦為頭家；李勝興稱李羽為東家。今年水官解厄，就由李邦代表蘇萬利、李羽代表李勝興出席了。」蕭息文說著：「我們蕭家人寓居於此，不能忘記原來的根本，所以我說啊！邦兒……」

「是！孩兒願聞父親教誨！」李邦站出身了。

「今年蘇萬利的線香，要插到李勝興的斛器裡。」

蕭家兄弟聽聞後一陣譁然，蕭國首先發難：「這可失去了常理，蘇萬利這個字號本來就是太公直嫡承下的，要是蘇萬利的香插入了李勝興的斛器，別說爐主了，可能連董事也當不成！」

「對啊！二哥說得沒錯，我們『蘇萬利』可是水仙宮的捐香大戶，從太公時代開始，我們每年任董事，十之八九做爐主……」蕭佑說著。

「你們憑什麼資格代表『蘇萬利』？」蕭息文略帶咆哮的語氣一出，眾人皆服：「可別忘了你們是我蕭息文的兒子，是李家的庶系，我是你們太公的養子，我們是雀榕寄生上了海茄苳，所謂『螟蛉有子，蜾蠃負之』。要不是你們太公對我好，我這個曾經在武廟前乞討的小乞丐，還能在此當個大頭家嗎？你們可不要得了寸就要尺，施捨當作應得。」

「是！我會遵從父親的指示辦理。」李邦恭恭敬敬地說著。

十月十五日那天，整個北勢街、杉行街、看西街，接連赤崁一帶幾乎是萬人空巷、人聲鼎沸。洪氾想起自己小的時候也在水龍藝閣上當過肉傀儡，一大早就穿好輕便的常服，跑到外新街和十間巷一帶看遊藝。

五頂水神的神轎通過後，在白龜彩魚與蝦兵蟹將的引導下，逐漸看見水龍頭自榮盛號的屋角轉進外新街，依據路程，隊伍會一路往東，到打石街、陳氏家廟，然後轉進府署、縣署接受官拜，再入檨仔林街、呂祖廟，沿紅毛樓殘牆，繞過大天后宮，再回到水仙宮。

水龍藝閣自外新街角現形後，加入圍觀的人潮變得更多。洪氾站在外新街旁，雙手合十，跟著街坊上的常民膜拜水神。在水龍頭的第一順位是「東海龍王」，後頭依序為南海、北海、西海龍王，藝閣上的小娃娃們扮演風神、雨神、雷公、電母，緊接著是各種山神河伯、羅漢護法、天兵神將。

跟著遊藝隊伍，洪氾看見了街路上，一個跟著藝閣一起行走美麗的倩影，她的臉蛋就好似今晚即將登場的月圓兒，洪氾立刻認出這個女子的面容，她就是蕭家的二千金，小名奴兒的「蕭奴」。洪氾的魂魄，早就被她此時此刻的美麗面貌給勾了過去，洪氾記得初次見到她的倩影，是在他七歲的時候，與當時年僅五歲李勝興的少爺李羽、五歲的蕭奴及三歲的蕭嬌，一同在這水龍藝閣上扮演四大天王。李羽少爺手握寶劍，代表的是南方增長天王；蕭奴懷抱琵琶，是東方持國天王；洪氾高舉寶傘，是北方多聞天王；蕭嬌拘拿赤索，是西方廣目天王。寶劍代表「風」，琵琶代表「調」，寶傘代表「雨」，赤索代表「順」，那時候的洪氾，就被蕭奴手握琵琶的手姿給吸引住了，沒想到水龍藝閣上，五歲的持國天王，懷抱的琵琶不只是道具，竟能彈奏出一曲湯琵琶的〈楚漢〉：此曲分為數個段落，乃明代嘉靖年間的一位琵琶奇人湯應曾所創，湯應曾彈奏琵琶技巧無人能及，於是被後人稱為「湯琵琶」。他最喜歡彈奏的便是〈楚漢〉，內容呈現楚漢兩軍決戰的驚天動地、刀聲劍聲、金聲鼓聲、飛箭亂弩，西風馬鳴。曲中揉轉千山萬水，楚歌埋伏、霸王卸甲，聽過的人莫不潸然淚下。

於是從那一天起，洪氾就陷入了琵琶聲優美，佳人難再得的相思陶醉之中，每回送藥到蘇萬利家，總想湊合個機會見到她一面，只可惜這幾十年來皆未成果。蘇家把黃花閨女們看守得緊緊的，於是洪氾最後的希望，只能寄託在每年水官解厄的遊藝上。果不其然，只要是深守空閨的女子，絕對不會錯過這樣熱鬧的慶典，洪氾現在總算夙願以償，讓他再度見到那個美麗的倩影。他正想找個機會接近蕭奴，卻發現她身邊多了個護花者。仔細一看，竟然是李勝興家的少爺李羽，他細細呢喃著：「果然又是那個跋扈囂張的傢伙！」

水龍藝閣返回北勢大街後，主祭官領著各商號代表依序進入水仙宮中。宮中擺滿了鮮花素果、各類牲祭，蘇萬利餅鋪的紅龜粿蓋著「解厄」的印子，臚列在供桌的兩旁，糕餅牲祭疊得像寶塔一樣高。

時辰已到，今年南郊的主祭爐主金永順，照例點上來自祭祀武殿後那條大街的金記烏沉大香，每根香桿的直徑都約莫一個成年人的拇指大小。祭拜完水神後，就將這三支香安插在方形石造的「水官解厄」香爐之中。之後依序進行各郊團選任新董事的事務，李羽身穿祭祀服裝，身上背起一條長長的彩帶，彩帶上寫著「北郊李勝興」五個大字，一旁的李邦則背著「北郊蘇萬利」，李羽瞟了一眼李邦，心底想著，我們總算並肩而行，齊頭上的平等。

依據捐銀的多寡：董事、頭香、貳香、叁香要按次序進斛，蘇萬利是頭排的大董事，他的一舉一動將影響北郊其他商號的作為，只見李邦走上前，循例插完天香與地香，接著走到北郊商團的斛器旁邊，仔細地看了看。一旁的李羽心想，我就不信你這個老鳲鳩，會把蛋下進我李勝興家的鵲巢裡。

李邦駐足了良久，最後終於把香放進了寫著「李勝興」三個字的斛器之中，此時底下北郊各商號，發出一陣又一陣的驚呼。

「怎麼一回事？蘇萬利投給李勝興？」大家議論紛紛。

依據以往的慣例，蘇萬利代表整個集團，而李勝興雖貴為頭香，但一來沒有自己的店鋪開間，二來沒有商船車隊，這幾十年來隱沒在蘇萬利底下，不曾取過董事的席位，這下北郊諸商可苦惱了，等一下是投給「蘇萬利」好？還是「李勝興」佳？

前幾個北郊董事進完斛後，蘇萬利略勝李勝興。接著換頭香李羽上前，他最後也把香放進了自己

「李勝興」的斛器之中。此時底下的嘈雜聲更大了：「李勝興也投給李勝興？以前他都是投給蘇萬利，怎現在改了局面？以後『蘇萬利』是交給李家人全權做主意了嗎？」

這下大家可都迷惘了，北郊重載輸出的黃豆花生仁、白苧樟腦、魚乾茄藤、紙筆粗麻等諸商，往後還要要靠蘇萬利的載船運出幫忙，依序投給蘇萬利；青絲西洋布、鼎鐺磚瓦、金腿紹酒、魚苗生藥，輕載輸入文市的小賣，不是奢望李勝興家廉價的白糖、冰糖，就是受過李家少爺的恩惠，全都改變了主意，投給李勝興。當北郊最後一支香見晉完畢後，蘇萬利和李勝興的斛器內竟然同有十三支香腳。

「唉呀！北郊發生了楚漢相爭啊！」大家這才驚覺過來，蘇萬利和李勝興竟然會走到這樣一個局面。

水仙宮的住持拜了拜水仙尊王，把項羽神像請到了前頭。眾人七手八腳取出了項羽神像底部的康熙通寶，住持拿起羅漢錢，在水官解厄香爐繞了三圈，接著拿了兩個空斛器出來，進到後廂後再出來，斛器上頭已經蓋上了「楚」與「漢」的大紅布。

「這就請蘇萬利與李勝興兩位頭家向前一步，筊杯決定次年爐主！」住持說著：「先請蘇萬利。」

李邦走上前，恭恭敬敬的拿起筊杯，嘴巴說著：「水仙尊王楚霸王在上，弟子是蘇萬利的李邦，現在要選斛器，不知水神是否同意！」向下一放，出現了陰筊。

接著換李羽上前，同樣拿過筊杯：「水仙尊王楚霸王在上，弟子是李勝興的李羽，至此與蘇萬利家毫無瓜葛，取得爐主之職後亦與蘇萬利無涉，如水神爺爺同意，弟子要選『楚』字，請尊王鑑允！」

此話一出，底下更是議論紛紛，難不成蘇萬利和李勝興要鬮分了家業。只見李羽雙手一放，筊月牙翻了兩翻，竟然出現了陽筊。

「水仙尊王同意了，李勝興選『楚』；蘇萬利選『漢』！」住持高聲叫嚷。接著拿過了楚字的斛器給李羽，他急忙掀開紅布，裡頭正擺著一枚圓亮亮的羅漢錢。

「明年的爐主是『李勝興』啊！這可是不得了的大事！」另一旁的南郊商團也全湊過來看這場明著上演的楚漢相爭。

底下幾個好事的人說著：「蘇萬利是怎麼了，明明有九成九的實力，全讓給了次排的李勝興？」

「恐怕是李家的人要把蕭家的人全部趕出去！」

底下的聲音愈來愈大，忽然又傳來一陣吵雜，大家又把頭轉回到大殿上：「唉唷！水官解厄的香譜，怎是『催命香』？」

大家一看那香爐上的粗香，果然是兩長一短的「催命香」，這可表示月半之內要鬧出了人命！此時眾人更是驚恐萬分。

李邦走上前去看了看，果然是兩長一短，這金記香鋪乃南北兩郊與水仙宮共同資贊，他們的香燭師傅全來自泉州同安，工法始終一致，應該是不會動手腳的，難不成這就是天意？

此時一個蘇萬利家的下人，匆匆忙忙跑進水仙宮，大聲嚷著：「不好了，蘇萬利的頭家、李勝興的東家。這可不好了，今天早上老頭家夫人、老東家和老東家老夫人，吃了蘇萬利餅鋪所做的紅龜粿，現在全都一命嗚呼了。」

「你說什麼！」李邦聽到後，表情立刻垮了下來，心頭也涼了半截。

眾人飛奔趕回蘇萬利的本鋪，只見上廳已經擺了三具冰冷的遺體。屍體依序為老東家李元，兩位老夫人：荷花與蓮花。

李羽見到這樣的畫面，不敢置信：「一定是蘇萬利的紅龜粿，在裡頭放了砒霜劇毒，欲毒死我李家人！前些時候，我去了古井藥局，藥局裡的人就說，砒霜全給蘇萬利的餅鋪買走了。」

「怎麼會這樣？」蕭奴隨後進入上廳，一見到這樣的場景，不敢相信，掩面而哭。

李邦則是一旁急促地四處張望，嘴裡說著：「父親大人呢？他在哪裡？」

長工們緩緩回答：「老頭家也吃了一口紅龜粿，忽然就覺得天地旋轉，一個人回房間休息去了。」

李邦急忙穿過長廊，一路往父親的寢室而去。打開房門，聽見了非常深沉的鼾呼聲，就像池塘裡某個水路給石頭堵住了，巨大的湧水穿過細小的石頭縫，發出了響亮的咻咻聲。他全身盜汗，抽搐，蓋著大被子，左腳上還穿著鞋襪，右腳的襪子也未完全脫去，顯見這場暈眩來得突然。

「老頭家有無性命的安危？趕緊去找大夫、找郎中，找古井藥局的王坐堂來，只要行得通，醫得好，花多少錢都沒關係，快去！」李邦也亂了手腳。

「扁鵲、華佗若再世，恐怕也救不了咱們老頭家。」下人們在門口小聲的竊竊私語，但卻被李邦不小心聽到了。

「誰在那裡胡說八道，若是再讓我聽到謠言，一律離出我蘇萬利。」李邦忽然拉高了聲音，大聲斥責：「有時間在那裡滿口荒唐言，還不快去找坐堂過來！王坐堂過來以前，誰都不許進來，我要親自照料父親。」

上廳的三具遺體，冰冷冷地躺在那裡，蕭家男丁跪倒母親荷花的身旁。李羽跪下身子，安安靜靜地撫著父親的屍身：「怎麼發生的？」

「羽哥哥！」蕭奴兩行清淚掛在臉上，雙手合掌於面前。

蕭念彎下身子用布巾替死去的母親擦拭臉龐，荷花原本就極為醜陋的臉，現在全糾結在一起，活脫像是打了好幾個死結的索頭，又似乾果蠟黃且皺褶的核桃腦。

「這是怎麼一回事……」李羽輕輕地問：「我說這怎麼一回事？」李羽最後一句話聲音更提高了幾度，又似怒吼、又像威脅、又如叫囂。

一旁的專責服侍荷花夫人的奴婢，緩緩吐出了實情：「今天一大早，蘇萬利餅鋪就送來幾個紅龜粿，原先就放在神明上廳，老頭家夫人進了廳堂，燒了些清香。先向祖先與神明稟明今天水仙宮進斛的事情，祭拜完後，就拿了三到四個紅龜粿到自己姊姊，也就是蓮花夫人那邊。老東家夫人因為近日身體不好，沒有什麼食慾，加上肝火上升，犯了牙痛，於是就把幾個紅龜粿遞還給荷花老夫人……」

「既然遞還了，他們又是為什麼中了紅龜粿的毒？」李羽用質疑的口氣問著服侍老頭家夫人的奴婢阿花：「我母親是退了三個還是四個紅龜粿？」

「這一點，阿花就不知道了！」她顯然受到了極大的驚嚇，停頓許久後緩緩地說：「阿花只知道，荷花老夫人拿著退回的紅龜粿，回到房間後，老頭家說他還沒用過早膳，於是就順手拿了一個紅龜粿，阿花確信荷花老頭家夫人是吃了半個，老頭家則吃了一口！至於老東家和老東家夫人有沒有吃，阿花就真的不知道了。」

「妳不知道他們有沒有吃？」李羽緊握拳頭，聲音略帶尖澀。

「可能有，也可能沒有，阿花真的不曉得！」她身子畏縮，就像是一隻快要縮入自己椰子殼中的琅嬌八卦蟹。

「怎麼連紅龜粿實際有幾個，妳都不曉得？妳不是說荷花老夫人拿了三到四個給我母親，退了幾個？自己留了幾個？吃掉了幾個都搞不清楚，一個說犯牙疼的人，有沒有吃紅龜粿，妳會不知道？妳這是這樣服侍夫人的嗎？我看妳等一下包袱打點好，領了遣散錢，就可以回鄉下去種田了。」李羽站起身子，發狂般地怒叫。

「阿花真的不知道……求求你少爺，我老家還有一個殘廢的哥哥要養，父親駝了背，母親瞎了眼，全家還指望我在這裡攢伙食錢。」她幾乎嚇傻了，獃在原地喃喃自語：「我真的不知道啊！少爺就是把我生吞活剝了，我也不知道……」

屍體停了一夜，發生了這麼驚天動地的命案，可忙壞了衙門。李家人忙著用冰冷水擦拭屍身，以防屍臭。第二天一大早，府城裡最出名的仵作，從寧南門外魁斗山的亂葬崗搭著抬轎匆匆趕來，人人都稱他為「常伯」，這時刑部的人也到了。長官命令將三具屍體用木板移到樓井下方，常伯先是看了看屍體，稍微聞了一下：屍體微微有臭，於是拿起生薑、大蔥放進自己嘴裡咀嚼。刑部的官吏命人擺開長案與椅子，坐在一旁監督驗屍的工作。老東家的屍體在眾目睽睽下，被仵作脫去了衣褲、鞋襪，全身赤條條地躺在兩個長板凳所撐起的木板床上，常伯舀了一瓢皂莢水，徹頭徹尾地將老東家的屍身洗了一遍，此時屍體已經放置約一兩個時辰，以致屍體略微僵硬，他要來一些毛頭紙，抹了一些老酒和酒糟，貼在屍體肌肉的地方，然後對喪家說：「再等半個時辰，等屍體去了死殭，就開始進行驗殮。」

屋子裡的眾人已經哭得死去活來，雖然官吏已經命人驅離閒雜人等，除非是喪家，否則全退出二進樓井的夯凹台階外，但總有幾個不識大體的下人們，想看看富有人家，衣服裡頭赤條條的東西，可否與常人不一樣，於是就偷偷摸摸湊合在二樓的樓窗上張望：除了老東家的屍體，就連兩位老夫人也一樣被剝得精光，已經喪失了生前富戶人家的氣派與生氣。

「父親大人！母親大人！是孩兒的不孝，讓您兩老在這裡受辱受難！」李羽跪著滿臉涕淚痛哭，蕭家眾子女依序跪在荷花老夫人屍體不遠旁。

半個時辰過去了，仵作依序檢查三具屍體，用食指輕觸屍體的臂膀、胸口及腹部，三處的皮膚都立刻凹陷下去，屍體總算是變軟了。常伯稟明了刑部的官吏，驗屍工作才又繼續開始。他右手握著驗屍的經典《洗冤集錄》，依據「屍格」做驗屍開拆的準備動作，攤開屍格勘合處，逐一報喝：正面、髮長多少，頂心多高，髮際、囟門如何，然後眉、眼、鼻、口、齒、舌、脖、喉，緊接著兩乳、胸心、小腹、陰部、兩腿、十趾一路檢驗下去，凡是有瘀有青，仵作就會大喝「瘀」，有痕有傷就大喝「挫」，一旁的筆吏就要將結果記錄於屍格之上。

最後常伯拿出了三支銀針，嘴裡說著：「若是中了砒霜之毒，則銀針遽變為黑！眾人可要看仔細了。」

接著將銀針塞入老東家及兩位老夫人屍體的口中，不到一會兒後再取出來。常伯高聲喊著：「未變青！無毒！」

接著又放進三具屍體的肛門處，同樣一段時間後再取出，依舊未變黑，常伯一樣高喊：「未變青！無毒！」

「今日檢驗至此，非遭人下毒，一翁兩嫗應為鯁食紅龜粿暴斃，本官會稟報大老爺，屍體發還喪家。眾人若無其他要公，殮驗就此襄結。」由於驗屍時間過久，官吏有點不耐煩的揮了揮袖，打發眾人後就要走出蘇萬利。

仵作常伯用皂莢水洗了洗手，來到李羽少爺的面前：「少年東家可要保重自己啊！」

李羽給了「洗手錢」，嘴裡嚷著：「我家父母親真的不是毒死的？」

「這老朽可不敢斷言，三老的死因確實古怪。老朽在施藥醫診之術上只略知皮毛，但不敢說是精闢，檢查過喉頭胸腹：喉無瘀、口無痰、肺無噎、胃無膈，應該不是噎膈之症。身子四周也檢查過了，的確沒有中砒霜之毒，至於是何種原因！賤民能力有限，還請大官人邀請自家的古井藥局作鑑，自己去推敲琢磨吧！不過還請少爺放寬心情，所謂『生死有命，富貴即天』，這種東西實在很難講，或許是暴斃、也或許是受了風寒、得了篤疾。所謂生得倉皇、死得匆促：閻羅王要你幾更走，鬼差就要幾時僉。你就當作家長輩吃了長生『不死藥』，往西方極樂世界去當了快樂神仙。」常伯領了洗手錢，說完後就告退。

這一句話在李羽心頭震盪，就像醍醐灌頂般讓他頓時清楚明白，他喃喃自語：「不死藥！難不成……」

他飛奔出蘇萬利，一旁的蕭奴望著李羽急匆匆地出門，生怕他心裡有其他罣礙，擔心之餘也跟了出來。

兩人一路往古井藥局奔來。此時藥局裡夥計學徒們正在議論紛紛，此事已經鬧得沸沸揚揚，街坊上的三姑六婆，肉肆魚攤前都在猜測，是誰對老東家和兩位老夫人下此毒手，是成天想著分爨的李羽；還是野心勃勃想蛇吞家業的李邦。

「洪氾！你給我出來。」李羽站在古井藥局前就是一陣大吼大叫。

洪氾看完水龍藝閣後，一聽到蘇萬利發生這等大事，他就匆匆忙忙轉回了古井藥局，身為藥局裡抓藥經手戳子、打碼子的頭號夥計，不得不更加留意事態的發展。他回到古井藥局後，到後廂房裡準備老師傅們要坐堂的藥箱，所謂「坐堂」，是專指藥局裡替人看病的郎中稱謂，古井藥局的師傅們手藝好、醫術高，在府城裡有很好的口碑，特別是王坐堂，每回月初、十五兩日開診，往往吸引許多人至藥局裡看病。洪氾心想，這蘇萬利家鬧出了人命，古井藥局一定會有所牽連，要不是李家少爺要來抓些解毒的方子，就是讓官府諮問兇手下用哪種毒物，這些事情恐怕就要讓坐堂忙上一些時間。但過了好幾個時辰，都沒聽到蘇萬利差來的消息，王坐堂也閒得發慌，洪氾正要出來打量現況，沒想到就聽到李勝興的少爺在門口叫嚷。

眾師傅們跟著洪氾走了出來，卻見李羽與蕭奴一併在外，洪氾心頭又是歡喜又是憂：「是李羽少爺！蕭二小姐！」

「我說你們家的『不死藥』呢？」李羽劈頭就問：「那個嫦娥奔月、明月珠？」

「還在古井藥局的藥櫥子裡啊！」洪氾指著鋪子裡，上頭寫「棋子酥」的藥櫥說著，眾師傅先是對眼看了一看，接著洪氾就進到藥局內，打開那個櫥子，只見裡頭仍放著黑黑圓圓的蟾酥，但原本裝著明月珠的瓷瓶卻已經不見了：「怎麼可能？前些日子還……」

「是誰買了明月珠？」李羽抓著洪氾的手：「你說說，到底是誰？」

「羽哥哥您別急啊！」蕭奴在一旁安撫他的情緒。

洪氾翻了翻櫃台上的帳簿，上頭的碼子全是自個兒點記，的確沒有賣出的紀錄；又去庫房翻了庫簿，本子上竟然也沒有進貨的紀錄：「這可奇怪了，明月珠沒有賣出；但也沒有進庫。這號藥壓根兒就不存在古井藥局的任何簿本之上。」

「什麼明月珠？」旁邊的王坐堂狐疑地說著：「咱們藥局打三年前開始，就沒在賣嫦娥奔月了！」

「這明月珠乃五毒用藥之首，是呂宋西班牙的異國珍藥，鮮少人使用，怎會有進展？」另一個師傅也附和。

洪氾忽然感覺到有一股很大的陰謀，從茫茫看不見天際的地方，向下壓了下來，這裡的師傅們不知是真的不知，還是假的不知，總覺得裡頭有些稀奇古怪，多說恐無益，只怕會打草驚蛇。於是洪氾看了看蕭奴，使了個臉色，臉上眉角微微挑動，蕭奴看了他的臉，深知箇中道理，拉著李羽的手：「好了羽哥哥，你說那個什麼『明月珠』的，古井藥局打從一開始就沒有！」

洪氾看到蕭奴軟柔柔，雪白的手拉著李羽的黑色的臂膀，此番又是親暱又是憐惜的叫喚，心頭一陣酸，一陣楚，連忙說出口：「我家師傅都說沒有了，此乃千真萬確。李羽少爺還是快點和蕭二小姐回去吧！」

之前李羽來藥局詢問此事時，的確沒有親眼看過明月珠，而當時洪氾也不置可否，或許藥局裡真的打一開始就沒有此藥。李羽思了思，想了想，該不會是蘇萬利餅鋪，從其他藥局或江湖郎中那裡得到明月珠。他轉過身子，外頭已經圍觀了許多好事的民眾，一個藥局的夥計驅趕著：「大家看什麼，我們家的少爺來巡視古井藥局，大家湊合在這裡看什麼熱鬧？」

李羽二話不說走了向前，圍觀的民眾讓出了一條通道，他走出古井藥局。

「李家少爺要去哪裡？」一旁民眾嘴上雜沓。

「誰知道？是不是項羽要去大戰劉邦啊？」大家講得活靈活現，好似講古的老江湖，正要書評楚漢爭，大家就期待這味片子活，吆喝來一段〈臨江仙〉。好事的人纏著說嘴，眾人尾隨著李羽與蕭二小姐背面跟進跟出，大家都知道好戲就要上演，這一群好事的人莫不滿心期待。

鹽水分號的大哥蕭護接到這樣的噩耗，立即準備了一些細軟，招集幾個工人，趕搭著自家的牛車返回府城。約七個長工，一輛牛車，緩緩行過歐汪橋，要往蕭壟庄而去，兩旁廣大無垠的施侯租，一條小小的石路穿過滿是鹽粒的滷池，另一條小路接往洲仔尾的鹽館。明鄭時期，陳永華將製鹽方式由煎煮改為曝曬，使得製鹽品質大幅提升。雍正四年，鹽業收回專賣，禁止私人曬鹽賣鹽，清廷劃分了瀨口、洲仔尾、打狗三個鹽場，這一帶從歐汪橋以南起算，一路到南邊的鎮瀾橋，再穿過新港、油車、和順寮，就屬北洲仔尾的曬鹽場。這條新闢的道路是接北門嶼，連通府城南北向的官路，蕭護身上披了孝麻，內心七上八下的，一顆心始終無法安定。

眾人來到蕭壟庄代天府前，大家停下牛車稍作小憩，喝了代天府前的奉茶。蕭護身披孝麻不敢進廟，於是拿了些盤纏給下人們進廟捐個香油錢。

「你們知道嗎，這代天府會如此香火鼎盛，是因為他們偷了保大西里大人廟的香火！」一個雇工說著：「相傳清聖祖年間，蕭壟庄民見保大西里的大人廟香火如此鼎盛，於是派人連夜偷走廟中的王爺香爐，然後在這裡設東安宮。」

「不過保大西里的大人廟不是拜朱、池、李三老爺嗎？代天府拜的是朱、雷、殷三千歲，兩間廟拜的可不一樣了。」一個雇工說著。

「唉唷！竊人香火者，總要改個名號，換個主神招牌……」一個雇工拿神明的事情尋開心。

一聽此言，眾人頓時鴉雀無聲，蕭護看了看那個雇工，不知他說這些話是有意，還是無心。總覺得眾人藉由談論代天府竊大人廟香火之聞，論及蕭家霸占了蘇萬利產業的事：「如果休息夠了，就上路吧！」蕭護心底不耐煩，催促著眾人。

「我就叫你不要亂說話，這可好了。」一個年紀稍長的雇工，瞪了剛剛講這些話的那個人一眼。

出了蕭壟庄，過了林投內，接近竹子港。忽然從林投樹林中湧出一群強盜，二十幾個人團團圍住蕭護的車隊，他們臉上都圍著一條黑巾，甚怕別人看見了他們的真面目。蕭護的長工們從牛車上，拿起了刀槍棍棒，擺出了陣仗，圍住了自家的主子。

「各位英雄好漢行行好！」蕭護說著：「你們要多少錢，給你們就是了。我只是個小小的商賈，還要趕回府內奔喪，請各位綠林英雄，不要為難我底下的工人們，他們有妻有子，有一家子要養。」

「你別假惺惺了，誰人不知你是蘇萬利家的大少爺：蕭護。」一個長得矮矮小小的盜賊首領高聲說著：「我們不要錢！」

「那你們要什麼？」蕭護問著。

那個首領說：「當然是要你的命！」

蕭護這麼一聽，心裡涼了半截。連他是蕭護都已經打聽清楚，可見這群凶神惡煞是有備而來。他看了一看那個盜賊的首領，露出的一雙眼睛透著一股惡狠狠殺氣，但那深邃的瞳孔之中，隱約露出一種熟悉的感覺，蕭護心裡想著，這怎麼可能，但多看一眼就認出來了：「是你！怎麼會是你……」

那個首領立刻舉起大刀，橫在自己的臉前擋住眼睛。蕭護更加確認了這個人：「難不成毒死叔父、嬸母都是你做的？」

「既然你都知道了我是誰，就不可能讓你活命了。」

「這到底是為什麼？是為名？還是利！」蕭護大聲斥責：「你竟然……做出這樣羞恥的勾當！敗壞了我蕭家的名聲。」

「廢話少說，有話去跟閻羅王說吧！」那個首領揮了揮大刀，眾人一擁而上。在慌亂之中，蕭護身中數刀，倒在血泊之中慢慢地斷了氣息。

李羽和蕭二小姐來到蘇萬利餅鋪上，現在餅鋪門可羅雀了。許多蘇記的紅龜粿被人丟到南勢港中，靜靜的小港，漂浮著一個又一個的紅龜粿，就像是被放生的烏龜，一隻又一隻緩緩地游向大海。

「蕭民，你給我出來！」李羽站在門口叫囂著。

蕭民一臉憔悴地走出餅鋪：「是李羽弟弟！」

「我要問你，古井藥局的砒霜可是你差人去包買的？」李羽說話鏗鏘有力，惹得一旁圍觀的民眾心底暗暗叫好。

「的確是我差人去買的砒霜，合計購了九兩，做了鼠藥用去四兩，庫房裡還餘五兩。」蕭民說著：「投鼠忌器，使用鼠藥我可是很小心的，絕對不可能流通到紅龜粿的豆餡裡。」

「你們蕭姓兄弟說的話，誰會相信？」李羽大叫著：「差了人散播謠言，毒死我家高堂，現在你說的話誰人能信？」

蕭民立刻滿臉脹紅，奔回鋪子裡，拿出了一枚紅龜粿：「我這就吃給你看！要是有毒，我早就死在這條赤崁大街上了。」

蕭民三口並作兩口，一下子就把紅龜粿吃完了。

「你可挺好，在這裡裝可憐！你的確沒用砒霜，是不是用了明月珠？」李羽說著。

蕭民嘴裡塞滿了紅龜粿，一時說不出話來，旁邊的做餅老師傅幫腔：「明月珠是什麼東西？我一生做糕做餅，學淺識薄不知這是什麼材料。還請李羽小少爺明示。」

「你們還裝蒜，那可是天下劇毒。」李羽大聲說著：「你敢說你沒有從古井藥局裡偷走明月珠？」圍觀的百姓又鬧哄哄說起話來：「明月珠是什麼？」「我可沒見過這玩意兒！」「李家少爺說的是瑪瑙珍珠？還是夜明珠？」「剛剛在古井藥局也說明月珠，蘇萬利餅鋪也談明月珠，那到底是什麼？」

蕭民嘴裡還塞滿著餡料，一旁的做餅師傅說著：「我在蘇萬利做了糕餅二十餘年，不懂什麼叫明月珠！要是我家的紅龜粿有毒，那我不已經死了幾千幾百次了。李勝興高堂的死，眾人都是悽哀的，我們餅鋪聲譽不也受了重傷。你瞧瞧這一簍又一簍的紅龜粿，全倒到水仙宮前的碼頭去了。」

「好啊，你們蕭家人可真歹毒，用了毒藥害死我家兩老，還在這裡唱西皮戲，你們損失的是紅龜粿，我可是失去兩條人命。」李羽欲衝上前毆打蕭民。

人群中一個人跑了出來，抱住了李羽。兩個人踉蹌跌到地上，那個人還是緊緊地抱著李羽。他轉頭一看，竟然是洪氾：「你這是做什麼？」

「少爺您請冷靜點，這明月珠可是劇毒。但其味甚腥，怎麼可能包在紅龜粿的內餡裡，李家老夫人若是吃了一口，不先嚐到腥臭而吐了出來？怎麼可能吃完一整個紅龜粿？」洪氾說著。

原本在地上掙扎的李羽，這可冷靜下來了，心裡想著確實沒錯。癩蝦蟆活在陰暗潮溼之處，一定帶著腥味。小時候曾因癩痢頭，讓古井藥局配了一帖含蟾蜍皮粉，底下墊著大黃狗皮的「狗皮膏藥」，上頭攤抹了治癩黑膏，藥師要求連貼七日。七日後取下火烤，繼續貼用直至癩痢消失。

有一天自己終於忍不住了，偷偷嗅聞了那帖黑色的膏藥，欲嚐其滋味，光是聞到那個味道就受不了，其腥味不是任何文字語言可以形容。明月珠既然是從蟾蜍身上毒腺取下，腥臭絕對不可能少於蟾蜍皮粉。

「一定是那一味！濃濃的藥味，才能蓋過明月珠的腥臭味！」李羽這下全都明白了，難不成是洪汜在搞鬼：「是誰指使你的！」

「指使我？」洪汜丈二金剛，這下可全都疑惑了：「少爺扯到哪裡去了，我幫襯了誰呀！」

「那味黃耆鱉甲湯！」李羽說著。

洪汜內心揪結了一下，黃耆鱉甲湯是用砂鍋陶具煮成的，不是用鐵銼，如果加入明月珠，湯汁的確不會變黑，味道也會被何首烏和陳皮這兩味給覆蓋，若是要加在這個地方，的確是非常完美的方法，這一下洪汜可語塞了。

「怎麼樣，你說不出話來了吧！」李羽說著。

洪汜仔細又想了想，搖搖頭：「不對！不對！送完黃耆鱉甲湯，之後少爺又回來我藥局裡討買砒霜。」洪汜心底正想著，李羽少爺走後，自己還確認過，瓷瓶裡的五顆明月珠都還在，況且那是數日前的事情，那些湯藥早就被老夫人喝下肚，若是那個時候下了毒，他們怎會在水官解厄日上才死，洪汜急急忙忙將事情說清楚。

洪汜這一說出口，所有人都譁然：「李勝興的少爺也去藥局買砒霜？」「原來他也去問過毒藥下落！」「該不會是說戲的現在正在唱雙簧？難道是他也在說正反話？」

「胡說八道！我去買砒霜，是為了毒糖坊裡的大黑鼠……」李羽急忙解釋著。

「那你怎知有『明月珠』此等奇藥？還道是給老夫人治瘡？」洪汜說出口來。

李羽更急了：「你是在懷疑我？」他無來由地大聲尖叫。

洪氾眼見情勢一發不可收拾，拉著李羽一路往北勢街的方向走。李羽不肯，洪氾仗著自己氣大力粗，一把抬起了李羽，扳著他的雙腳，把他倒扣在自己的肩膀上，李羽顛倒在洪氾的背上，雙手搥著他的背，嘴巴嚷著：「放我下來！放我下來！」

李邦端坐在蘇萬利府裡，身上已經配起孝麻。蕭國與蕭佑則在一旁摺弄壽蓮，黃紙上用紅泥印著《太上老君說五斗金章壽生經》，三個老人家身上蓋上黃色的往生被，原本熱鬧非凡的蘇萬利九個開間，現在全掛上了白色的燈籠。此間豎魂帛、開魂路，燒了疏文，火光照亮大廳上的「連三堂」匾額。

「這下我全懂了，是李羽那個臭小子幹的。他早就想要分家，於是毒害了父母親，然後嫁禍給我們蕭家兄弟。」蕭國嘴裡說著：「早先就造了些謠言，製造了事端，好推到蘇萬利餅鋪的紅龜粿上頭。」

「哥哥沒有真憑實據，不應該這樣說。」李邦說著，他穩穩地、淡淡地，就像一個深謀遠慮的大將軍，坐鎮咸陽城。

「叔父嬸母遭此橫禍，李羽這小子又不知道跑到哪裡去了！」蕭國說著：「不過這也奇怪，蕭護大哥理應回到了城內，怎未聞他進來蘇萬利。」

正當大家要說起這檔事時，一個長工滿身鮮血跑進蘇萬利：「不好了，蕭護少爺遭到了賊人的埋伏，橫死竹子港了。」那個長工伸著滿是血印的手掌：「要不是到了傍晚還未見大少爺入城，李興少爺也不會叫我去尋大少爺的蹤跡。大少爺我是帶回來了，但人已經斷了氣息了。」

「怎會發生此事？」李邦激動地站了起來。

「李羽那兔崽子呢？人到哪裡去了，是不是他手刃了大哥的？」蕭國奔出廳堂，看著牛板車上滿是鮮血的蕭護屍體，更是驚駭：「這肯定是個相當大的陰謀，有人想抄我蕭家，滅我整個家族。」

「李羽呢？他到哪裡去了，蘇萬利上上下下所有人全部給我分頭去找！」李邦站在大廳上叫嚷著，此時蘇萬利裡裡外外一片混亂，大家心裡知道這個賊人心腸歹毒，手段殘暴，李邦試圖要把這樣的陰謀和李羽畫上對號，但總覺得這裡頭有些不合情理的地方。

蕭民遣散了做餅的師傅，餅鋪闔上板門。他看著滯銷成堆的紅龜粿，做人較為憨直的蕭民，無奈地嘆了口氣。這紅龜粿「吃死人」的訛聞，是對餅鋪的最大傷害，全壞了這辛辛苦苦建立的餅鋪招牌。母親的死，雖不能證明是紅龜粿造成，但良心上總也脫不了關係。他鬱悶的心情想壓抑下來，憂愁卻又上了心頭。

「毀了，全毀了。信用是做餅人的性命，我蘇萬利餅鋪真的吃死了人？」蕭民喃喃自語著。他在屋子裡踱步許久，看見了柴房燒水間旁擺著的一條細索，原來那是用來捆蒸籠的繩索。蕭民看著那條細索，美得像仙女的彩帶，他拿起來湊在鼻子上聞一聞，日日夜夜蒸籠裡用來墊糕餅的荷葉、芭蕉葉，在熱氣中化成一絲幽魂，存活在這細索的味道裡：「好香，好香。」

蕭民就像是吸了鴉片一樣，陶醉在那過往的繁華與迷幻之中。他把細索纏在自己的脖子上，抬頭看著屋梁，幻想著熱氣往上飄動，天上出現了一朵又一朵的祥雲，一個坊門在上頭。蕭民看清楚了，那個坊門上寫著「南天門」三個大字，仙女們擁著百果、奇花在上頭飛翔著。蕭民套起那條細索，向上一拋，沒能勾搭住那朵雲彩，仙女們喫笑著他，蕭民再度試了一次，繩索飛過祥雲，一頭落了下來，這下總算套住了。打點好一切之後，他蹬掉了腳下的板凳，蕭民只聽見脖子圍攏處啪地一響，自己的身子就輕飄飄地飛向了天上。

洪汜背著李羽來到北勢街的金華府，穿進廟門，許多碼頭苦力們見到洪汜，立刻湊了過來：「是洪汜大哥啊！」

「這個穿錦衣的臭小子是誰啊？」一個缺了門牙的苦力笑開了嘴：「唉唷！還有個仙女妹妹啊！」

金華府是祀奉李、馬、黃三千歲的小廟，主神是移香自泉州石獅，玉珠巷金華府的關二爺，說起來這裡和蘇萬利有很大的關係，早先李萬利在大井頭捐贊了關帝廟，在朱一貴事變時遭到焚毀，關帝廟燒得乾乾淨淨地，神像在灰燼中只剩下關帝神像手中拿的那面玉笏板。到了乾隆十五年，南勢港水仙宮碼頭前聚攏許多姓許的泉州苦力，加上以前李萬利的帳房老先生是泉州人，李萬利商號發達後，李逵就興起了在北勢街興修泉州金華府的念頭。太公李逵特別交代塑匠師，要把大井頭關二爺手中的那面玉笏，移到金華府關二爺塑像的手上。「笏」是一種備忘板，依據體例，天子承球玉、諸侯用象笏，朝臣以木笏；明代以後規定四品官以上用象，五品官以下用木。既然關老爺在順治年間受封「忠義神武關聖大帝」，當然要用玉笏。大井頭關二爺的這塊玉笏可是來自西疆的烏白玉，曾是李萬利家族事業與雄厚財力的象徵。

金華府完成後，因剛好位在港埠邊，腹地較小，沒有攤販占地營生，加上苦力們尊崇關二爺的忠義精神，很快就把這裡當成了休憩歇腳的地方。洪氾常常為這裡的苦力們調製保健身體、制疫抗傷的處方，療效頗為神奇。藥材費用通常是一句交情價，有些時候甚至是不收分文，洪氾的年紀比絕大部分的苦力小，但大家推崇他的氣節，拱他出來與關二爺比擬，尊稱他為「洪二哥」。

洪氾進到金華府裡，苦力們見外頭鬧哄哄，關上了左右各開一百零八個門釘的廟門，就像是關二爺一百零八雙眼睛，對著外頭怒視著。洪氾放下了李羽，他仍是在地上大吼大叫著，洪氾低下身子說：「像你這樣子又吵又鬧、又哭又跳的，那些暗地裡偷笑的惡鬼們，肯定是高興得不得了。」

李羽漸漸地安靜下來，蕭家的二小姐拿起羅帕，替他擦去臉上的汗水。

「唉呀！這兩口子小情侶好廝恩愛，這是誰家的大少爺、誰家的大小姐啊？」一個年紀輕輕的得利商行船夫問著。

「你這狗眼可要看清楚了，這是李勝興家的大少爺、蘇萬利家的二小姐。」另一旁較為年長的拉車漢子提醒他。

「真是有眼不識泰山！」那個船夫說著：「這今天又是怎麼回事了，李家少爺與蕭家小姐，光顧我們金華府這間小廟，關照咱們拉車駛船，挑糞擔柴的賤命生活。」

洪氾看著蕭奴，她一點一滴地擦拭李羽臉上汗珠，洪氾內心又是忌妒又是羨慕，正想撇過頭去假裝看李府千歲的塑像，只聽見蕭奴說了一聲：「洪大哥，請您幫幫他。」

洪氾睜大了眼睛：「妳知道我姓洪？」

「不是嗎？我還記得你毘沙門天，手握寶傘，英姿煥發的模樣！」蕭奴娓娓道來那些童年的記憶。

洪氾忽然覺得自己，被天女在耳畔吹了一口氣，整個人輕飄飄地，就要騰雲駕霧當起了神佛。心中頓起甜蜜的雲彩，所有的忌妒、憤恨一時之間都化為烏有：「我是挺願意幫他，就不知道他信不信得過我？」

「哼！我為什麼要相信你？」李羽吐了一口大氣。

「這個李勝興家的少爺還挺囂張，不知道我家洪二哥的好！」一旁受過洪氾恩惠的船夫出了聲音。

洪氾示了示手勢，那個船夫住了嘴，他轉過身子問李羽：「我才正要問你，為何你知道『明月珠』這檔事情？」洪氾又補充說：「一般人可是不知道的唷！」

李羽吞吞吐吐，不敢說出實情。就怕去了一趟風月巷的事情曝了光，自己打從董藥婆那裡知道這些事情後，原本心懷歹念。要是現在和盤托出，本來沒做的事情全變成了有做，死的被說成了活的：「是一個懂得藥術的老婦人跟我說的！」

「懂藥術的老婦人？」另一個車夫笑得可大聲了：「該不會是茶館外賣藥的赤腳藥婆吧！她長得什麼模樣，像個癩蝦蟆，這裡有顆口舌痣？」車夫指著自己的左臉，學起董春梅的表情，扭了腰和臀賣弄風騷。

李羽臉上一陣紅，一陣青。那個車夫笑得更開心：「我說那些賣藥婆娘的話怎能信！她是不是誆了你，吃了她家的藥，鵪鶉都能變成老鷹啊！」

「好了，各位兄台就不要再捉弄他了！」洪氾轉過頭來阻止其他人，然後壓低聲調對李羽說：「古井藥局裡有五顆明月珠，這一點我是確定的。但命案後，明月珠卻莫名其妙地不見了，顯示有人打算來個二桃殺三士。」

李羽靜下心來看了看他，洪氾繼續說：「會跟你說這些事情，是因為我相信李羽少爺雖然和蕭家兄弟有仇，但不似大兇大惡之人，不會做出這檔事情。如果二東家少爺信得過我，是誰告訴你有明月珠這檔事，說出來對釐清事情可是有很大的幫助。」洪氾指著四周：「這些靠車船營生的大哥們，別看他們這樣，嘴巴可是緊得很，盪船走車之時也可以做為二東家少爺的耳目。北勢街坊上流傳一句順口溜：『仗義每多屠狗輩，中流砥柱不知退；問起誰底好兒女？浪裡白條不為己。負心總是讀書人，船過悠悠水無痕；始至莫怪五斗米，只怪讀了大道理』……」

「是啊！我們洪二哥說得有道理：樊噲、朱亥、高漸離，哪個英雄好漢不是出身低？」一旁有人嚷著。

李羽看了看四周，那些佐船的阿哥、拉車的兄台們雖然缺齒赤膊，有人草鞋有人赤腳，但每個人臉上的表情都是極為誠懇老實，讓人有一種安心感、踏實感，他點了點頭，但仍有所保留地說：「就是一個不認識的藥婆子！」

之前那個車夫從人群裡鑽出來：「你說藥婆子，這府城裡賣藥的全只有那一個藥婆子：暗巷茶館外頭擺攤的那個醜婆娘了，我們這裡只要是去過那裡，尋過芳草、施過雨露的漢子們，哪個沒喫過她家的風流藥！」

李羽這下可緊張了：「我壓根兒不認識董春梅！」

此話一出，眾人盡皆譁然。那個車夫睥睨了李羽一眼：「我可沒說那藥婆子叫董春梅啊！小少爺怎麼知道那個女蝦蟆的姓名？難不成李家少爺也去嚐過一回兒春茶，郎當一回兒風流種？」

李羽全身像著了火一樣又燙又熱，一時語塞起來。

蕭奴待在瓊閨繡閣日久，不懂眾人江湖的術語行話，只知道大家在欺負著李羽哥哥，忍不住抱怨：「去茶館喝茶不行嗎？那不是挺風雅的？有些什麼不妥嗎？」

李羽一聽臉色更紅，眾人笑得更開心了。車夫說著：「妳這女娃娃挺可愛的，妳家哥哥喝茶規矩多：入門要問揉捻還是殺青；出戶要尋佛手還是觀音，若是盼得一個早出晚歸，恐怕要遇見一個老龜公了……」

這下蕭奴全聽明白了，臉上羞得粉紅色，喘著香息，安安靜靜地退縮到一旁。

「若你說的是董春梅這個醜娘們，那可就好辦事了。這藥婆子最貪財，只要有人賞她些銀兩，壁虎蛋、王八蛋都能拿來當春藥賣。都長那副德性，還自比徐娘風韻，跟茶館裡的頭牌小雲雀爭光采，我看她呀不是小雲雀，而是隻老鵪鴣。她賣的藥可從來沒有一個特效，她的家就住在西定坊打鐵街上。」那個車夫說著。

金華府打開廟門，一個矮小的苦力伸出頭來探了一探，確定沒事後，幾個大漢簇擁著蕭二小姐回蘇萬利。又過了一會兒，三個人影鬼鬼祟祟，從金華府廟門縫中鑽出來，街上原本圍著看熱鬧的人群，等了許久不見好戲上演，現在全都遣散了回去，李羽和洪氾兩人尾隨著那個車夫，匆匆往西定坊的打鐵街而去。

來到打鐵街，在一間土屋前，果然看見了那面春方無限好的布招牌，依靠在牆邊，那個「藥」字清晰可見，李羽看了一眼，隨即點點頭。

「我說董大嫂子在嗎？」那個車夫在門前叫嚷著。

「來了！」董春梅應了一聲，然後就從偏門裡走了出來：「誰呀？」。才抬起頭來就看見李羽少爺，她身子一縮，大喊了一聲唉唷，然後就像小老鼠見到了大花貓一樣，直往屋子裡洞鑽。

洪氾一把衝上前拉住了董春梅的手：「人家都說嫂嫂好醫術，出的方子更勝藥王廟裡的藥籤詩，還想討教討教，怎麼嫂嫂就要躲了起來。」

「誰說我要躲的，只是想進入屋子裡撢撢桌椅灰塵，煮些涼茶給各位相公喝！」董春梅還在顧左右而言他。

「聽說嫂嫂見多識廣，識得明月珠這等奇物啊！」洪氾語氣略帶威脅：「殺了蘇萬利、李勝興一家三口的事情，傳得府城沸沸揚揚，恐怕就是妳薦的這一味毒藥唷！妳要知道，官府辦事都是照大清律例去受理：鴆人毒藥，可是斬候監之重罪，從而加功者絞！嫂嫂可不想要我們，壓妳去衙門見見官老爺吧！」

董春梅原本支支吾吾，但眼見紙包不住火，只好說了出來：「我那天只是照往例到暗巷裡賣春藥。只見李家少爺進了茶館……」

李羽聽得臉紅心跳，滿臉通紅，恨不得一頭撞上土牆就死。董春梅繼續說下去：「等李少爺進去茶館後，一個看起來溫儒的少爺尾隨著他後頭，湊合了過來，原本我也以為那個少爺也是要去茶館解悶，先來我攤子上買齊全各路風流名堂，沒想到他只給了我一枚佛頭銀錢，要我等李羽少爺出來後，薦他這味『明月珠』，還要我把事情全推去古井藥局去。我只當拿人錢財，與人消災的買賣。」董春梅從掛布袋中拿出那枚佛頭銀繼續說：「我這賣藥的，人前一張嘴，人後心酸水。在家吃飯靠自己，出外江湖靠朋友：所謂不看僧面也看『佛面』，我當只是做做善事，幫幫那位少爺，怎知會鬧出人命？」

「那個人是誰？」李羽問。

「這我可不知道，你們蘇萬利大宅子裡東家多、頭家多，上下家長帳房，工頭領班不說十幾，也有半百。看起來比李羽少爺年紀稍大一些，還有一股斯文氣息……不過要是我再看見他一回，肯定就能指認出來。」董春梅說著。

洪氾想了一想，此人借位了李羽的仇意，精心安排了這道機關，可能不是工頭領班這樣區區的小角色：「蘇萬利中有誰會知道你有毒害蕭家人的心意？」

李羽現在的臉色表情更凝重，一時也想不明白。年紀比他大一點而已，肯定不是蕭護、蕭國這兩個人，那也不是李興了。他想了又想，腦子裡浮現那張人臉，也只有當時的那句玩笑話，心中旋起一個聲音：不會是他吧？

蕭二小姐回到蘇萬利的時候，老頭家蕭息文已經恢復了意識。此時四子蕭民在餅鋪自縊的消息，傳回蘇萬利本鋪。眾人又驚又哀傷，蘇萬利家大業大，好似一棵巨木，連日的遽變，就像巨木的倒下，引起眾聲的喧譁。

李邦還不敢把這些事情告訴病榻上的父親，只聽他娓娓說著那天的經過：「荷花給她姊姊蓮花送紅龜粿過去，你們蓮花嬸母說這幾日沒有胃口，於是就把紅龜粿退了回來。但吃了幾次黃耆鱉甲湯，雙腳無力的症狀已有改善。聽到這裡，荷花就到蘇萬利店鋪裡頭走了一走，家長帳管們都不在，其餘長工各自都忙，幾個奴婢也沒讀過書，不知道能不能辦妥這事情，這才想起今日是水官解厄的日子，蘇萬利上上下下全都到水仙宮去幫忙了，正巧見到『他』回來，就差他去了古井藥局……」

「他有去古井藥局！怎麼都沒有提及？」李邦原本心中的一團迷霧，現在全都消散了，但現在的他卻憂愁更甚。

蘇萬利的雇工們在打鐵街南邊的二棧行橋附近，找到了李羽、洪氾和那個帶路的金華府車夫。蘇萬利的雇工三催四請地，才將李羽少爺請回蘇萬利來。

李邦站在停柩的靈堂上，蕭家兄弟依序站列在一旁。李羽與洪氾來到蘇萬利大門前，那個金華府的車夫示意要他們兩人一同進去。一旁守門的蘇萬利夥計說著：「裡頭有家務事，這位小哥哥還是不要進去得好。」

「不打緊，他是我的朋友。這家醜也沒什麼不可外揚的。」李羽拉著洪氾進到屋內。

李邦見他姍姍來遲，又帶了一個外人進來，臉色有些僵硬，但卻沒有不高興，緩緩地說起話來：「家逢巨變，有些事情要找李羽弟弟商量，今天可都遍尋不著你啊！老頭家中了毒，身子弱，依照規矩，這家規由我主持。」

李羽不屑地吐了一口氣：「哼！」

「我知道李羽弟弟對我們蕭家兄弟有很大的誤解，但這規矩是一定要處置。殺了自己的母親，此等大逆不道的事情，可是人神共怒。在蘇萬利的規矩裡，下人們犯了王法，都應該如何處理？」李邦問著旁邊的蕭佑。

蕭佑掌管棧房，也管家規：「以繩索捆之，用蒲鞭抽五十示辱，然後送官府究辦王法。」

李羽哼了口氣：「我犯了大清的王法律例哪一條？」

李邦沒有回答，卻淡淡地說：「那身為頭家，無度規矩，自逞己見，導致自己兄弟犯過，又該如何處理？」

蕭佑又說：「太公之時無兄弟，父親叔叔如同手足，家中並沒有這條規矩！」

「那我就來立下這個規矩！」李邦立刻脫去了孝服上衣，露出上身，管家搬來十幾節埔姜枝，也就是黃荊，一條又一條背負在李邦自己身上：「我愧對李羽吾弟，只能負荊請罪！」

蕭家兄弟面面相覷，其中一個人隱隱約約退了一步。

「我們蕭家那個應受蒲鞭懲罰之人，自己站出來。」李邦身上被埔姜的荊刺刮出一條又一條的血痕，但他語氣依舊激動。那個人仍無動於衷，於是李邦大聲嚷嚷：「用繩子把李城這個罪人給我捆出來！」

蕭家兄弟一聽，大家更是嚇了一大跳。李羽看了一眼李城，他臉上回橫了一眼：「人人都說我蕭家兄弟裡，就屬李邦這個弟弟最沒有骨氣、最沒有霸氣。現在看到這個模樣，真是應驗了這些街坊上的閒言閒語！」

「現在稱呼你為五哥，是在常倫上尊敬你、抬舉你。你這個罪人勾結了王坐堂，在湯藥裡下毒，你還不在叔父嬸母的魂帛前磕頭謝罪。」李邦招呼了一聲，眾人已經把王坐堂五花大綁，抬進靈堂大廳上：「王坐堂已經招認了，是他改了古井藥局的庫簿，告訴你『明月珠』這味藥的事情。你之後借董藥婆的手，想嫁禍給李羽，四處造謠藉端，想離間兄弟們的感情……」李邦細數他的罪狀。

「誰做了你說的事兒了！」李城狡辯。

李邦站起身子，背上全是一條條的血痕，他衝上前抓住李城的手：「都死到臨頭了，你還嘴硬。」一陣拉扯，一個青綠色瓷瓶從李城的腰際滾了出來，撒出了三顆白裡透粉的藥珠子。

「那就是『明月珠』！」洪氾顧不得規矩，大叫出聲音來。

「好個大聖人說教！我李城身為蕭家第五子，只能管造橋鋪路、興義學、蓋社廟。你們人人都是大頭家、都是大老闆：尤其是李邦，你何德何能可以主意蘇萬利百萬事業？沒錯，謠言是我造的，毒是我下的，大哥是我劫殺的，這些都是我的連環詭計。可是別光說我，你可別忘了，李邦啊李邦。你早就有心想剷除李羽這個小兔崽子了，我只是替你開條橋，造個路罷了。」李城撥開李邦的手，哈哈大笑起來：「你瞧瞧李羽那個傻小子，養了個『契弟』，帶了個小官兒進來，兩人眉來眼去地拜了胡天保[41]，勾搭了兔兒爺，說起來羞也不羞！」

41 胡天保：載於清袁枚《子不語》，天保乃清初人士，因愛慕巡察福建俊美御史，遭打死。於陰間封為兔兒神，掌管同性相愉之事。

「不要含血噴人！」李羽雖然年紀輕輕，怒斥起來威嚴十足。

「胡說八道！」李邦大聲咆哮。

忽然一個巨大的撞擊聲，引起了眾人的注意。原來是身子虛弱的蕭息文，躲在一旁偷聽。知道這一切之後又羞又怒，知道自己的兒子幹出了這檔事後，一頭撞去第二進門廊旁的柱子上，頓時鮮血直流。

把握這個空檔，李城立刻彎下腰，拾回三顆明月珠，二話不說全吞進了自己的肚子裡。不到幾秒，李城臉色驟變，感覺天地都在旋轉，他高聲嚷道：「我這個傻弟弟唷，自己還不知道如何當沛公，不渡楚河，哪能立出漢界……」

李邦站在李城的屍體前，流下男兒悲憤的眼淚，他握住拳頭，眼前回到自己七歲的時候，那時李羽六歲、李城八歲。李邦、李城、李羽三人年紀相仿，因此三人總是一起習字念書，一起玩耍嬉鬧。某一天日落後，李城拿著一面大餅，帶著竹竿，攜著兩個弟弟來到德慶溪邊釣水蛙。

李羽嚷著：「城哥哥，你手上那塊餅怎麼分啊？」

李城隨手掰成三塊，最小的那塊遞給李羽：「喏！這小塊給你、中塊的給李邦，我是你們哥哥，我吃最大塊。羽弟弟知道孔融讓梨的事吧！」

李羽眼眶立刻奪出淚來，委屈地說：「嗯！我知道：融四歲、能讓梨，弟於長、宜先知……」

李邦見李城欺負李羽，把自己那塊分得的餅遞給他，然後說：「這餅是我們李家的，要多少餅就吃多少餅，羽弟弟別客套，這餅請廚子再揉再煎就有了，五哥可別捉弄他。」

李城笑嘻嘻地說：「我只是開個玩笑，等一下釣到水蛙，再分一隻大青蛙給你吃。我聽長輩說，這天下的至極美味，當德慶溪下的水蛙肉莫屬了，人云慶溪水蛙賽天鵝，不知羽弟弟吃過否？」

李羽搖搖頭，終於破涕為笑。李邦拿起燈籠，照亮李城的右半臉，熒熒燈火下，李城臉上輪廓深邃，皮膚白皙透亮，光線照不到的左側，拉出了深深的陰影。李城二話不說，拿出綁著蝗蟲的竹竿釣具，拋下橋去：「羽弟弟可別獃在那！快過來幫忙釣蛙呀！」

三人說說笑笑，度過了最快樂、最純真的童年時光。然而人都會長大，白淨的衣服穿久了，總是會沾染這一路行來的粉塵、汙垢。隨著年齡成長，人性終要變質，李邦可以理解到太公在病榻上，給了自己黑漆木牌；把帳冊給了李羽，是改變他們三個人的重要時刻，李邦注意到站在一旁的李城已經面露凶光，李羽則是若有所思，眼角露出一抹厭惡，三個人在那一刻起，便已經不是兄弟的關係，而是彼此生命裡的仇敵。童年的那塊餅握在手上，無論大小誰都不想放棄，權力是那麼迷人、香噴噴地，像鴆人心智的迷藥，更遑論拿不到的人，不免由怨生恨。

李城像洪水般的野心，滔滔不絕湧了過來。既生瑜、何生亮，李羽年紀比他還小一歲，況有這樣的感覺，李城只大他一歲，怎麼會沒有同樣的感覺。李邦回過神來，嘆了口氣。老太公李逵生前，其實有意要將部分製糖事業撥交李城手中，但因父親蕭息文強力反對而作罷。蕭息文見李城喜歡讀書，總以為他識得聖賢道理，便要他去揣造橋鋪路這檔事。

李勝興過繼給李元後，自然傳給李羽。人人都說的城五公子心地善良，其實不然。李邦早就看透他的底裡，李城是所有兄弟中城府最深、野心最重的人，只是萬萬沒想到，他真有殺父殺母的這一天。李邦眼淚滑過臉龐，在下巴凝聚成淚滴，眾人一片啜泣聲，李邦回首過去，眼見此狀，他終於明白這人與人相處，複雜又難解的道理：早從事業出分的那一刻起，就種下了李城今日的殺機。

秋去春又來，又近了上元節。水仙宮前各商齊聚，李邦帶著蘇萬利的帳房、棧房，穩穩當當地走向水仙宮。廟裡南北兩郊各商聚首，今年爐主豪邁自信地走了出來，李羽更加有魄力了：「今天邀各位前來，是以爐主的身分說話。我李羽有事要向大家宣布！」

坐在下面板凳上的各商大老闆，多多少少耳聞了這個消息，沒想到最後竟然成了真實。李羽說著：「我息文伯伯已經同意，李勝興和蘇萬利兩號從正月十五起，就此分了家，今後兩家無涉。往後李勝興不隸北郊，李勝興另組郊團，起名為『糖郊』。原有李勝興的製糖事業依舊在，原屬蘇萬利的古井藥局、藥鋪子、糕餅鋪，鹽水港、鳳山兩個分號，醬油坊，造橋鋪路興學等，全劃入我李勝興商號名下。重載鹽糖，輕載藥麻也全改由我李勝興的『糖郊』來擔綱。」李羽指著一旁的少年說：「洪氾為我李勝興的家長，襄助我處理各種商務。」

洪氾一張嘴笑得開心，李羽繼續說道：「我李勝興再捐三十銀修金華府，凡入我糖郊的車夫、船夫，盤纏再加一錢！」

南郊金永順頭家和合意興的老闆竊竊私語，不一會兒合意興的頭家，也就是李邦和李羽的大舅舅站起了身：「我南郊眾商鼎力支持『糖郊』成立！」

李邦臉上略顯落寞，但勉強擠出笑容：「我北郊眾商，全力支持『糖郊』李勝興！」話一說完，北郊裡頭原來經營糖霜買賣、生藥進出的商號，全湊到李羽那一頭去了。北郊這一分裂傷得很重，尤其是蘇萬利，家業幾乎裂成了兩半，一頭撞上柱子的老頭家躺在床上療養，想了幾天後終於想開了，只能放手讓自己的姪子和兒子去闖，畢竟是蕭家負了李家，不是李家忘了蕭家。老五幹出了這檔讓人羞愧的事情，身為父親家教無方，還不如死了算了。雖然兄弟鬩牆、盎盂相繫，但他特別要求自己的兒子李邦，該給這新成立郊團的大禮絕對不能少，雖然分裂總有那麼一點痛苦，但就像女人產子，忍得一時半刻就會雲開見晴，撲得寒風過，嗅得梅花香。

李邦識得大體：「我代表老頭家宣布，蘇萬利要在水仙宮後頭捐資，興建一座公堂，做為未來三個郊團議事之處所。」他招呼工人們搬來一面黑色匾額，上好的烏木，泥金大字寫著「三益堂」三個大字，李邦說著：「賴滋三益，如琢如切。各郊之內皆朋友，四海之內皆兄弟。」

蘇萬利工人們高高舉起匾額喊到：「四海之內皆兄弟也」，李羽雖然臉上得意，但內心總為司馬牛，心底頭纏著那句話：「人皆有兄弟，我獨亡！」眾夥氣氛熱絡地恭賀著新任爐主。匾額上「三益堂」幾個大字，襯在深黑的匾板上，泥金字體感覺更為光亮。

第四章：水仙宮

三郊四坊五港通，七寺八廟九匾功；
李家窗開欸乃醒，舴舟都駛水仙宮。

李少陽，〈赤崁竹枝詞〉

李羽在臥房裡，把玩著那只空的青綠色瓷瓶，開心地就像是在金本巴上頭得到活佛轉世確認的靈童。從一個委身於蘇萬利底下的附庸，到今日堂堂的水仙宮爐主，掌握三益堂大小事務，他的內心頗為得意。李城雖然是個奸詐小人，但若沒有李城這號人物幫忙，哪有李羽今日自當頭家作主的福分。

李羽翻過瓶身，看著瓶身上頭的文字：「明月幾時有……」他站起身子，想到父母親的死，內心三分哀愁、卻是七分狂喜，他得意地按著那五個字，腦海裡延伸著詞意，繼續念了下去：「……把酒問青天，不知天上宮闕，今夕是何年？」他舞動自己的身子，就像是喝了老紅酒一般的癲狂：「我欲乘風歸去，又恐瓊樓玉宇，高處不勝寒！」

忽然，他停住了身子、止住了聲息。在紅眠大床旁的湖洲鎏金銅鑑鏡前，看了一看自己的身影，他嘴角略略上揚，藏不住的喜悅在眉宇之間嶄露無遺。

一個輕輕地敲門聲，打斷了李羽的思緒，那個熟悉的聲音，從門外傳來：「少年頭家，是我。」

李羽一聽，是洪氾的聲音，便走到門前拉開臥房的房門，見他手上提了個木箱子，就知道這是怎麼一回事，臉上露出了個不算自然，卻也算不勉強的微笑：「洪氾，快點進來吧！」

「我知道少年頭家最近心緒紛擾，受了些風寒，腸胃不舒服，我準備了些艾條來給頭家做艾灸！」洪氾緩緩地打開了木箱子，從裡頭取出「艾條」，所謂艾條，就是五月裡，用生於向陽處的野生艾草，經過曝曬、風乾熟成一年，再通過揉捻、過篩、去尖、搗爛等複雜的程序，最後將纖絨塑成一個長形的條狀物。洪氾將艾條截出一小段，用手捏出一壯錐形的「艾塔」，再從木箱裡拿出一條老薑，用刀子將老薑切成薄片。

李羽將紅眠大床的蚊帳捲到兩邊，然後解去了上衣，赤膊身子橫躺在大床上：「自從王坐堂被蘇萬利扭送入官府，解入囹圄之後，這全府城的艾炙功夫，就只剩我們李勝興家長洪氾最為巧手了。」

「頭家過獎了，是頭家不棄嫌！」洪氾將薑片置於李羽的腹部中脘穴位上，然後將艾塔用擱於臥房桌面燭台上的蠟燭點燃，緊接著將艾塔放在李羽背上的那片薄薄的老薑上，之後依序在神闕、關元等穴道上施隔薑炙[42]，另外在兩腳足三里穴位上施無瘢痕炙[43]。

「我說洪氾啊！你覺得假若是項羽得到天下，會用劉邦對待韓信、彭越的方法和規矩，對待鍾離眛和季布這等人嗎？鍾離眛若沒有叛楚，楚王得天下後，長樂宮大鐘裡該死的，可不是這個人？」

「鳥盡弓藏、兔死狗烹，若是項羽得到了天下，也肯定是如此拿定主意。」洪氾拿起竹片，壓熄了足三里上的兩壯艾塔，洪氾聰明，知道這是頭家故意試探自己，便說：「但說這君臣分際可是一清二楚，頭家既不是昏君，而我也不是庸臣，你我僅為主僕干係。況說現在的天下也並非楚漢，而是三國。北郊有船有車、南郊有店有鋪，唯獨頭家尚不成氣候，別說鍾離昧和季布這等良將名相，恐怕是連會武劍的項莊也沒有。比擬於上，蘇萬利家的頭家也不是劉邦，而李勝興的頭家少爺你，更不是項羽：若是真該學用人之道，應該是劉備對待諸葛亮的方式、孫權對待美周郎的法子。」

李羽哈哈大笑起來：「我是跟你說說笑笑，你就當起真的來了。吾家洪氾的才能是無庸置疑的，我對商務買辦的想法，還多有訛誤，所謂『曲有誤、周郎顧』，洪氾家長自然是我們李勝興家的孔明先生、是周公瑾啊！」

洪氾壓熄了李羽肚子上的三壯艾塔，接著用竹片沾上桂枝和雞舌香製成的藥膏，塗抹在那些溫熱發紅的地方，李羽接著說：「我接掌李勝興也有一年多了，還沒有把家業產權看個透徹。等一下你就陪我到水仔尾街一帶走一走。」

洪氾淡淡地說著：「也是該陪少年頭家四處走一走的時候！」

兩人不乘轎子，徒步走到水仔尾街。眼見一大群士兵圍在一間小廟前，眾人在旁邊搭起一個鐵鍋，

42 隔薑炙：顧名思義在艾塔與皮膚之間隔一片薑，熱力會使薑片藥效沁入皮膚。

43 無瘢痕炙：針灸手法的一種，不留下瘢痕。即艾塔燒至五分之一，病患感覺燒楚時，立刻更換艾塔。

下頭用泥土塑出了個火爐，鍋釜裡放了廟裡剛拜完的祭品：全雞剁成了雞絲、臘腸切成細條，加上少許乾菇絲、木耳絲、劍蝦、芋頭絲、筍絲，一個負責煮飯的士兵，先用一個木棍，插著一塊芋頭，抹滿了豬油繞了一整圈鐵鍋周邊，然後舀了一瓢米漿水，淋在鐵鍋旁邊烙乾，最後用鐵鏟將乾掉的米漿皮劃入沸水之中，一旁等得不耐煩士兵拿著大碗，用筷子敲出叮叮咚咚的聲響，另外一個士兵嘴巴講著福州話，拿了一根杖子橫擋在胸前，嘴巴咒罵著那群拿著竹籃準備進廟祭拜的百姓。

「這是怎麼一回事？」李羽看了看這間小廟，上頭寫著「白龍庵」三個大字，再看看那些百姓，這裡頭有些是泉州人、有些是漳州人。

「原來是五福王爺廟啊！那些士兵正在利用剩餘的祭品做『鼎邊趖』……」洪氾會一些福州話，站在一旁聽，原來是那個拿杖的福州士兵嫌來祭拜的百姓太吵，不打算讓他們進廟祭拜：「頭家可知五福王爺的來歷？」

少年頭家看這裡鬧喳喳地，搖了搖頭：「我孤陋寡聞，願聞其詳。」

「相傳隋文帝曾見有五個力士，凌空五丈，一人持木杓、一人持寶劍、一人持團扇、一人持鐵鎚、一人持火壺，文帝問太史張居仁：『此五力士為何方神通？』居仁奏曰：『此乃天上五鬼，地上五瘟：春瘟張元伯、夏瘟劉元達、秋瘟趙公明、冬瘟鍾仕貴，執掌中樞的是中瘟史文業，五瘟掌握人間瘟疾，代天巡疫也。』」

洪氾指著白龍庵說：「相傳五位瘟王，曾是福州地區五位文人，一日相偕出遊之時，見到疫鬼在水井裡投毒，四處告訴村民不要去那水井汲水，眾人不信，他們乃日夜守著水井，卻遭村民斥責，最後只好以身投井，避免時疫擴大。眾人感念五人之德，乃塑像建廟，眾人便稱這五爺為『五神通』或『五靈公』。」

洪氾看著上方的那個「庵」字繼續說：「而五福大帝廟不稱『廟』，乃叫『庵』，又是另外一個故事：相傳有一位門閥書生，喜歡夜下執燈四遊苦讀，結果被一個婦人瞧見了他在月光下，拿燈鬼鬼祟祟走來走去的身影，想起了自己那日早晨被人偷去的老母雞，憤而投訴保正。眾人將這個書生抓起來，他百口莫辯，眾人遂扭他到巷口的五福大帝廟裡擲筊發誓。哪知當日神壇上的五王爺皆有事外出，僅留一個生前為婦人親戚的鬼差留守，自然偏袒婦人：那個書生連擲九次，皆為陽筊，冤憤莫白地賠了婦人銀錢。他日平步青雲，得取了翰林學士功名，返回家鄉，路過五福大帝廟，想起之前的事，怒氣未消，發牒各道各府各縣，公令五福大帝乃為邪神，應拆廟焚偶，全數毀畢，五福大帝那夜乃託夢保正說：『昔日我誤伊，今日不得安』，並指示信眾連夜將廟名改為『庵』字，『五靈公』改為『五顯公』，唯有如此才能安然度過此劫，保正醒來後奔相走告。果不其然，那個大老爺不見往日的『五福大帝廟』，還以為這兩個之間不相同。此神非彼神，那位大老爺不敢斷然處置，只好悻悻然作罷，此慣例一開，就形成了這樣的特色。往後凡是廟名帶了個『庵』字的，就知是祭拜五福大帝的了。」

「原來如此！」李羽看著那些百姓被橫擋在廟外，不得其門而入，問了洪氾：「這白龍庵香火還挺旺盛的！那個福州士兵幹麼不讓百姓入廟祭拜？多些人沾沾五王爺的神通靈氣不是挺好？」

「那個福州士兵嫌百姓入廟祭拜，會打擾清閒，這五尊大帝像是士兵們從福州請來的軟金身，就因香火鼎盛，士兵們想獨攬神明的禎祥，白龍庵自然而然就成了福州官兵的休憩所，許多官兵在六月王爺祭上，都會巧扮八家將、甘柳將軍、范謝將軍、四季大神等……」洪氾說著：「平日白晝為人兵、歲時節日為神兵，聽大老爺差遣，還不如聽聽五靈公指揮。」

「那些百姓被橫擋在外面不也挺可憐？」李羽想了一下，知道亭仔腳街上有一塊李勝興掌握的空地，反正閒放著也是閒放著，不如就做一回兒好人好事：「我打算出些銀錢，從這裡分些香火出去，另外蓋間奉祀五福大帝的寶庵，供給那些泉漳百姓祭祀，不知家長意下如何？」

「蓋廟造橋，乃是福惠鄉里之事，自當極好！」洪氾說著：「那我就去和那些管廟的總管說說話去！」

洪氾上前，和那些士兵說了些福州話，一個負責打理廟務的士兵脹紅了臉回應他，洪氾又退了回來。

「怎麼了？」李羽問著。

「那個人氣呼呼地說，只要五福大帝們同意，分香可以，但不許自稱『白龍庵』，這天上白龍僅有一隻，可容不下第二隻白龍……」

「沒想到這些福州士兵做人還挺小氣的，也罷。這府城之內的確不應該有第二座『白龍庵』，就如同府城內沒有兩間『李勝興』一樣。這五色之中，白色象徵西方，主五行裡的金，所謂白龍西方來，騰雲見吉祥，不如就起名為『西來庵』，不知道可不可以？」李羽說著。

洪氾聽完頭家的話後，一五一十地把欲蓋西來庵的意思講述回去，只見剛剛那個士兵脹紅的臉消了下去，但嘴巴仍是嘟囔囔。洪氾回過頭來說：「他說不管是東來庵或西來庵，只要是這群惱人的泉漳信眾，能改往他處祭拜，他都願意聽神明的差遣……」

李羽看著那些正在大口吃鼎邊趖的士兵，搖了搖頭：「五福大帝怎麼會保佑這群福州的䖝頭鵝呢？」

兩個人繞過市街，來到亭仔腳街上，果然見到一塊方方正正的空地，橫在兩幢街屋之間，李羽看了看這裡繁華的街廓，想了一想：「五靈公在此分座西來庵，肯定能大顯神威！」

說完，李羽又四處看了一看。亭仔腳街正中央，開著一家南郊商號合意興的協和行宇字號糕餅鋪，人潮頗多，若未來這裡蓋出了西來庵，香火鼎盛，恐怕得利的便是協和行糕餅鋪，這才想起了原有的蘇記，已劃入李勝興的名下：「我已接收了蘇記糕餅鋪，但之前那紅龜粿事件，傷害了蘇記的商譽，現在府下百姓們，都還惦記著蘇記紅龜粿毒死人的謬誤上，恐怕難以重振蘇記的威風吧！不知家長可有良方對策？」

「這街頭巷語隨人口，既然那些事情已成定局，『蘇記』兩字端不能再用。既然頭家已經可以自理李勝興的事業，受縛於過去的種種也不太好。大可另起爐灶，把蘇記餅鋪改成『吉利行糕餅鋪』，也可和之前蘇萬利家做些區隔。」洪氾說著。

李羽臉上露出有些為難的表情：「這『蘇記』兩字可是太公時代承下，紀念愛妻的意義較重！若是改了商號，恐遭人口實，說我李勝興數典忘本。」

洪氾笑嘻嘻地說：「這還不難！」接著蹲下身子，在地上找了一塊石頭，在沙地上畫出了個圖形，李羽看了那個圖形，就像一個母親懷抱襁褓：「這包餅的蠟紙就紅泥印出商標，起名為『懷恩牌』，我們底下鹽水分號的醬油有『孝子牌』，現今又造了個『懷恩牌』，可說是孝子懷恩，情深義重啊！然後在簽子圖樣左邊落有小字『承蘇記餅鋪巧藝』，右邊再落『續吉利糕業精技』小字……」

李羽一聽，內心著實鬆了一口氣，這洪氾的方法實為可行，雖是改了商號，但用簽子標記補強了改號之後的疏漏，加了這商標，若說吉利行和蘇記一點關係都沒有，倒也說不過去，兩號出於同源，也不可能再有閒話，實在也沒有比這更好的法子了：「承先啟後，這個方法的確不錯。」

兩個人一路說說笑笑，來到赤崁大街上。眼見蘇記糕餅鋪的招牌，仍高懸在門外，但店鋪大門深鎖。昔日門庭若市，今朝卻是門可羅雀，李羽心中不免躊躇。

洪氾搬動板門，兩人踏入餅鋪裡頭，一股陰森森的寒意頓時湧上心頭。灰塵在開洞的光線中，隨處飛揚。蜘絲蛛網張羅在牆角上，網子上沾黏了幾隻飛蛾，有一隻守宮在牆上鳴叫，李羽抬頭望了一眼：「人說頂港的『善蟲仔』不會叫，下港的『善蟲仔』才會叫，果真如此啊！」

所謂「善蟲」是漳州話的轉音，人人都稱守宮壁虎為吃蚊的「善蟲」，久而久之就成為壁虎的通稱詞。李羽轉過身子，看見牆面已是處處開滿了鼠洞。李羽先走進廚房，一條繩索還高掛在屋梁上，旁邊地上散落一攤燒黑的紙錢，李羽嚇了一大跳，顛倒了一個踉蹌，跌坐在地上。

聽到聲響，洪氾也進到廚房，看見李羽跌坐在地上，伸出手來拉他：「這屋裡頭昏暗，頭家走路可要小心。」

李羽嘆了一口氣：「沒想到我李氏家大業大，如今還要招惹這蕭家四少爺的冤魂枉鬼來糾纏……」

「少年頭家快別這麼說，蘇萬利四少爺的魂魄，早就不在這裡了。」洪氾拉起李羽後，指指點點四周的布置。兩人看見廚房旁好幾袋的白米，被老鼠咬破了數個破洞：「這些米，自餅鋪歇業後，囤放恐怕也快要一年了，不知是否發黑長蟲？」

李羽先開第一袋米，果然發現幾處發黑的地方，也看見了米蟲。但他不死心，又開了幾處米袋，直到最後一包米袋，包裹甚為緊密，費了好大的勁兒，打開後竟然無半米蟲，米粒仍是晶瑩剔透，兩人又驚又喜，洪氾說著：「不如就招呼夥計們，用這袋舊米磨漿做粿，拿來開工祭祀過路財神、土地公，也算是承了先、起了後……」

「聽聞平埔熟番以瓶矸承裝清水，下頭墊香蕉葉，放置於桌上，並以檳榔祭祀阿立祖，盛傳其阿立祖幻化為壺神，壺中清水可以映照出祂的模樣。熟番也崇信地界精靈：這山高水長，無遠弗屆。我們入境問俗，或許這漿粿祭品也可順道拜一拜地基之神，以安四界地頭神明。」洪氾說著。

「山有山神、河有河伯。不知掌握地基之神，乃為何神？」李羽問了洪氾。

「眾人都說，這四處蠻荒之地下，留有漂泊於山林之間的幽冥，無論閩籍、廣籍移民人士，乃稱此靈為『地基主』。」洪氾說著。

爆竹劈里啪啦地響著，夥計們豎起高高的「吉利行糕餅鋪」字號。桌案上擺滿了紅龜粿、米壽桃，紅龜粿上大印「吉利」兩字，夥計開工吉時高喊著：「抓紅龜，挽壽桃：頭家好七逃；賺斤斤，裝滿滿：金甕攏米滿。」

李羽領著眾人拿起線香，在門口拜了又拜。蘇萬利的頭家差人送來了「桃李不言」的黑木大匾，匾額四角結了紅彩，李羽總覺得兩家都已經鬮分了，蘇萬利這幫人還藉此機會要修理他，何謂「桃李不言」？這不是暗諷他做人不老實、不誠懇嗎？隨隨便便就叫人將那塊髒東西，擱在各商號送來的牌匾最後頭。

正當工人在挪動匾額的同時，他的大舅舅之子，也就是合意興大老闆的兒子：文賢表哥親自領人送來了一塊樟木大匾額，上頭寫著「風味獨特」四個大字。

表哥身材略胖，鼻孔像兩個銅錢那麼大，一到門前，翻了個白眼：「這吉利餅鋪開張，以前蘇記的紅龜粿『風味獨特』不知還在否？要是多吃了幾口，不知還會不會上窮碧落下黃泉，過些時辰後全去給閻羅王爺請了安？這吃完紅龜粿後死去活來的滋味，雖然我是無福消受，但可讓府城百姓一吃難忘啊！」

李羽一聽這話中有話，知道表哥他家也開糕餅鋪子，見不得自家好，拿了蘇記的痛處來這裡說嘴。只見洪氾立刻上前圍魏救趙：「這表哥好久沒來拜訪，怎麼一來就思念起我舊東家的紅龜粿口味來了，正所謂『一表三千里、聞香下馬來』，表哥肯定是許久沒有嚐過新鮮，忘記我家已經改過內裡，蘇記以前內餡甜口味包白糖、鹹口味放醃菜；吉利現在甜口味包豆沙、鹹口味放肉末，兩款早已不相同，表哥喜歡以前舊款的模樣，可要找蘇萬利現在當家的打發。我們這新款的肯定比他舊款的好，吃過後可別說拜見閻羅王，包準讓你輕飄飄地，飛上穹頂當起了爽快的神仙。人說協和行糕餅也是龜皮好餡實在，今日我家新開的吉利行，口味和協和行相擬，應該也不會差到哪裡去。如果今天沒有好好款待表哥，讓表哥為我們家糕粿評評理，豈不讓人說盡我們李勝興家都是小狗！今天別說給一個、兩個，要打十斤紅龜粿，分送表哥家合意興全部上上下下嚐一嚐也無妨礙。」

表哥瞟了他一眼，眼珠子轉來又轉去，本來想找幾句話頂撞回去，但這李勝興的家長氣焰高昂，李羽這隻小兔子悶不吭聲，放了他家裡的看門狗來咬自己，他雖然吃了悶虧，但倘若跟他家的下人鬥起嘴來，恐也失了頭家的身分，這想了一想後，卻也不好再說什麼。

「這商場競爭，在所難免。文賢表哥念茲在茲若是我家與蘇萬利的扞格，嫌棄我吉利行的紅龜粿不乾淨，就顯得合意興的頭家小家子氣了……」洪汜故意加了幾句話譏諷他，雙手扠在胸前，就看他如何擺道。

表哥脹紅了臉，就像武廟裡的關二爺：「誰說你家的東西不乾淨。」隨手就拿了吉利行夥計們遞上來的紅龜粿吃了一口，不吃還好，一吃就驚嘆不已。

一旁隨同前來祝賀的合意興號家長忍不住叫出聲來：「好吃！這是我吃過最好吃的紅龜粿！」

文賢表哥瞪了他一眼，合意興的家長才唯唯諾諾地退到表哥身後去。李羽這下可疑惑了，眼見這表哥的吃相，不似裝出來的，自己也拿了一個紅龜粿來吃，果然外皮又軟又綿、內餡又香又甜，這才想起來，這次的紅龜粿全是用蘇記糕餅鋪之前那袋舊米做的。以前的紅龜粿用的是新米，水分較多，口感較黏。改用舊米後，粉皮飽滿，滋味軟實，氣味也較佳，這可是歪打正著，青瞑雞啄到米：「沒想到這多放一年的舊米，滋味果真不同凡響。」

「哼！」文賢表哥兩個大鼻孔噴出氣息來，一聽是用了舊米，才知道這其中的取巧門路，心頭打定了主意：「我們合意興協和行的餅粿糕點也不會有所差池。」

過了幾個月，選了個黃道吉日，西來庵動土奠基，工人們在亭仔腳街上來來往往，挑大梁的挑大梁，擔紅瓦的擔紅瓦，吉利行就在西來庵不遠處設立了分號，跟協和行「宇」字號對打。自從那日總鋪開張營業後，合意興的表哥總把吉利行視為死敵，自從蘇記糕餅沒落後，合意興的協和行糕餅鋪就順勢而起，府內合計七分店，分別取自《千字文》起頭：總鋪為「天字號」，在赤崁大街原蘇記餅鋪外十個箭步的位置，次店為「地字號」在觀音亭的左側、「玄字號」在天公廟後方，「黃字號」在看西街的市場旁，「宇字號」在亭仔腳街上、「宙字號」在小西門街尾的魚行口街魚市旁、「洪字號」在聖公廟附近。人人都說這七店的布局像一個北斗七星，或像魁星踢斗的姿態，實際上這七店或疏或密，形態上還是有著差異。

表哥下開七個分號，吉利行外加西來庵旁新設的這一座，正好為八個分號。府城百姓這回可樂了，都說協和行是擺「魁星踢斗」，吉利行渾個「八仙過海」，這兩號較勁，可又回話當年李萬利祖上青糖與布疋大鬥法的故事上。郊商一路從武市大賣，搏鬥至街坊裡的文市小賣，各有各的零售，也各有各的通盤。赤崁大街上的吉利行總店掛起招牌，裡頭神龕上供奉糕餅業祖師爺灶神、諸葛亮。在蘇萬利的兩個異姓堂妹，從水仙宮轉繞了過來，特別來這裡探望李羽。

「羽哥哥，好久不見。可想我否……」阿嬌一手拿著竹籃，一手纏著李羽的手：「我聽六哥說，你開了吉利行糕餅鋪子，我和二姊趁今日去水仙宮趕集，請水仙尊王保佑哥哥大發財，順道在廟前的露天市集上買了胭脂水粉，轉個彎就來這裡給你捧個人場。」

洪氾站在一旁，看著蕭奴的臉色，由青白轉成桃紅，就像是度過蕭瑟寒冬，初春的新枝，洪氾忍不住問：「蕭二姑娘許久不見，近來可好？」

阿嬌抬望一眼，看了看洪氾，淘氣地說：「怎麼，你當自個兒是廟前街上掛粉盒賣雜什，手搖鼓的驚閨郎，這般魂不守舍思念我家二姊姊身子？人家賣雜貨的，是想要從我姊姊荷包裡掏出錢來？而你是要我姊姊掏出什麼東西來？」

洪氾一時語塞，呆呆站在那裡。蕭奴伸出手來，扭了阿嬌手臂的皮肉，她佯稱疼痛：「掐出人命了，姊姊捏得我好疼，輕一點唷！您就饒過我吧！」

「看來奴妹妹許久不見，氣色依舊俱佳！」李羽看了蕭奴一眼模樣，她生怕遭人說了閒話，害羞地低下頭去，慢慢地打開竹籃，將上頭的水粉盒子拿取出來，底下壓了許多剪紙。

阿嬌回過頭來，從竹籃裡拿出剪紙：「我和二姊知道你這吉利行要開八間店面，也不知如何幫忙，就剪了這八仙的八寶法器，還有八仙的神偶圖樣給你選用，這剪紙用來當窗花、當燈花都適合，也給新店添添喜氣。」

竹籃裡放著剪出八仙、八寶模樣的紅紙，洪氾看了一看竹籃裡頭一個剪紙：呂洞賓。剪紙上的鼻子臉廓、體態身形，都和李羽極為神似，洪氾心中吃味地說：「這純陽子看似我家頭家啊！小姐們真是用心良苦。」

「那是當然囉！這呂洞賓可是二姊姊親手剪出來的，全是照著羽哥哥的樣貌形態布局！」阿嬌說著。

蕭奴伸手拿出呂洞賓的剪紙，含羞地雙手遞給李羽：「還希望羽哥哥會喜歡這八仙獻瑞！」

當蕭奴拿出呂洞賓的剪紙後，洪氾一瞥阿嬌手臂上的竹籃底，壓著何仙姑手拿荷花的模樣，定睛一看，那何仙姑的長相不正是蕭奴自己的模樣嗎？這不看還好，看了內心又酸又楚，身體幾乎就要裂成了兩半：「難不成這純陽子還能給後面的何仙姑帶來度化成仙的蟠桃？小姐剪紙，把自己的心意也全部剪進去了。」

阿嬌也感覺氣氛不對勁，捏起鼻子：「唉唷！好酸好酸，這吉利行糕餅鋪子裡也賣酸醋啊！」這下蕭奴臉蛋更羞更紅了，直接將呂洞賓的剪紙塞給李羽後，就往外頭奔跑。阿嬌把竹籃塞給洪氾：「喏！這些給你！我和姊姊剪個呂洞賓、何仙姑就被你說得這般下流不堪，你瞧瞧那韓湘子的模樣像不像我？這誰像誰又有何干係？要不你把你自己剪出個鐵拐李、張果老試一試。」轉過身子看著二姊遠去的身影，回過頭對洪氾做了個鬼臉：「全都給你啦！大醋缸！」說完也就隨二姊的腳步出了去。

李羽從竹籃裡拿出剪紙，八仙姿態，各展神通；八寶神器剪裁也相當不錯：「這暗八仙真是不錯：協和行是『天地玄黃』，而我們吉利行總鋪以後就叫『寶劍號』好了，下去分別冠上蒲扇、葫蘆、花籃、荷花、竹笛、魚鼓、玉板等分號，這八個分號或許可與協和行的七間一搏。」

接近清明時節，協和行一舉推出了舊米製成各式糕粿，不只紅龜粿，還有丁仔條、草仔粿、鳳片糕、福壽糕、佛手糕、紅圓等；李羽在吉利行寶劍號裡踱步，眼見洪氾進來鋪子裡，忍不住叫住了他：

「協和行今年清明，左推紅龜粿、右打鳳片糕，舊米用在糕粿上滋味甚好，全府城七寺八廟現在可全用了協和行的糕粿了，我們若是一頭栽進去，恐怕是兩敗俱傷。」

「頭家不用擔心，我們不需要和他們正面衝突……」洪氾叫工人自水仙宮碼頭上搬來一袋又一袋的麵粉：「這些麵粉，是北郊商船自鹿耳門輕載來的，這些都是前年自天津、上海運來本地批發，本來留有一些是給蘇記糕餅鋪用來做椪餅用的，自從蘇記沒落後，現在可全滯放在原來蘇記的倉庫裡。」

「協和行用米漿、舊米做甜點糕粿，難不成我們要用這麵粉來做？」李羽望了那一袋麵粉：「之前蘇記的『椪餅』口評不惡，但蘇記可還沒有用麵粉做出其他糕點的慣例，這味道是好是壞，能否成功，可沒有人知曉？」

過了幾天，吉利行八個分號，擺出了麵粉做出的糕點：發得膨鬆的粉團，加了紅花米，吉利行給它起名為「麵龜」，加上之前的「椪餅」，還推出了滿四個月用的「收涎餅」、小孩滿一年用的「度晬餅」，如拳頭般大小過節的「酥餅」，如臉般大小，娶下訂用的「大餅」，一顆又一顆向神明祝壽的粉紅色「壽桃」，外加獨特八寶內餡的「八仙餅」。一時糕餅鋪上琳琅滿目，頗具新意。府城百姓吃慣了米做的「糕」，現在全愛上了麵做的「餅」，這一推出。麵龜、大餅立刻造成轟動，一口氣就把吉利行推至府城糕餅業界的頭牌位置，這府城內的商業氣氛又更加熱絡了。

三郊運貨賣貨，原本僅在出船入車，額定盤賣事務之上，但郊商又兼顧經營小賣商號，使得彼此的關係錯綜複雜。郊商們彼此又競爭又合作。無論城內哪個糕餅鋪子，所有糖料雜貨全是出自李勝興領首的糖郊、麵粉豆沙龍眼乾來自蘇萬利領首的北郊、白米魚翅藥材石料來自金永順領首的南郊，這市場上用誰家的糖、誰家的鹽、誰家的米、誰家的麵，全都糾葛一起，難分難解。

聽到這樣的消息，文賢表哥可是恨得牙癢癢，他這日正好待在自家中，聽完下人在街上走完一回後的陳述，轉過身子看著牆壁上的一隻守宮，靜靜地望著那隻可憐的小東西，嘴裡嚷著：「李羽這小兔子，打算用這些北郊的麵粉做食餅點心，把我協和行打落到十八層地獄裡？這糖是李勝興的管轄，麵是蘇萬利的管轄，現在兩個合起來打我一個。我協和行好不容易自以前蘇記紅龜粿的狹縫中生存過來，現在又碰到吉利行這幫程咬金，我和他們兩郊雖有姻親血緣，但這些人肯定是我上輩子的冤親債主，此生專門攔我南郊合意興的發財路……」

他伸手抓住牆上的那隻守宮尾巴，那隻守宮扭動了兩下，尾巴就這樣硬生生地斷裂了。文賢表哥撐開如銅錢般大小的鼻孔，看著手上那截動來動去的尾巴，接著將那截還在動的尾巴，放進了自己的嘴裡咀嚼：「李羽！你這個小兔子，既生瑜何生亮，我與你注定要在商場上殺個血流成河，看誰最後成了王，看誰最後敗為寇！」

得利於新式麵點的口碑，吉利行很快就取得了上風：府城的七寺八廟供桌上，吉利行的麵龜壽桃數目，首次超越了協和行紅龜粿和紅圓，聽到這樣的消息，文賢表哥氣得快要爆炸。文賢表哥很快就發現，吉利行的麵龜雖然膨發得當，賣相討喜，但那些產品有共同的致命傷：就是缺乏一種獨特誘人的香氣。

「肯定是那股氣味！」文賢表哥的鼻孔忽然撐大，他知道一種方法可以讓米製品更香：「我倒要看看是你家的麵味好？還是我家的米味香？」文賢表哥想起以前在廈門看過這種爆米的方法，知道有種東西口感與氣味比麵點更重更濃：「李羽你這個渾人，你有你的『麵龜』，我就有我的『米香』！」

過了不久，文賢表哥便命令合意興的工人們，在協和行七店面門口，放置了一個又一個的大鍋，裡頭放著豬油。協和行的工人們，將舊米曬成「米仔乾」，然後放進油鍋裡油爆，撈起後再加麥芽糖黏合，就成了又香又甜的「米香」，不只米香這種產品，協和行還擺開了陣仗，將粿仔乾和狗蹄竿混在一塊，一樣下豬油鍋乾炸，膨發後沾黏米香，就成了「米香粩」、沾了芝麻粉就成了「麻仔粩」、沾了花生粉就成了「土豆粩」，這種方法果然大受好評，香味飄散在大街小巷裡，府城百姓很快又繞回來協和行這裡。

李羽站在吉利行寶劍號外頭，遠遠地就聞到另一邊協和行天字號的米香味。這香味大戰，吉利行竟然又落居下風，門前的顧客被誘人的香味吸走一大半，李羽可又苦惱起來，嘴巴念念有詞：「這麵龜大餅的味道雖然好，但可沒有『米香』來得香，所有的人又全繞回去協和行去了！這下該如何是好？」

洪氾從廚房出來，看了看店裡頭滯銷的麵龜，可也好生苦惱。心頭想著這麵粉要用哪種方法才能風味更香？他停頓了一下，想起了以前在金華府裡結交四方朋友，聽到一個在官署裡當廚工雜役的老大哥，和大家談論官署裡北方大老爺們的飲食習慣：以前有個北京來的旗人官員，喜歡在官署裡自做北京城內流行一種麵點，那種餑餑小吃作法很簡單：用麵粉、糖蜜和豬油混和蒸熟，麵粉皮裹上糖蜜，上頭點綴一些狀似枸杞的野果，這種點心，旗人們稱它為「薩其瑪」。

洪氾立刻將這件事告訴李羽，並且告知李羽那個在官署裡當工的老大哥住處：「若是做出這種口味，香味應該就可以同協和行的米香、麻粩一搏。」

李羽聽完後，猶如黑暗世界中曙光乍現，一時開心極了，拍著手反問道：「快找人把老大哥請過來，給些銀兩教吉利行裡的師傅們做這種點心。古井藥局裡可還有賣枸杞乾貨？全去買來點綴我家新推出的『薩其瑪』。」

「枸杞價貴，我知道文元溪頭、燕潭那一帶，北邊處決犯人的高台外，有人種了許多龍眼樹，到了收成時節，就將龍眼果用相思木烘焙成乾，之後轉賣給北郊的蘇萬利。龍眼乾取得方便，價格較低。或許使用龍眼乾，會有不一樣的滋味……」洪氾解釋著自己的計畫。

轉眼到了中秋時節，府城北門為了出城健行的遊客，特地較晚關上城門。一位滿清旗人來台任職的官吏，許久沒有出門踏青，一早就出了北門到郊外，直到傍晚才從六甲頂地方回來，圓月高掛夜空，他快速通過北門。才一入城門，就見北門裡一處糕餅鋪子還張羅著燈籠，在這麼晚的時候，繼續販賣著小巧的餅點，他心裡想著，應該是閩南式的「月餅」吧！原本這個官吏無意逗留，但那店門口前人聲鼎沸，跟往日糕餅鋪子的狀況不太一樣，好奇心驅使他湊前一看。原來是吉利行魚鼓號正在販售一種新的糕餅點心，因人潮眾多，從早到晚，人群整日巴著店家不肯讓他們歇息，北門就要關上，餅鋪竟然還在營業。他抬起頭來，從人影和人影之間的縫隙中，正好瞥見那特殊糕點的形態，那形態不正是滿洲關外旗人用來祭祀祖先的「薩其瑪」嗎？那個官吏左瞧瞧，右望望，實在忍不住，伸手拍了拍前頭人群的背，百姓一見是個大官人，終於讓出一條空間給他進到鋪子裡。

「大家快讓開，管領大人要看看這『薩其瑪』的模樣呀！」

那個官吏一聽是「薩其瑪」，先是一驚，但還是走到前頭，一見那東西，真的是薩其瑪的模樣：「沒想到在台灣這裡，還有這樣的東西，可讓我朝思暮想死了，簡直快要得了思鄉病！」

負責招呼客人的夥計，掰了一塊薩其瑪送到那官吏的眼前：「還請官爺爺嚐一嚐！」

那個官吏將薩其瑪送入口中，忽然心緒激動，不禁潸然落下兩行熱淚：「雖然糖蜜包層中不是狗奶子乾果，而是龍眼乾，但這口味跟老北京城內的簡直一模一樣，這就是道道地地的『薩其瑪』滋味。」

這下子可引起了大轟動，傳言從第一天的思鄉旗人眼淚，轉而第二天就成了吃薩其瑪能高中解元，第三天變成高中會元，再過一日竟然能連中三元。這街頭巷語把薩其瑪說得神奇無比，活靈活現地就像哪個神明留下凡間的神藥，促使吉利行的知名度一天比一天高，成績一日比一日好，薩其瑪幾乎每日才一推出，就已銷售一罄，吉利行八個分號幾乎都是日落後一段時間，才能關上店門歇息。

文賢表哥望著自己協和行天字號前，又變成稀稀疏疏的人群，一口氣吞不下去，一掌拍在案頭上，瓷杯茶碗被震得飛騰在空中：「李羽那個臭小子，以為自己是個大阿哥，現在就能當起貝勒爺來了，明天要是給他幾根雞毛，不就插在自己頭上，當起官爺爺來了。我倒是要看看你有多大的能耐！甜的糕點打不過你，就跟你玩鹹的。」

文賢表哥在甜點上敗下陣來，他可沒打算就此打住，過了霜降節氣後，令各分號在下元節前準備大批陶碗，碗內加上蛋黃、乾菇片、菜脯、一塊不帶豬皮的瘦肉，然後在碗中倒入米漿水，送進蒸籠裡蒸熟，完成後在上頭淋些調水醬油，土豆粉，就成了一種鹹的點心。文賢表哥左思右想，沿用了閩南地區的習慣，給這種點心加上最貼切的稱號：「碗粿」。

這種點心一擺上店面，果然很合府城百姓胃口，即便是一道閩南家常菜色，就因尋常普通，口味踏實而更受大眾歡迎。吉利行的薩其瑪很快就遭到嫌膩，在府城內居住的百姓多為閩南人，薩其瑪雖然又香又高貴，畢竟是北方的食物，吃久了還是有些不習慣。文賢表哥獨自站在天字號外得意地笑了：「我這李羽傻表弟，你可不知道南方人比較喜歡吃鹹口味；跟北方人喜歡吃甜的個性不相同！薩其瑪雖然高貴，但那總是北京城裡官爺爺們心底的滋味，橘生淮南為橘，橘生淮北為枳。薩其瑪在這裡經營，實在不夠踏實……」

「這可怎麼辦！連『薩其瑪』這麼高貴的糕點都敗下陣來。」李羽望著協和行賣起碗粿後，門前又走掉了一大半的客人，心裡頭著急。

協和行與吉利行的戰爭，從清明節一路打到中秋節，又將從中秋節一路鬥到水官解厄日的下元節，眼見吉利行就要從這場商戰上敗下陣來。正當李羽急得像熱鍋上的螞蟻時，洪氾急忙跑進了店裡。他從鹽水港調來一種細細長長的麵條，那種麵條廣泛在鹽水一帶流傳，船工車夫喜歡端著大碗蹲在路邊吃，這種麵條源於福州：福州人用麵粉，加上鴨卵，做成一種細長的麵，稱為「福州伊府麵」，但在鹽水一帶低下階層間流行，入境隨俗就成了「鹽水伊麵」。

「協和號做了尋常碗粿！我們就來煮乞丐伊麵跟他拚搏！」洪氾說著，指揮眾人將麵條抬進廚房。

一個老師傅先抓出一把麵條，下水煮一會兒，等麵熟透後撈起，再加入李勝興現在經營的孝子牌醬油，滷了些肉末、一些碎蔥、碎蒜、豬油，拌成兩碗乾麵送到店門口擺好的木桌上。

李羽看著這碗麵，聞著裡頭的香味：「這就是所謂的『福州伊府麵』？香味挺足夠的！」

李羽和洪氾兩人就在門口大剌剌吃起乾麵來。眾人來來去去，大家見到李勝興的頭家在自家門口吃乾麵，原本以為是這陣子生意上輸給協和行的碗粿，主僕兩人有些瘋瘋癲癲、裝瘋賣傻，在門前喝西北風，但仔細一聞，這吃的東西好像挺香的，眾人好奇心驅使，圍過來看一看，許多沒去過鹽水港的府城百姓沒見過這樣的麵食，紛紛打問主意：「那是什麼麵？」

「聽說叫做鹽水伊麵！」大家看他們兩人吃得津津有味，不禁嘴角流涎。曾經去過鹽水港買辦的商人依稀記得那麵點的滋味，蹲在路邊吃起來，感覺還挺爽快的，忍不住問：「吉利行也賣這伊麵啊！」。

「鹽水伊麵！這不是人稱的『乞丐意麵』嗎？吉利行也賣這號小吃？」大家一傳十，十傳百，很快就把吉利行寶劍號賣意麵這件事，傳遍府城四坊。

這下可不得了，各家大廟大寺門前，扁擔桿子挑竹櫥擺起生意的小攤販，紛紛向協和行買進碗粿；在街角市場搭棚設桌經營小吃的販子，向吉利行批發麵條，煮出口味獨特的意麵。頓時府城內開始流行起早上吃碗粿、中午吃意麵這兩種鹹點來。更有人將意麵搓細，做成另一種麵點，稱為「幼麵」，大埔街上做幼麵的製麵坊四處林立，府內的年輕人頓時都去製麵坊當了學徒。關帝廟街、大上帝廟街也有人在碗粿內加入豆沙餡和砂糖，做成了廣式甜口味的砵仔糕，每天碾米店裡挑進又挑出，沒有牙齒的老人家一大早都在碗粿攤前等待，石磨坊磨米漿的磨子終日都沒有停下來。一時之間碗粿、意麵各有擁戴者，兩行競爭，優勢劣勢不相上下。

「外頭怎麼鬧哄哄地！」李邦從屋子裡就聽到外頭嘈雜的聲音。

蘇萬利的家長曾振明給頭家說了明白：「是李勝興的吉利行和合意興的協和行，正在大門法，現在街頭巷尾都流行吃起『碗粿』和『意麵』這兩種食物。」

「碗粿？意麵？這麼家常的東西？以前有人賣過，但也不曾熱鬧開來？」李邦想了一想，福建地區的確流行吃粿，福州也有人做麵，但以前也不曾聽過府城曾流行吃這兩味鹹點，況且協和行與吉利行不是經營甜品的商號？怎麼拐了個彎，不務正業賣起鹹品來：「是什麼滋味那般誘人，找人去打包來，我來嚐嚐文賢表哥和李羽弟弟的手藝！」

蘇萬利差了夥計買了碗粿和意麵，端放在李邦面前。李邦拿起筷子正要戳碗粿，發現使用筷子戳插碗粿不妥當，四處張望，正巧看見店面牆上掛了一個又一個的小竹牌，伸手拿了其中一面「天市調和」的竹牌，來當作筷子挖粿。

這些竹牌是北郊用來記錄運貨狀況的特殊牌記，每當一艘隸屬北郊的大福船返回鹿耳門港時，負責在港邊監望的夥計就會指揮轉載貨物的小舢舨，出入南勢港準備卸運貨物，此時一人就會向北郊回報，蘇萬利總鋪裡頭就會掛上這面竹牌，說明貨物運載的狀況，竹牌上頭分別寫著紫微十四正曜：「紫微」就表示大福船快了一日到鹿耳門港、「貪狼」表示快了兩日、「巨門」快了三日。北斗七星之後便是南斗七星：「七殺」表示慢了一日、「天相」慢了兩日、「天同」慢了三日……到最後一面「天府」竹牌，則表示慢了七日。

若是如期交卸，則掛上「天市調和」四個字竹牌，所謂「天市」，是指天上的三垣之一，所謂三垣依序為：太微、紫微、天市，而「天市」代表天上的市集。天市垣中有星官十九：分別代表市樓、車肆、帛度、屠肆、列肆、貫索等，每個星官各有象徵，有掌市場、車輛、玉石、屠宰、繩索等事業，也有把握度量衡的「斗」、「斛」兩個星官。而所謂的「天市調和」，正是人間市場百態，諸業祥和，無紛無擾，百姓安居樂業。大福船只要準時入港，貨物就會如期入市，當然就會人間調和，百姓樂業。

「頭家怎用這面竹牌來挖碗粿吃？」蘇萬利的家長曾振明臉上，流下了一顆又一顆如豆子般大小的汗水：「這『天市調和』可是萬眾期待之事啊！」

「我用『天市』來調和這碗粿，會有何不祥嗎？」頭家李邦說完，用竹牌盛起一塊碗粿送入口中：「甜鹹得宜，米香醬香，果然是珍饈啊！」

接著換回筷子，再吃一口意麵：「這個也不差，是美味佳肴啊！」

忽然這一瞬間，李邦感嘆起來，放下了筷子：「妙啊！妙啊！真是妙不可言。果然還是普通味道的最合宜，家常的菜色最對味。李羽弟弟大戰文賢表哥，兩人一來一往，在街頭巷戰起來，就好像沒有我家蘇萬利的事情。」

這一感嘆，食慾頓失，李邦仔細看了看四周，悵然若失：「這商場上要有來有往才會熱鬧，蘇萬利失去了蘇記糕餅鋪子，就好像被人踹到了一邊涼快。」李邦站起身子，想起了交代的事情：「之前要你們打通武廟幾個店面，我蘇萬利要來買賣香燭的事情，辦理得怎麼樣？」

「已經辦妥！水仙宮外就安排了一個開間，可以開始經營香燭鋪子。」家長曾振明說著：「但這往日香燭事業，都是『金記』負責，金記是南北兩郊共同出資經營的招牌，口碑好、信譽佳，水官解厄所用香燭也全指定他家，若是我們另設他牌，也不知是福是禍！」

「我們的香燭不與金記相爭，而是要做出自己的獨特味道！這香燭鋪子，開通後就掛上你自個兒的號，就叫『曾振明號』好了。上下進出就交給你全權處置，但醜話可講在前頭，我這北郊失去的佛銀盤纏，可要你這香燭鋪子靠本事撈回來，我可是期待頗深。」李邦嘆了一口氣，心底思想著，他在糕餅上失去的那一片天，就要在香燭事業撐起另外一片。

蕭奴聽到哥哥的嘆息聲，穿過天井，來到第一進。李邦看著妹妹的模樣，女大十八變，愈來愈是嬌麗可憐，叫住了她：「妹妹今天可好？」

「謝謝六哥關心，近日無病無痛，康健自在。」蕭奴看了桌上的碗粿與意麵：「欸！六哥也知道這大街上哪個門庭賣些什麼東西？」

「聽到外面拉車的、牽牛的吵吵嚷嚷，一會兒有人叫麵，一會兒有人打粿，就叫家長去買回來看看是怎麼一回事！」李邦說著。

「六哥吃出心得了嗎？還是哪家口味擄獲了六哥的心意呢？」蕭奴問著。

「碗粿有碗粿的好，意麵有意麵的香！只可惜這兩味裡頭都沒有我蘇萬利家的滋味！」李邦問了：「不然妹妹也過來嚐一嚐，看看妳是喜歡哪一味！」

蕭奴看了看桌上的兩物，抿著嘴脣。李邦就知道是怎麼一回事：「看來我是多問了，妹妹自當喜歡意麵的滋味！」

蕭奴瞪大了眼睛：「六哥怎會……」

「不是這樣嗎？妹妹還在等著羽弟弟送來的庚帖！」李邦略帶笑意地說著。

蕭奴羞恥死了，故意嬌嗔：「誰說我愛吃意麵了，我便是屬意碗粿。」

「哎呀！是我會錯意了，原來妹妹喜歡文賢表哥啊！」

「不同你在這裡瘋瘋癲癲的了！」蕭奴蹬了一腳，轉回後房去了。

李邦看著妹妹的模樣，與李羽婚配的確是穩當合適，等服孝的喪期過去了，哪個日子託人傳話，就要李羽弟弟送八字庚帖到這裡來，這往後合婚問卜的事情才能妥辦起來。自從明月珠那個事情之後，老頭家身子漸差，近日都躺在病榻上，而蘇萬利與李勝興兩家的心結也沒有完全解開，或許媒個嫁娶的喜事，能沖淡這兩頭的不愉快與晦氣。

再過一段時間，下元節將至，新科爐主李羽招集各方董事，於「三益堂」公堂開了會議。公堂之中擺了一個肖楠木新做的大圓桌，圓桌有三個腳，三腳擺設方位分別依循《海道針經》的方法布置，北郊經營廈門以北航線，桌腳在乾方，約莫指向福州、鎮海、上海、天津的方位，這個柱腳被稱為「北角」，桌腳刻著三爪金龍，圖樣躍出水面盤附在柱身之上，桌腳一旁刻有「鯤海爭霸」四個字；「南角」在坤方，指向汕頭、廣州、泉漳、香港的方位，刻著一隻大鵬鳥高棲於樹上，一旁寫有「鵬徙南冥」

四個字。

至於新成立的「糖郊」，位置在圓桌的「酉」方，柱腳雕刻著一隻白虎，題字「虎嘯生風」。援例南、北兩郊董事各七席的習慣，加上爐主合計十五人的配置；新設立的糖郊不包含爐主，亦分到兩席。北郊、南郊董事各減至三席：董事一字排開，北郊董事坐在北角，領首蘇萬利的李邦坐在北角正中央；南郊三席董事座位南角，領首金永順坐南角正中央，合意興的大老闆，也就是李邦、李羽的舅舅，也得南郊一席董事，在金永順旁。

「看來，你那個位置，是要叫做『糖角』了！」合意興的頭家說了話：「不知是龍鬚糖？還是菱藕角？」

眾人哈哈大笑起來，李羽不以為忤，旁邊代表糖郊出任董事的「小發財號」頭家，緩緩地說：「我們這糖郊眾夥掛了位置在西方，白虎主秋季，所謂春耕夏耘、秋收冬藏。這秋天是收穫的好季節，應該是『豐收角』才是！爐主的大舅舅坐在那個地方，在金永順大當家的屁股旁邊跟進跟出，主夏季的朱雀，是南方的大火爐啊！火的發燙、熱的發旺，要不要改成了『火燒屁股角』？」

北郊董事一聽糖郊內有人幫腔作勢，還這般口舌伶俐，笑得更大聲了，北郊的劉記繩索任董事的頭家嚷著：「甥兒派了個動嘴皮子肉傀儡，來取笑自己的舅舅，果然是一記高招啊！人人都說府城的協和行大戰吉利號，是大鵬鳥惡鬥白虎精！現在看起來現在三益堂內有幾分這樣的模樣！」

「這好位子將坐就坐，什麼北角、南角、藕粉菱角的，要不如改成龍、虎、鳳三方位不是更好。」北郊內另一位董事說了話提議。

眾董事吱吱喳喳談論著，不一會就同意了這個提議。李羽站起身子，招呼吉利行廚子端上點心，桌上擺滿了扁肉燕、雞捲、刈包，每位董事面前，還有一碗熱騰騰的福州魚丸湯，和一杯老紅酒：「所謂無燕不成宴，我與諸位董事，今日在此主持三益堂業務，這是晚輩李某我畢生的榮幸。」

合意興的老闆，也就是李羽的舅舅，從身邊拿出兩個小陶罐：「要不是你和蘇萬利李邦頭家通過了『楚漢相爭』，我那蕭息文妹婿又同意你出分『糖郊』首領，我們南郊眾商怎會支持你這個連糖、鹽，都分不清楚的人出任爐主呢！」

眾人知道合意興的老闆，是因協和行和吉利行，近日因買賣所產生的不爽快，而出的一口怨氣，忍著竊笑得意的表情不出任何聲音，想聽聽這局勢的發展：「我這兩個陶罐裡頭，一個裝著李勝興你家的府玉白糖；一個裝有蘇萬利北郊和順寮曝鹵的白鹽，我倒要問問我這個甥兒，怎麼個分辨法？」

說完，合意興的老闆，就將兩個陶罐各倒出了一點東西。只見府玉白糖是晶瑩剔透的白；和順寮白鹽也似雪花般閃亮，南北兩郊董事們心底雀躍著，府城裡兒歌是這樣唱著：「白糖白鹽都是白，福州大木做棺材……」這傻不隆咚的李羽，可還嫩得很，小犢牛見了白額虎，怎能逃過那張血盆口？哪個人會想錯過張飛殺岳飛，關羽殺項羽的好戲。

「可否讓甥兒嚐一嚐糖與鹽的味道！」李羽望著那兩個陶罐，對合意興老闆說著。

他搖了搖頭：「糖的滋味是甜而後甘；鹽的滋味是鹹而後苦，開店做伙、買賣營利，不正也是這兩種滋味。若要你嚐過才知鹽糖道理，那我還不自己嚐過就好，何必勞駕小甥。我們漳州人做生意，可要會用眼睛：人說『溜溜秋秋，吃這兩蕊日睭』，做生意要察言觀色，動見觀瞻，難不成你看不出來嗎？」

「舅舅的意思是要用看的？」李羽問了。

「那是當然，這新上任的爐主，總該不會是連哪些頭路分去哪些門道，南北雜貨攤著什麼東西都分不清楚吧！」李羽的舅舅說著。

李羽站在那處，表情尷尬：「我這叫人去挖來一窩螞蟻，放在這桌面上，等一會兒就能明白哪個是糖，哪個是鹽！」

眾人哈哈大笑，李羽的舅舅笑著說：「你當這是孩子們在玩遊戲，你在李勝興自家裡頭是這樣替糖品分類上、中、下等第的嗎？」

李羽臉上表情更是僵硬，心底想著若是洪氾在這裡那就好了，他知道這大江南北，知歷各式東西，見多識廣，但現在總不好奪門出去討救兵。

「怎麼？猜不透，想不明白？還是要招呼你家的家長，來給你解一解。只怕是這糖郊裡頭誰當家還不知道？頭家還要問一問下人們自己姓什麼？叫什麼？」舅舅愈說愈明白，也愈來愈得意。

李羽心裡頭可急了，眼睛這樣左右一瞟，看見了正襟危坐的李邦，眼珠子轉來轉去，他兩眼目光向下一定，指向老紅酒的方向。難不成這是暗示，李羽心裡頭想著：「舅舅不如把那兩個陶罐裡的東西，分別倒進兩杯老紅酒裡吧！」

這下子合意興的頭家可笑不出來，明知故問：「倒進酒裡，是做何解？你倒進去，我哪知道哪杯裡頭是糖酒，哪杯是鹽酒？」

李羽也不明白，這下眼睛又瞟回李邦那裡。李邦故作鎮定：「羽弟弟可別看我，這是你與舅舅之間的事情，我『眼不見為淨』！」

李羽聽出這話中有話，兩個董事將糖、鹽倒入酒杯後，李羽稍微看了一下這之間的變化，一杯完全沒有沉澱，另一杯底下有一些沉澱：「我家的白糖，應該是沒有沉澱的這一杯老紅酒！」

糖郊小發財號的董事拿起那一杯老紅酒一喝，果然正是白糖溶酒，大聲說道：「真是好酒啊！這滋味都甜到心坎裡頭去了。」

合意興老闆很不是滋味，看了看李羽，又看看李邦，氣得臉紅脖子粗：「好啊！你這身為北郊領首，這般幫襯著他……」

「舅舅您在說什麼？我剛剛可什麼都沒說！」李邦嘴上說著：「三益堂今日不是要商討『水官解厄』日上的事情嗎？舅舅怎麼在這裡教導新科爐主辨別糖鹽的道理呢？」

「舅舅不要生氣，小甥在商場上還有許多要和您學習的地方。」李羽舉起老紅酒致意後，一飲而盡。

「聽說羽甥兒在亭仔腳街上，蓋了一座五福大帝的寶庵！」合意興的頭家說著：「這亭仔腳街接近我協和行的宇字號，不知你好好地鋪子生意不做，打算到蓋寺廟上頭是什麼道理？」

李羽一五一十，將之前見到福州士兵阻擋百姓拜神的事情說了一遍，李邦聽完後很贊成這樣的決定：「這是好事一樁，羽弟弟何不以三益堂身分，由三益堂提撥些公銀！我北郊也願意成全這樁美意！」

南郊的金永順大老闆聽到後，也點點頭，對著合意興頭家說：「三郊合夥，就是要做些福惠鄉里的事情，我說合意興和李勝興雖然在糕餅鋪子上有些過節，但捐銀蓋廟乃是好事，你可別錯怪了晚輩們的心意。」

李羽拱起手：「多謝各位董事好意，這興建『西來庵』之事，乃是我一人所倡，不勞支用三益堂的公銀。若各位董事頭家願意捐些綿薄的功德錢，增福慧增智慧，李某自當會要求工匠，在龍柱上雕刻著各號頭家的姓名。」

「這樣也好，我們身為水仙宮的董事，不便過問水仙尊王之外的神明事情。這五福大帝也好，玄天上帝也罷，能由各郊自理，功德隨緣，三益堂裡互不約束，也就不勉強。」南郊的領首金永順以長輩的口氣說話。

「今年水官解厄的『謝平安』，我想擴大規模：辦冬戲、酬水官、祭禹帝、紮彩船、分緣縷、遊藝閣……」李羽滔滔不絕說著計畫。

李羽的舅舅說著：「今年解厄香爐，還是要插上『金記』的香，這可是行之有年的慣例。」

小發財號頭家立刻說：「那可不行，去年就是用了金記的香，鬧出了人命。今年要祭一祭水仙宮的爐神，這還要改用別家香鋪的香。」

「你這新來的董事不懂規矩，以前都是用『金記』，今年為何與往例不同？」李羽的舅舅說著。

「我哪知道去年，你們有沒有把左邊那支香浸過了硫磺水，成了火寸條才會燒得特別快，不然怎會燒出個『催命香』來……」小發財號頭家說著。

「不要胡說八道，去年你也在廟裡，有誰聞到了硫磺味？這『金記』是我南北兩郊合夥的，價格公道實在，製香的師傅人人經驗豐富，不可能有訛誤！」李羽的舅舅怒斥。

「金記有你南郊北郊的資本，但就沒有我糖郊的夥計，誰知道今年爐主插上香後，會出現什麼布局？」小發財號頭家故意說。

「誰會這樣故意攪局搗蛋？我看也只有你……」合意興頭家有些不耐煩地問：「不然你說說怎麼辦？」

小發財號也做香燭批發，本鋪就在祭祀武殿後那條街，想要從中得利，於是說：「不如三郊各推一香燭店，統一開立解厄線香的規格，方寸。一郊各做一支，到了水官解厄日上，再由擲筊決定誰家的線香在左、誰家在右，誰家置中，這樣就沒有話說。」

「如此這般，實為不妥。如果一郊各開一支，那『金記』可怎麼辦？」南郊另一個董事也發出不平之鳴。

「你這麼在乎『金記』？難不成拿了他家的好處？」小發財號頭家故意說話激怒他。

「誰不知道你家也開香燭店，不要在這裡撒野！」那個董事怒拍了一下桌子，酒杯菜碗略略晃動：「你先過問北郊蘇萬利的頭家，看他同不同意！」

原本南郊以為北郊的蘇萬利在「金記」也有持份，會站在自己這一邊，沒想到李邦低頭想了一想，或許這是個難得的機會，可以讓將成立的「曾振明號」大顯身手，緩緩說道：「這『金記』的香好歸好，但糖郊的董事有此顧忌也不是沒有道理，如果一郊做一支香，也未嘗不可以！如果南郊董事們喜歡，我北郊資金可撤出『金記』，從今爾後，『金記』全歸南郊所有。」

李羽還以為自己聽錯了，看了李邦一眼。別說南郊、糖郊，連北郊的董事一聽，也都譁然。礙於領首的面子，北郊其他兩席董事，就沒再吭聲。這北郊、糖郊都同意的事情，南郊再反對也是無意義，只好將就著辦理。

蘇萬利的老頭家身子愈發孱弱，終日躺在床上乾咳著。這一天他叫來李邦，跟他說了一些話，也差遣了蘇萬利的夥計給李勝興的頭家傳話。

李羽接到消息，就趕回到蘇萬利的總鋪裡。走進以往熟悉的地方，心緒更加複雜。他看著牆上那幅〈清明上河圖〉，心底嘆了口氣。這北郊果然還是恭崇蘇萬利是霸主。我糖郊權業尚小，要不是當初「楚漢相爭」拿了籤門，這水仙宮的爐主哪會輪得到自己？

進到蕭息文伯父的臥房，李邦守著病榻已久。李羽走向前：「姪子來給伯父問安！」

「羽兒，你回來啦！」蕭伯父咳了幾聲，坐起身子拉住了李羽的手，也拉了李邦的手，把李羽的手疊在李邦的手上：「所謂『兄弟鬩於牆，外禦其務』。李勝興的頭家和蘇萬利的頭家，好久沒有這樣貼身的說話了。」

李邦抽出手，伸手從脖子解下太公送他的木牌項鍊：「這項鍊應該屬於羽弟弟所有，現在我完璧歸趙。」

李羽看了那面木牌項鍊，「李萬利」三個字似乎在暗示著什麼，他看看眼前這個老人，心頭忽然一軟。曾幾何時，他多麼希望眼前的這個人，能和他的父親一同消失在他的生命之中，而今他已如風中的殘燭，隨時將熄。李羽的欲望實現了，但內心深處怎還覺得如此悲涼：「不了，這是太公要給你的。我拿了也沒有用！」

他退回了項鍊，蕭伯父說著：「你不要怪他！怨他，要怪要怨，就怨我蕭息文一個人就好了，我生了那個畜牲，如今讓蘇萬利分成了兩半。可是羽兒，你別忘記了。這『連三堂』可曾經是你的家啊！」

「伯伯盡說些過去的事情有什麼用？你也別多想，好好養病就是了！」李羽說著。

蕭伯父還是拉著李羽的手不放：「答應伯父三件事！」

李羽原本不想理會，但心頭還是一軟：「伯父儘管說，姪兒能做的就會盡量去做！」

蕭伯父臉上現出了喜悅：「等你孝喪圓滿，找個時間給我們家奴兒送來八字庚帖吧！我是知道的，你喜歡奴兒，奴兒也喜歡你。這男大當婚，女大當嫁。奴兒這樣愛跟隨著你，我還記得你兒時在藝閣上的扮相，『寶劍』是這麼匹配著『琵琶』。我把奴兒交給你，心底是非常放心，也算是了卻我一樁心事。」他對李邦說：「這婚事要辦得風風光光，我這不光是嫁女兒，而是娶媳婦。」

李羽有些靦腆害羞，低著頭不說話。蕭伯父繼續說著：「這第二件事情，就是跟李邦修好了吧！你就不要再怪他！我不奢求你喊他一聲哥哥，但不要恨他、厭惡他，這天下最悲慘的事情，莫過於手足相殘。你們一人執北郊，一人領糖郊，若是相互攻訐、口出惡言，彼此陷害，這一刀一劍，一血一淚，都像是從我身上剜剮下來似的疼啊！」

李羽靜下心來想了一想，緩緩說道：「我已經不憎不恨、不尤不怨了。」

「很好，很好。那我就安心了……」蕭伯父乾咳幾聲後繼續說：「這最後一件事情就是，我希望羽兒搬回來連三堂住吧！北郊璧合了糖郊，至於誰來當家做主，我想邦兒應該清楚，會知所進退的……」

「這我斷不能答應。」這一個要求，就像是一根針刺，觸動李羽最敏感的神經。

蕭伯父垂下了手，輕輕地鬆開了李羽：「果然還是不行，這『蘇萬利』和『李勝興』在我手上分開了，我如何面見九泉底下的太公、如何和李元吾弟說個分明？」

「蕭伯父，人說強摘的果不甜，強求的姻不圓。我與蘇萬利當家的早已異夢，今日若要我們同床，豈不是貌合神離，彼此難堪。」李羽說著：「我可以不恨他、不怨他，但我實在無法和他以兄弟相稱，畢竟我的父母親是死在姓蕭的人手下……」

這一句話就像一把大刀，劃向了蕭伯父的胸前，他又激動又難過，乾咳得更嚴重了，老淚縱橫：「是冤業相牽，罪孽深重啊！」

蕭伯父乾咳了幾聲，一直咳不出痰，卻似乎要把整個肺給咳出來似的。忽然他兩眼發直，望著床板，恰似站在船兒的甲板上，表情緊張，好像看到了什麼東西：「……是如來佛、如來佛……有顆飛砲，小心。邦兒要小心了……原來是你救了他的性命、原來是你……」

李羽聽了心裡開心不起來，知道他病得沉重、病到糊塗了：「蕭伯父好好休息，我這就不打擾了。」

李羽離開連三堂後，不出七日，蕭伯父就過世了。繼之前李勝興老東家的死訊後，蘇萬利又再度掛起喪號。蕭家孝子女隨侍在蕭息文的靈柩後方，李邦掌握蘇萬利，以嫡系之禮，和蕭國、蕭佑兩個哥哥一同服斬衰，執哭喪棒，居廬、寢苫、枕塊、食粥。蘇萬利底下各店各分號掛起了白燈籠，北郊各家商號也都配發黑紗。出殯的隊伍穿過水仙宮北勢街，直往城外蘇萬利所有的丘陵之地，蕭息文將和李家的祖宗們，一同安息在這塊風水寶地之上。繞過赤崁大街，就要接近李勝興家的本鋪，這時蘇萬利老頭家出殯葬列前導叫住了李邦。

「怎麼了？」李邦問著。

拿著儀仗的夥計指著前方：「頭家你看！」

向前一望，街上李勝興家本鋪帶頭掛起大大的白燈籠，這整條大街上所有隸屬糖郊的商號，也全自動自發配掛起了黑紗，全街歇門停業，街上黑紗飄揚，一時之間蔚為壯觀，父親的靈柩通過李勝興的本鋪時，李邦要求出殯隊伍停下來。這時李勝興的宅門打開了，李羽緩緩走了出來，他身穿「大功」服，以堂兄弟的禮儀服喪，若是照規例，異姓堂兄弟僅需穿五服裡最後一級的「緦麻」即可，且兩姓已分了家，若是不著任何喪服，不按任何禮數也沒有關係。但李羽捨了漂孝而就大功，已讓李邦相當感動。

李羽來到靈柩邊，以禮跪拜蕭伯父。這糖郊底下把這蘇萬利老頭家的出殯日，視為自己親人過世一般弔奠。李邦落下了淚水，他知道李羽還有那個心，雖然不承認他這個哥哥，但總還尊敬著自己的父親，蕭家的孝男女向李羽跪拜「辭客禮」。

「起柩！」前導嚷著。

葬列之中傳來稀稀疏疏的啜泣聲。蕭息文一生踽踽獨行，最終還是留下了一絲遺憾。

文賢表哥走進合意興的大宅子裡，之前與李羽表弟多次交手，雖然現在碗粿的生意，尚能維持穩定，但在糕點商場上一來一往，終究無法取得絕對的勝利，光是這一點，就惹得現在合意興的頭家心裡不舒爽，加上前一陣子三益堂裡的董事會議，受了北郊和糖郊爐主聯手，惹上了一肚子悶氣，一個老江湖，被兩隻小兔崽子這樣圍耍，逗鬧得團團轉，怎能不氣到鬍子發直、七竅生煙。

說來說去，全都怪到文賢這個不爭氣的阿斗身上。合意興雖然是南郊的一個大商行，但規模總不及金永順。金永順商號的創業人林交死後，權力幾經更迭，近期又有傳言，金永順的老頭家即將卸下重擔，將經營權力再交下一個世代。

這北郊主事的是李邦、糖郊任領首的是李羽，若是南郊給了第三代，這三益堂裡可就全是年輕人當家的天下了。雖然外在局勢如此，但合意興內的權力更迭，則絲毫沒受到這樣態勢的影響。合意興頭家，也就是文賢表哥的父親一生風流，在文賢出生之前，他就私下養了個沒有名分的小妾，生了一個兒子，取名為「文聖」，後來文賢的親生母親病死了，合意興的頭家更是動輒得咎，直接將外頭的小妾納入房室，繼續這樣無名無分的養著。

文聖大哥雖不是正室所生，但頗得老頭家的重視與歡心。至於老頭家百年之後合意興誰來當家作主，家裡頭上上下下都沒人敢把話說死。於是文賢表哥的心底總有一種「不安全」感，這種不安全感讓他四處生疑、都覺得有人要謀害他，要踹他現在這個位子。

這一日頭家出門去弔唁蘇萬利的老頭家，也就是文賢的姨丈。大街上北郊、糖郊都把這蘇萬利老頭家喪儀事情看得如此重要，唯獨南郊靜悄悄，協和行也沒有歇業，南郊的商船照樣出航，牛車一樣滿街穿梭。文賢表哥一人在家宅的大廳上走來走去，這裡看一看，那裡望一望。走出大廳之後，又想著哪裡不對勁，回過頭來這裡聞一聞，那裡摸一摸。他轉過身子，見到大廳上一塊大大的匾額，寫著「順水行舟」四個大字，立刻想起了街坊裡，人人茶餘飯後皇家紫禁城內，乾清殿上「正大光明」牌匾後的故事。

「這雍正立了祕儲，封了乾隆帝，我這父親該不會也在這塊牌匾後面，藏了一些詭怪的事情？該不會也想立文聖大哥，當作合意興的大頭家？」文賢表哥張大了鼻孔，愈想愈可怖，生怕驚動下人，一個人走到儲藏室裡，挪了一把竹製的長梯。

文賢表哥輕手慢腳地把長梯促架在牆上，一步一步登上匾額高高掛著的地方。他左瞧瞧，右望望。忽然發現了一個錦匣，看來不小，正好卡在匾板木條卡榫的後頭，錦匣上有兩個插梢，套了棉繩，然後固定在牆釘上：「果然有詭怪！」

他費了一番工夫，取下了錦匣，興高采烈地就要打開錦匣，看看裡頭究竟藏了什麼寶物，他吹了吹上頭的灰塵，那錦匣上立刻浮現了一艘「寶舟」的形態，上頭標示許多海外的名稱，諸如：麻六甲、麻林地、木骨都束……翻過背面，還畫了一隻明朝永樂年間，由三寶太監從榜葛剌國帶回進貢的皇上的「麒麟」模樣。

打開錦匣，裡頭一本針經，開頭寫著「順風相送」四個字，文賢表哥頗為失望：「原來是藏這種東西，擱在匾額後面是什麼意思？」

他翻了翻針經，裡頭記載各式行船的方法，包含浮水羅盤的用法，過洋牽星術等：「藏這針經還有什麼妙用？難不成這裡頭還寫了些什麼稀奇古怪的東西不成？」

文賢表哥愈看愈不解，愈不解就愈好奇，他把長梯搬回原處，將針經塞回錦匣，然後一個人自顧自地拿著錦匣回到自己的臥房去了。

下元節前，扶乩決定了黃道吉日，西來庵開廟了。亭仔腳街頓時熱鬧非凡，安爐、淨香，五福大帝神像開光，法師點砂、入寶，備了公雞血，然後捏了一隻虎頭蜂，就要往神像後頭的開孔裡入蜂，竟然一個不留神，虎頭蜂飛走了。圍在旁邊等候開光的信眾又驚又愕，一些人喃喃說道：「這是不是不祥之兆？」

「這入蜂飛走了，就像是天公廟裡的天公爐裂開了一樣不吉祥啊！」鼓譟之聲愈來愈大。

洪氾走向前，拱起手：「各位兄弟父老、各方信士，聽我李勝興家長一言，這漳州話裡頭，『蜂』與『香』同音，雖然飛走了虎頭蜂，卻安座了沉香爐，這西來庵眼下不正是所謂的『蜂去瘟風走，客入香更來』嗎？怎會是不吉祥，大家瞧瞧這飛走的虎頭蜂神氣活現，分明是神明的信使，來給眾父老鄉親報平安，我相信西來庵未來一定是香火鼎盛。」洪氾一旁滔滔不絕解釋著，眾人才漸漸安靜下來。

神明開光儀式繼續進行，一切安好後，李羽代表糖郊領首，為五福大帝奉上第一炷清香：「五靈公保佑，讓這四方闔境平安，人人安居樂業。」

點燃的炷香，有種說不出來的氣味，聞起來飄逸脫俗，入肺後心神安定，更覺開光、開廟的法醮莊嚴隆重，李羽忍不住轉過頭去問：「這『小發財號』做的香可是愈發良好，聞起來挺舒暢的。」

旁邊負責處理事情的李勝興夥計，表情有些僵硬，小聲地說：「頭家，這香不是小發財號的香！是來自祭祀武殿後面新開的香燭鋪子。」

「不是在小發財號買的？」洪氾身為家長，臉上的表情有點不悅：「不是說南郊周全了『金記香鋪』的香燭，咱們糖郊就該交關『小發財號』的貨色，你這是怎麼辦事情的，竟然跑去別家買香燭，這些話要是傳了出去，人家還以為我們李勝興和小發財號起了什麼扞格？不與他們家來往了。」

那個夥計低下頭解釋：「小的雖然原籍漳州石碼，但孩童時代也曾住過福州永泰，那兒也有一間五王庵。因為小時候體弱多病，母親常抱著我去五王庵給大帝請安。果然之後身子就漸漸好轉起來，我的母親常告誡我，這全都託神明的福氣。昨日我受家長的託付去武殿那條街買香燭，的確是要往『小發財號』那裡去，但才走幾步路，就見到一家新開的香燭鋪子，裡頭飄散著一股穩重深奧的沉香味，那種味道聞起來，似老僧在菩提樹下飲醍醐，小和尚坐禪挨了香板子，跟我的心神可是一拍即合。那股香味說淡不淡、說濃也不濃，但聞過之後終身難忘，頓時讓我身心舒暢極了。我只是想，若用這些最好的香味來供奉五福大帝，肯定是能讓大帝更顯神威……」

「好了，也不怪你。看你對神明如此崇信，若是為了這些芝麻蒜瓣的小事責怪你，人家不說我李勝興號只圖自己商利，不顧底下人對神明的敬慕之心。不過這線香的味道的確極好，你說的是哪家新鋪子？你可知道鋪子是哪家哪號，哪個郊商所開？」

「我記得非常清楚，是叫『曾振明』！但卻不知是那個郊團之下。」那個夥計說著。

李羽想了一下：「曾振明？這名字好熟悉，好像哪裡聽過？」他左思右想，忽然靈光乍現，終於弄清楚了：「蘇萬利現在的家長，好像就叫曾振明啊！」

洪氾待過古井藥局，立刻聞出了這些香味的底裡：「是南洋頂級的鸚哥綠，頂級的奇楠沉啊！」洪氾補充道：「這奇楠樹生於南國，樹上結一種樹瘤，稱之為『結』，這種結是做沉香的極品，此結還分各種等級：奇楠入手款，色如黑鐵，叫鐵色結，生於『黑奇楠』上；初門款色紅，是紅糖結，生於『紅奇楠』上；次級的色金，為金絲結，源於『黃奇楠』上；高級款帶紫，為蘭花結，從『紫奇楠』上；最頭款色綠，便是所謂的鸚哥綠，是來自於『綠奇楠』上頭，聞現在的這股香味、餘韻，肯定就是頭款這個等級……」

「若是北郊有意開香燭鋪子，那這府城香燭市場上肯定熱鬧極了，但『曾振明』這號，該不會是同名同姓，不同於蘇萬利的家長？」李羽提出了疑問。

「開店經營總需要資本，不可能有人韜光侅奮，至今才冒出頭來。府城內大小商賈，哪個不是依附北郊、南郊與糖郊，上至船頭行，中有割店，下到鋪子口，至泉漳廈門各港進貨批貨，在府城內各鋪子收貨攤貨，招攬水客。若是其他人想要經營這一塊，除非自己肩膀寬、背脊挺、腰頭硬，不然怎麼會這麼地不動聲色？又敢在武殿街上各郊均有勢力之處，賣如此高檔的線香？」洪氾分析說著。

「家長這樣說，也不是沒有道理，奇楠乃南洋之物，若沒有自己的商船進出港埠，怎獲得如此奇物？難怪之前三益堂主事時，北郊蘇萬利的李邦會拐了一個彎，給了南郊一個悶棍，原來他們早就打算自家合鋪開店。但這北郊以往不曾在香燭店鋪上摸地打滾，如今怎會不出一聲悶雷就把春雨落下？立店沒有到處張揚？開業不廣發請柬？販貨沒有羅列仿單？」只是李羽有些不解，這北郊蘇萬利到底葫蘆裡要賣什麼藥。

「或許是蘇萬利得了個糕餅鋪子的墜入地，才想在香燭鋪子上謀個出頭天吧！」洪氾說著：「看這線香燒起來不疾不徐，裊裊輕煙就像是以香為食的飛天乾闥婆，擺動著羽衣在空氣中婆娑跳舞。這沉香實在是極品，就像是個巧奪天工的玩物一般好看：『曾振明』雖是個新店面，但製香功力與金記不相上下，果然是有北郊蘇萬利當了靠山。兩者雖然工藝相仿，但曾振明所用的素材質地，卻更勝金記一籌。」

「如果真是北郊的主意，那我們與『小發財號』合作可就要積極一點了，莫讓這勢頭又轉了方向，營利撲回蘇萬利的帳面上。」洪氾把他的想法一五一十告訴李羽。

李羽點點頭：「這樣頗好，就依你的主意，這事情就這麼辦理吧！」

水官解厄日當天，眾商齊聚水仙宮的大殿內，今年風調雨順，四海平安，整條北勢街上，家家戶戶都豎著高高的燈篙，燈篙上依據戶口內有幾個男丁，就掛上幾個紅燈籠。燈籠上均寫著「謝平安」與「解災厄」等字樣，街上鑼鼓喧天，各地陣頭齊聚，最為壯觀的「水龍藝閣」照例自水仙宮前出發，今年為糖郊主簿，藝閣約莫由三百二十餘輛抬閣組成，上頭各式天罡地煞、神兵仙將、龍王水怪不變，唯獨今年擱在每輛抬閣前的小銅香爐，安插的三炷清香，原本都是由金記香鋪提供，今年則改由「小發財號」所製作。每支香約粗兩分，約高四寸，均以梗香草、馬蹄、珠蘭及靈香草為底的香粉製成，經過製香師浸水，沾入香粉：展香、散香、曬香，合計四五道程序才完成，特別的是這些香粉，全是「古井藥局」所調製，香粉裡頭加了哪些稀奇古怪的藥材香料，連製香師傅自己都不得而知。

水龍藝閣依循每年固定的路線，轉入了北勢街、杉行街，最後進入看西街，看西街上眾人早已守候多時，此時抬閣上香爐的火頭燒至最旺，剛好一陣風兒吹了過來，直把香味往路邊的觀眾送去。整條看西街上頓時瀰漫一股香氣，煙雲脫開，水龍又出，眾人高聲歡呼：猶如一條水龍自波濤洶湧的海面躍了出來，看似在縹緲天邊，卻近在當下眼前。

圍在路旁觀看的百姓，大家從來沒有在水官解厄日上，聞過這樣香噴噴的味道，一個打福建來的商人說著：「這香粉裡頭肯定有報春花，但還有另一股味道，凝起來真是高貴優雅，溢散後又感覺脫俗清新，卻不知是哪種藥材所製？」

「以前水官解厄所用的香，不是檀香為底，就是甘松、丁香打實，這糖郊派出了小發財號做香出手，果然與眾不同，水龍遊街，就是要香死路人，香死底下的看官了……」幾個仕紳一旁說著話。

府城百姓今年從「看水龍」，轉眼之間焦點全鎖定在那水龍藝閣的香味上，話題全都兜到「聞水龍」之上：「今年除夕正月，我也不打算用『金記』的香來祭拜祖先，看起來『小發財號』是個不錯的選擇！」

這一態勢，正中糖郊的下懷。湊合在路邊看水龍的金記的老闆，聽到了這些街頭巷語，氣得頭髮都要豎直了，急急忙忙跑進了水仙宮，找了正在準備水官解厄祭儀的金永順頭家，把剛剛街上打聽到的話，跟金永順頭家說了明白。金永順的頭家聽了很不是滋味，對著今年的爐主說著：「糖郊出頭的晚輩小姪，才剛任爐主，不知加了什麼神仙藥，把眾人迷得茫酥酥，年紀輕輕就有那樣深的城府，是這樣算計香燭事業的利益？」

「前輩頭家所言差矣！這糖郊辦理醮儀，製香用料，不計成本。糖郊上上下下，各分行別號對神明可是百般崇敬，用了好香，燒出了新的風味，水神肯定是歡喜無比，怎麼說是我家爐主計較利益？」洪氾走上前一作揖。

「你這是哪根蔥，哪根蒜，在這裡大放厥詞，稀里呼嚕放臭屁……」金記老闆不服氣，把話說得又毒又辣。

水仙宮的住持乾咳了一聲：「金記的頭家可要注意自己說話的口氣，此日乃謝平安，水官解厄日。是口不出惡言，面不擺惡相。此日水官大帝在此大顯神威，要給人間除穢去厄，水神禹帝高高在上，水仙尊王們四下分座，可全都在看您的笑話呢！」

金記老闆收斂了姿態與氣焰，但仍是不服氣，在水仙宮上叫嚷：「你們在這香裡頭放了什麼邪魔歪道的東西，怎會如此香噴噴的……」

「也沒放些什麼，就加了些『艾草』。」背著主祭官彩帶的李羽說著：「你們也知道我家的家長在『古井藥局』任過事，艾草本身就有驅邪解厄的功效，用在線香裡頭，也不知哪裡不妥當？可否請金記老闆明示！」

金記香燭老闆終於記起了那個香噴噴的味道，這下可說不出話來：「的確是艾草的味道，這艾草有定寧心神的功效，放在線香裡頭……」話到後頭堵住了，這尾巴的「真是絕妙啊！」五個字絕對不能在水仙宮上說出口。

說完話後，金記老闆可又垂頭喪氣起來，真是一百個、一千個不甘心，這艾草是隨手可得的藥材，也知道糖郊李勝興的家長，是府城內灸艾的高手，千金難買早知道；萬金難捨忘不了。若是加了艾草，其實也沒什麼多大學問，說來說去，這艾草算不上什麼貴重的藥材，沒想到一個簡單的材料，竟然能燒出這樣一個令人懷念的味道來。

「你瞧，我們什麼也沒多放，什麼也沒少放。金記老闆這麼生氣，不知是打哪來又打哪去？」李羽又補了一句，金永順頭家心頭又中了一箭，也不好再說些什麼。

「來來來！大家別傷了和氣，今日可是水仙宮的大事，這祭祀科儀還是要照例完成！」住持打了個哈哈，這裡頭三郊都是大頭家，人人都得罪不起：「今年三益堂裡訂了新規矩，水官解厄香爐上，是一郊做一支解厄香啊！」

住持拿了一張黃紙，上頭寫著線香大小的規格：線香要粗一寸，長一尺，但卻沒有寫明白要用哪種香粉製作。這可讓三郊逮到各自發揮的空間，南郊的金記先獻上這支解厄線香，他轉交給南郊的領首金永順，金永順頭家橫著香，走到神明面前：「水神禹帝在上，南郊金永順獻上解厄線香！」

金記的香看得出來和往年明顯不同，金永順頭家繼續說：「今年這香粉內，我們加放了龍腦、天麻……」

眾人一聽，大驚失色，這「龍腦」又稱望天樹，是雲南深山裡的珍貴藥材，價格貴得嚇人。「天麻」雖然分布很廣，但採收工序複雜，人工費用較高，尤其又以雲南、四川的「鸚哥嘴」和「赤小辮」兩種形態的冬麻為最上品。若是以此兩味製香，肯定是不計成本了。

北郊則派出了曾振明，他將粗香交給蘇萬利的李邦頭家，接著李邦走到神明面前：「水神禹帝在上，北郊蘇萬利獻上解厄線香！」

眾人豎起了耳朵，今年這場香味大戰，可是精采可期，不知這線香裡頭，又放了哪些東西？只聽蘇萬利頭家說著：「這香粉裡頭放了乳香、沒藥。」

眾人一聽，竊竊私語起來，這兩物全是來自海外，自從乾隆大帝南巡後，起戒心，驅逐了英國人洪任輝，廢了江海、浙海、閩海三關，唯留廣州一口通商，西洋進口之物僅由廣州輸入，香料奇物舶來者價高。乳香來自遙遠的大食國度祖兒法，泉州水港雖然與廣州之間有私載，但價格也不菲。沒藥則來自西域沙漠邊緣的一種樹，在鄰近廣州的幾個港口才買得到，且大多為泉州的回民在使用。這西方來的香料，用來載運此物品的商船，每每都是經過了婆羅國，歷經千辛萬苦到了更遙遠的西洋：那個眾人不熟悉的遙遠地方。而這些西方來的香料，早已經不是水仙宮上所有人，腦海裡可以想像那個世界的模樣。

這下子所有人更加期待糖郊的線香了，不知道裡頭擱了什麼東西。只見小發財號老闆將香交給爐主李羽，他走上前：「水神禹帝在上，糖郊爐主李勝興獻上解厄線香！」

「這香裡頭放了『阿末香』！」李羽話還沒說完，底下已經傳來驚呼之聲。

所謂「阿末香」，其實就是「龍涎香」，眾人都以為這是深海龍魚的嘔吐物，其實是鯨魚的排遺物，最頂級的龍涎香色白，聞過的人都說是龍王氣味，別說放上一塊，只要一點點碎屑，就價值千金，聽爐主的說法，這香裡的阿末粉，肯定是花了不少佛銀買來的。

眾人很是期待這三香合璧之後的味道，大家都在猜，這合起來的味道究竟是如何。依據抽鬮，由住持按序排列，然後點燃這三支線香，遞交給爐主，爐主祭拜過水官大帝後，安插在解厄香爐之上。

頓時水仙宮裡味道四溢，南郊的香味若入深林、鑽入地心；北郊的香味如騰雲駕霧、飛上天際；糖郊的香味，先有魚腥，後發奔放，宛如暢遊海洋。若說這三香哪個好，其實各有各的好，也各有各的特色，若是各自發展，肯定都是絕佳，但現在混合在一起，一股說不上來的怪異，就好像眾神在打架一般。

「這味道就好像……」金永順頭家掩住口鼻，「屍臭」兩個字是斷不能講出口。

這股腐敗的味道之後，又來了另外一道怪味：「這分明是霉爛了的果子味。」

金記香鋪頭家講出這句話，惹得眾人對他一陣白眼。執選董事的程序還在進行，眾人不斷地被這解厄香爐上的味道打斷思緒，一會兒香，一會兒臭，一會兒又不香不臭的，不知道是什麼怪味。這下子味道又轉變了，聞起來就像是郁永河在淡水採回來的硫磺一樣嗆辣，穿過了那個味道的火山口後，接著是一股淡淡的銀桂香。

這股怪到不行的味道，一會兒飄到東，一會兒散到西，聞到的人莫不掩鼻走避，來不及掩鼻的人，若是運氣正好，恰巧聞到火山口後那股銀桂的餘韻，香到快當了神仙；運氣較差的人，正好跟火山口撞在一起，不是被熏得七葷八素，就是反胃直想作嘔。各郊的斛器擺在大殿青龍、朱雀、白虎三側，南郊是下一任爐主的郊團，眾人特別關心董事的執選結果。然而，這股怪異的味道還是沒有止息，先是金永順頭家要將代表「人」的那支線香，擺進斛器之中。他走到斛器前，忽然一股濃郁的味道飄來，就像一隻口臭的白額虎，狠狠地對他咬了一口，他被「香」得差點失去了意識，一個腳步沒站穩，竟然把香放進了「合意興」的斛器中。

這下子底頭南郊眾商開始說起話來：「金永順不當爐主啦！」

「這可怎麼一回事，昨天我拜訪金永順頭家，談論今天選爐主的事情，他還信誓旦旦，難不成昨夜已經跟合意興頭家有了什麼協議，今日已有變化。」

金永順頭家走回陪祀官的位置時，才發現自己放錯了線香，這下子可苦惱了，要說自己被這大殿上的味道給「香」糊塗了也不是；說自己一時不察，眼睛昏花，記性不好，「老」糊塗了也不是，只能眼巴巴地看著後面各商繼續選任董事。

先是摸不透徹，想通了也就明白了。合意興的頭家這下可樂了，這金永順頭家把香放進自己的斛器裡，是什麼意思啊！肯定是抬舉自己，要禪讓爐主這樣重大的位置給合意興。他走到斛器前，後頭的金永順頭家睜大了眼睛，乾咳了幾聲，合意興聽到了乾咳，一時摸不透底，這回可又是什麼意思？停頓一下後，確定那是在打暗號，這時大殿上的味道又飄了過來，這回臭味變成了香味，就像是森林裡開滿了芝蘭花，彩色的鳥兒亂飛，好聞極了。原本還有幾絲嫌疑，這下子信心大增，原來那乾咳的暗號，是要合意興自己投給自己啊！這下就把心給一橫，拿起自己的線香，放入合意興的斛器之中。

「哎呀！這合意興與金永順果然有暗盤，他們打定主意，要把爐主讓給合意興！要不是金永順授意，合意興頭家哪敢打自己的主意？」眾人愈說愈開心。

金永順頭家已經忍不住了，若是再這般姑息下去，別說爐主，可能連董事也拿不到：「我可沒有要給合意興當爐主的意思！」

金記香鋪的老闆歪頭一問：「那領首把香給了合意興，是什麼意思？」

金永順頭家一時語塞，淡淡地說：「沒有意思？」

眾人是愈聽愈不明白，「沒有意思」這句話是什麼意思？大家你望著我，我望著你，忽然眉毛垂了下來。

幾個南郊商人低語著，把話傳開：「金永順的頭家剛剛說要你們別選他，讓他當爐主怪沒有意思的。」

「他不當爐主！誰當爐主？」

「自然是合意興的頭家最能得他的心意，這合意興協和行的碗粿，現在是府城內人人通曉的小吃點心，不選他選誰？」

果然不出所料，合意興竟然當選了爐主。金永順落到第三順位，差點連董事都當不成，合意興頭家走到金永順頭家面前作揖：「多謝林老闆成全！」

這下子金永順可吹鬍子瞪眼睛了，讓合意興這隻癩蝦蟆稱心如意，忍不住抱怨：「這大殿上解厄香爐飄得可是什麼怪味啊！既非芝蘭之室，也非鮑魚之肆，雖不能流芳百世，但總不能遺臭萬年吧！」

「林老闆說這是什麼話？這大殿上的線香，可也有南郊的金記鋪子插了一腳！」北郊蘇萬利的家長曾振明說著。

金永順一時說不上話來，氣呼呼地瞪了北郊蘇萬利一眼。眾人往解厄香爐一看，最左邊的線香，用了龍腦天麻，曬得較乾，燒得較快，已經燒去半支；最右側的線香用了乳香沒藥，燒得較慢，才燒去三分之一；中間的龍涎線香，因屬海物，線香結構也比較扎實，雖然已經曬了個把月，但燃燒還是慢吞吞地，大約才燒去一節拇指的長度，這樣一排列，上頭竟然燒出了個「盜賊香」。

「哎呀！這是水神爺爺降咎啦！」大家議論紛紛。

第五章：紅珊瑚

水仙宮上三郊的這一較勁，將府城香燭市場推入另一個時代，時間過了兩年又三個月，香燭市場上競爭激烈。曾振明、金記、小發財號成為三郊在香燭市場上的代言人。合意興入主水仙宮爐主後，態度更是積極，投入更多人力、物力在金記香鋪身上。南郊還撥了幾艘大艚，專門從廣州運回蘇合油、蓽撥，偶爾還運調一點安息香。伺機要將糕餅業上所受的悶氣，打算一股腦兒移轉到香燭業上，連本帶利向李勝興討回來。三郊鬥得愈兇，眾人事業做得愈大。蘇萬利還因香燭獲了利，修建了一方大庭園，庭園內有山、有洞、有水，亭台樓閣，曲橋垂柳，假山泉水，百鳥花卉，莫不風韻優雅，人稱「蘇萬利大庭園」。

「前些日子，我家媳婦小產後，下處會漏血，燒了小發財號的艾香，改善不少狀況。這艾草果然是『醫草』啊！」一個婦人在武殿香燭街上，和另外兩個老媼談論著小發財號線香的妙用。

「我家頭家，特別喜歡西洋來的蘇合味，每天過了晌午，他都會拿出了五瓣雙耳香爐，裡頭放了些香粉，然後從灶爐裡取來餘火點燃，頓時就滿屋子的薰香。聞過金記的蘇合香，我家頭家整個下午精神都好了起來，直說那簡直就是天界飄來的氣味啊！」其中一個老婦人，丈夫在官衙裡當胥吏，手挽著筐籃裝腔作勢地說話。

「說來說去，還是曾振明號的奇楠沉最為出色，聽說府城內的大戶人家都買那種香，聽說那味道只有天上有，聞久了就像吸了『芙蓉膏』，會讓人上癮啊！只可惜我們只是尋常百姓，聞不起這種富貴人家的味道！」另一個老婦人看了看遠方曾振明的堂號說：「這三郊都賣起香來，可不知道這天上的九天玄女娘娘，喜歡哪一家的味道？」

線香本來就屬漢藥的一種，而製香業者大多祭拜「九天玄女」，九天玄女又被稱「香姑娘」或「香娘娘」，是香燭行業的祖師爺，相傳九天玄女生前是個非常孝順的女孩，他的父親一日得了重病，不能吞嚥藥品。聰明且孝順的她將藥粉做成香粉，沾黏在細枝上，燃燒線香讓父親嗅聞，不久便病癒，從此九天玄女就成了製香業者最為崇敬的神明。

水仙宮上的三郊解厄線香大鬥法，燒出了個「盜賊香」，府城內人心惶惶，不知哪一日，哪個地方會出了盜賊禍害，不但各商加強拳練，幾個比較怕死的頭家，在此之後，都必須找會拳腳的家丁做為貼身保鑣才肯出門。

這場鬥法雖然燒出了不祥的香譜，兜繞攪和了一圈，壞了水仙宮裡的氣味，卻讓三郊一較高下的決心更盛，更加積極向取。一時之間，府城內香燭事業大開，人人都可在這三郊三個代表商號裡，找到了自己較為喜愛的味道：金記香鋪由南郊買進了許多蘇合香，高級品則推了芸香；小發財號守住了艾香，頂級貨推出了松香；曾振明基本的貨色，打理了肉桂丁香，最上級則鎖定了奇楠沉香。賣的人費盡心思，各出奇招，買的人便是青菜蘿蔔各自所好。

武殿後面的大街上一時香味四起，門庭若市，人人都笑說，這廟後的味道，比祭祀武殿裡頭還要香，武神關二將軍肯定是吃味的，若不是清廷獨厚關羽，冷了岳飛，這武殿裡原來祭拜的岳王爺爺，肯定也會繞回來這裡住。

三郊從香料、製香過程到香品的販售，每個名目、每個細瑣、每個環節都是極其講究，無論是從素材到價格，是從香粉到香腳：怎麼浸楓膠、怎麼掄紙扇、怎麼展花曬，不但香味要圓潤、香腳更要豔紅、香肉是絕對筆直挺拔。各種枝微末節的事物，都會被眾人拿來放大檢視，三家皆都有輸不起的壓力，就因這樣的壓力，導致了三郊在製香事業上全面性的交鋒，府城裡的香燭市場更顯熱鬧活絡。

這條街聲名遠播，但這條大街可還沒有被正式命名，只道是人人都稱這裡是「祭祀武殿後的那條街」，或「香燭鋪子街」。金記香鋪頭家摩拳擦掌，打算自行宣布這條街就叫「金記香鋪子街」。但這大街上各房各戶也不是全屬金記一家所有，長長的一條街上，有做神明衣服、做神轎抬轎、做蠟紙燈籠、做刈金、五色金、床母衣的店鋪，沿著這些店鋪又岔出幾條小巷子，巷子內還住著許多人家。編制裡，每十戶底下還有一牌，街前任牌頭的那一戶，是糖郊裡的一員，問過他的意見，他卻說名不正則言不順，若真要起名字，「小發財街」比較適合做為此等街道的名稱；十牌構成一甲，甲長跟北郊關係也不惡，探詢他的態度，他竟認為「曾振明街」，拿來做為最後拍板定案的街名比較恰當。

金記在改名意見上撞到了糖郊、北郊所築構的大牆，一怒之下繳了一份狀紙，打算訴諸官司，官署裡的大老爺收到後，皺起了眉頭，心底盤算著這初一到十五，三郊全都按時繳過孝敬爺爺的「苞苴錢[44]」，大街上勒索討債的流氓，收了規矩費後，是不會自己壞了規矩。衙署內上自師爺幕賓，下至雜役皂隸，哪個沒有拿過郊商們銀子和好處，若是只便宜了金記這一家，豈不得罪了其他兩戶。這府城內的三郊商賈，人人都是大老闆，戶戶都是大頭家，誰也得罪不起，誰也不能得罪，若是冒犯了哪一座山頭，這以後付錢打理喝酒賞花的情事，恐怕就只能自己乾著想、晾著想、曬著想。

大老爺平日自詡為官清廉，收了朝廷少少的養廉銀子，出門在外可沒多餘的錢財打理頭面，還得要依靠這群乖孫子、乖兒子們的孝敬與供養，吃人的舌軟，拿人的手短。大老爺想了一下，跟欲要打官司的金記頭家嘻嘻笑笑了兩三句，隨隨便便拽了個理由，不置可否就打發了他們。

以往這條街上可是金記先開張營業的，所謂「先占者贏七分」，江湖上有江湖的規矩，市場上有市場的行情，每件事情總有先來後到的順序，金記吃了這等閉門羹後，頭家更是氣得兩眼發直、兩手握拳、牙關緊咬。之前北南兩郊還共同入夥的時候，金記可是一枝獨秀，囊括了府城香燭的所有市場。後來的小發財號不知打哪裡冒出頭兒來，起先也是個名不見經傳的小鋪，若不是跟著糖郊一起發達了事業，哪還有小發財號說話的餘地，至於北郊的曾振明號就更不用說了。

在牌頭、甲長和大老爺那裡挨了謀定街名的悶棍，卻也沒能擋下金記頭家的決心。金記香鋪在街上放出耳語，說要是誰家出了大鋒頭：上自達官顯要、富貴大戶；下至販夫走卒、常民百姓，都愛用那一家的線香，就稱那家為府城內第一大香燭鋪子，武殿後的這條街就該以這個行號來加以命名。

「你聽說了嗎？武殿後面那條香燭街，金記香燭打算在街口，設一座漢白玉泰山石敢當，請了泰山神東嶽大帝在那裡坐鎮，上頭雕刻了太極八卦圖，背面預留了一個平整面，打算刻上未來這條以府城『第一香燭鋪子』命名的街道名！」路上來來往往的南郊苦力們，把這句話傳開來。

「那條街不是已經叫『香燭鋪子街』了嗎？」一個臉上長了個息肉，濃眉且醜陋的北郊苦力說著。

「那是人家隨意諢出來的名字，不是一個正式。我家大頭家這回可是鐵了心腸，說要跟小發財號、曾振明號拚個你死我活，較量誰才是九天玄女娘娘面前真正的『頭香』……」南郊負責放出風聲耳語的苦力，把手扠在胸前說著。

過了數日，小發財號的頭家，聽到耳語後非常緊張，匆匆忙忙趕到李勝興那兒，打算綜理出相對應的方法。在李勝興家的大廳上，洪氾分析了這一局的勢面：「小發財號雖然靠艾香守住了廉價的品項，但上戶人家所用的香，還是偏好『奇楠沉』。這奇楠沉香是南郊的芸香、糖郊的松香的香味都無法比擬的，若要想拉開與北郊奇楠沉的差距，只有一個辦法……」洪氾博學多聞，知道那種香料。

「什麼辦法，還請洪二哥明示！」小發財號的老闆聽了，臉色現出如朝陽日出般的神氣光彩。

「果然是小發財號當家的，只要說起『發財』這兩個字，頭家的眼神就會睜得如兩圓通寶那般大，還是您最記得財神爺的模樣，絕不會讓祂從你面前偷偷溜走……」洪氾想了一想，故意賣個關子來取笑他，然後背著手保持沉默：「讓我仔細想一想！」

小發財號的頭家聽得口水都快流了下來，催促了他幾聲，洪氾仍不為所動。李羽立刻說了句話：

44 苞苴錢：又稱公使錢、公用錢，是向百姓徵收錢財來做公用的「陋規」，絕大部分錢財成為官員中飽私囊的賄款。

「你就快別逗笑他了，告訴他正確的作法吧！」坐在椅子上的頭家李羽，放下茶杯，嘴裡帶著笑意說著。

「……這世上還有一種特殊的香料，叫做紅土沉！」洪氾接著說：「這沉香的等級別甚多：因自然因素傾倒的沉香樹，等級叫『倒架』；倒入水中沼澤，經過自然腐朽變化的沉木，等級叫『水沉』；被白蟻侵蝕過的，改變了風味的叫做『蟻沉』；不足十齡的小木，叫做『白木』，其中又以『土沉』為這沉香裡頭的最上品。所謂的土沉，就是沉香木倒臥後，樹根或枝幹埋沉於泥土裡，經過多少歲月壓實與醇化，產生了一種令人驚喜舒暢的風味。安南的柴棍（今越南胡志明市）、富春專門出產這一種頂級的沉香，從紅土地底挖出來的老樹根，非但沒有腐化，還積陳了幾百年來的泥土香味。這種沉類就叫做『紅土沉』。這沿海通商雖然僅有廣州一口，但西山阮朝[45]扶植了廣福兩地沿海的海盜，私下交易了這些奇物至廣東、福建一帶，這些東西深受富貴人家的喜歡，一部分紅土沉輾轉流運到了廈門，如果小發財號想要拚搏，或許可以用紅土沉來對抗北郊的奇楠沉。」

「這個主意甚好，只不過我小發財沒有商艚，還指望糖郊領首為我家主持公道！」小發財號頭家對李羽做了揖，行了個禮。

「你我本來就是同郊，是一家人，親暱如兄弟、緊密如高鄰，你的事情就是我的事情。」李羽又喝了一口茶，忽然想到了一件事情，放下了茶杯：「我自小在台灣出生，從未去過廈門，也未曾見過祖籍地。如此盼得良時機緣，我郊派船去載紅土沉時，我也想順便去廈門見識一下。」

洪氾聽了，臉色略顯為難：「頭家想去看一看，這也是無可厚非的事情。但走船之事甚為險惡，怕風怕雨也怕浪……」

「生死有命，這個我可不怕！」李羽信誓旦旦地說。

洪氾聽李羽這樣斷然地說，一時也插不上話打斷他。

「我回去準備一些好香，讓頭家祭祭船上的娘娘，也拿一些好香給伙長，要這經羅針路一切順暢。」

小發財號的頭家說著。

「我們這次遠去，也能帶些東西到廈門那邊販賣，試試廈門商鋪交關的水溫……」李羽想了一下，小發財號的香燭行業尚不成氣候，糕餅裡的古利行跟協和行打得轟轟烈烈，不如就載一些糕餅到廈門去，開拓吉利行的名聲，也免得與協和行在台灣這裡瞎攪蠻纏：「就挑一味糕餅味過去廈門販售好了，不知家長覺得我們可不可以，若將『紅龜粿』載至廈門一帶，不知有否利潤？」

「閩粵兩省吃紅龜粿乃已成習，許多餅鋪子早有販售，除非我們家的鋪子是較他人特別，否則恐難在廈門市場上生存。如果頭家真要挑揀，我倒覺得『椪餅』是不錯的選擇！廈門並無此餅點，這府城內坐月子的婦人，習慣吃椪餅煎煮痲油，取代珍貴的雞肉當成珍補，或許可以試上一試。」洪氾說著：「只不過這椪餅圓凸凸地，內有麥芽糖。吃是吃它的乾、酥、薄、脆四味，若擱在船上遠行，難免吃了海風，受了溼氣。不酥也不脆事小，若發了黴斑，長了髒東西，就沒得救了。載運時一定要注重防潮抗黴的功夫。」

「你這麼說也有道理，那你有沒有好的方法，來保存這些東西？」李羽問著。

45 西山阮朝：越南在西元一七七八到一八〇二年，曾經存在的朝代名稱，由阮岳、阮侶、阮惠三兄弟號召農民起義建立。

洪氾踱步了幾回，忽然想到了個主意：「差人用龍眼木做成兩層的圓桶，內層較低，而外層較高。圓桶外層加入大量炒過的生米，在生米之中再撒一些鹽粉，用來隔絕溼氣。內層擺放足數的粿餅，內桶口用蠟密封，然後覆滿生米，最後蓋上外層的木蓋，桶身再用黃麻繩加以捆綁。走船時，外層的生米除了可以防潮，還可以用來充作船上的糧食：煮粥、炊飯也都是不錯的選擇。使用龍眼木，亦可將龍眼的香氣沁入粿餅之中，其防水效果也相當不錯。」

「這主意真是太好了，反正我在船上，也是個沒有用的人，走船的工夫就交給海員們去處理，船上就屬海頭最大，我只負責到船上埋鍋造飯，敲敲小鑼呼喊大家用餐的工作就可以了。」李羽看了看家長：「我這次遠行，若是叫家長陪我同去，肯定是乘風萬里，天不怕地不怕。但我這一去，台灣府內李勝興沒人看顧，我也放不下心。因此還請家長留下來幫我打理。我出門的這段時間，就拜託家長幫我留意事業裡大小事情！」

「頭家不說，洪某也自當竭盡所能，戮力去做。」洪氾說著：「就叫個熟門熟路的夥計，陪頭家過去廈門好了，一來可以照應，二來知道泉漳廈門的風土人情，也好辦些事情。」

洪氾忽然想到了一個東西，回到後廂裡拿了出來：「我這裡有一個藥袋，裡頭裝了數顆走船時保命的良藥，請頭家務必帶在身上，也好讓我放心。」

「哎呀，我只是去廈門，會有什麼險惡，我可是天之驕子，天公的兒子。這黑水溝早已被三郊的商船走得透徹了，要是東海龍王真的住在裡面，不知已經眼巴巴地看著眾人往來好多回？哪個不是去去又返返，平平且安安。」李羽輕描淡寫的說著。

「頭家切莫這樣說，這行船走海，還得看老天爺臉色。人說順風日行萬里；逆風寸步難行，這一萬總有個萬一，或許提防著點、謹慎著點都好。」洪氾拿出了一張小紙，上頭已經寫好了各種藥丸方劑的用法，他塞入藥袋之中，然後拿給李羽：「頭家一定要將這保命藥袋帶在身上，這施藥的方法全在這紙片上，用不到最好，擱在身上總是心安，這藥丸數十顆，全是用來鎮著走船時的疾痢病，頭家帶著藥，李勝興上上下下，每個人也都較為放心。」

李羽本想說幾句話讓家長放寬心，但聽他語氣堅肯，實在也不好打斷他的好意，只好收了下來：「我一定會隨身攜帶。就這樣說定了，你幫我招集夥計們，要他們幫忙打點出發的東西。」李羽說完，便順口喝完那杯茶。

這日午後，一個人偷偷摸摸地走進了香燭鋪子街，左顧右盼後，快步鑽進了曾振明香燭鋪子。

「這位小哥哥，要買線香，還是買蠟燭？」一個較年老的夥計負責招呼客人，他搓著手，低下頭來問。

「我要一些頂級的奇楠！」那個人小聲地說著。

「哎呀呀，這位小哥哥真是識貨，我家的奇楠沉可是台灣府內最出色的香品。」他拉大嗓門說話。

「小聲一點可以嗎？我家的老爺不喜歡這般張揚！我可是替我們家老爺來買辦些貨色的。」那個夥計掏出一些佛銀：「這樣子夠不夠？」

「這當然是夠的，您家的老爺肯定是大富又大貴。」那個夥計包了些奇楠沉香粉：「不知小哥哥還有什麼要緊的事情？」

「你們可有賣走船用的經羅線香？」那個人說話又更小聲了，生怕被誰聽見似的。

「要用到浮水羅盤啊！這位小哥家的老爺事業可做得頂大，船要走那麼遠啊！若非糖郊，可就為南郊了呀！」那個負責招呼的夥計說著。

「嘿！你猜錯了，我是北郊的……」那個人正想誆他。

那個夥計立刻正色說：「小哥哥，您可別逗我了。北郊的人我哪個不認識，來我家買香買燭，都已知全了貨色，若您是北郊的朋友，怎會不知道我家也賣安針線香。」

那個人想了一下立刻改了口：「我家是南郊的合意興！」

「原來您的頭家是水仙宮新任爐主老爺啊！」那個夥計急忙請這個人入內：「快這邊請！」

那個夥計帶他走到一個櫥櫃前，這個櫥櫃很特別：櫃子是用楠木製成，中央有一個大抽屜，在大抽屜的上下左右，整齊環列著二十八個小抽屜。每個小抽屜面上都刻著《步天歌》裡所記載的二十八角宿名稱，由東方青龍的「角」，一直排列到南方朱雀的「軫」。

那個夥計問：「小哥家的商船是要打哪個方向去做生意？」

「向西北，去廈門！」他說。

夥計拿了針經本子，算計著方位：「西北金狗方啊！」然後打開了寫著「婁」的抽屜，拿出裡頭的線香：「這些便是你要的『安針線香』，是拜針羅神明用的。」

那個人看了看中間的那個大抽屜，抽屜上寫著「天市調和」四個大字，忍不住問：「那個『天市調和』裡，擱著什麼東西啊？」

賣東西的夥計忽然臉色一變，喃喃地說：「這裡頭的東西，不方便透露……」

那個人掏出四個佛銀：「這『四方如來佛』，不知可否打聽到裡頭的東西？」

「不行！不行！」那個夥計態度堅決。

那個人又亮出了一枚閃亮亮的佛銀：「這中央的『大日如來』只屬於爺爺您一個人的。」

那個夥計眼睛一亮，把嘴巴靠到那個人的耳邊：「好吧！我偷偷跟你說，你可不許告訴別人。這裡頭可是曾振明號的寶貝，又稱『五行線香』，是用五種奇物製成，分別為青、朱、白、黃、黑五色，這可是蘇萬利家行船必備的東西，蘇萬利裡有規矩，除了北郊的大福船外，其餘船家郊商不能賣。若今日不是見小哥哥手上這尊大日如來的面子，冒著被捲鋪蓋的危險，我也是萬不能把這五行線香賣給您啊！」

「爺爺快別這樣說，這你不說出去，我不說出去，誰知道你賣給我這五行線香！」那個人把那枚佛銀塞到夥計的袖子裡：「這如來佛祖會保佑爺爺福泰安康！」

那個夥計把佛銀捲進袖子裡的內袋後，偷偷打開了抽屜，把一包線香拿出來，這線香用毛頭紙包了兩層，夥計打開讓那個人檢視後，又把毛頭紙摺了回去，然後用鹹菜細繩線綁了兩圈，塞到那個人的懷裡：「小哥哥可別說出去，若是讓頭家知道我把五行線香賣給了別人家，以後我就只好去喝西北風了！」

「這是當然！」那個人拿起那包東西，就準備往店外走去。

那個夥計揮揮手說：「記得代我向李羽頭家、洪氾家長問聲好！」

那個人先是嚇了一大跳，這才噗哧一聲笑出聲音：「原來爺爺早就認出我的底細來，還在這裡同我賣獃，裝傻扮二愣子！」

李邦為父親守孝，幾乎掏盡了心力。依據清律，守完二十七個月孝喪，便可除喪，過正常的生活。期間蕭家男丁，不刮鬍、不剃髮，女子不化妝，不穿華服。而守孝期間，不修屋、不乘車，遇到過年不蒸糕，碰到端午不綁粽，幾乎所有人世間的歡樂，一夕之間全被剝奪。日子過得很快，轉眼就要到了除喪日，蘇萬利打算託人給父親的墳塚撿個骨，整理墳頭。

李邦叫下人們準備了祭祀的東西：牲禮、五味碗、簡單的水酒，然後在小銅爐上，插上三支曾振明號特別製作的線香。至於李羽與蕭伯父之間沒有血緣關係，但李邦的父親，生前視李羽如同自己親生的兒子，除喪這一天，李邦發了柬帖給李羽和文賢表哥，叫下人們燒幾道家常菜，在自宅備了素齋薄茶，準備好好款謝這兩人，鳴謝他在蘇萬利嚴制這段期間的匡助。李羽原本這段時間要打理去廈門的行李，想隨隨便便找個理由搪塞過去，但李邦送完柬帖後見李羽不動聲色，親自至李勝興裡邀請，三番兩次的催促與邀約讓人盛情難卻。李羽想了幾天後，還是決定權且吃個便飯。

一走進蘇萬利九開間本鋪，就聞到一種魔幻般的香味，李羽全身起了雞皮疙瘩，他左右張望了一下，終於記起那熟悉的味道，還以為人死而復生：「蕭伯父還在人世？」

「李少爺您愛說笑，老頭家已仙逝將近三年，是您過度思念了。」蘇萬利的家長曾振明說。

「不可能，我的確聞到了那氣味。是蕭伯父拿著陳皮，沾著我家的府玉白糖的模樣，我總記得他老是吃得津津有味……」李羽說著。

曾振明聽他這麼一說，緩緩說道：「原來少爺說的是這麼一回事！李少爺聞到的香味，是我曾振明家的『新味香』，裡頭主添了陳皮、諸柘皮。我們將這兩味細研為粉，摻於香粉裡頭，為了防止燒焦，這比例是特別拿捏過的。其次又添加了川七、甘草等味，都是活血化瘀、通鼻舒肺的藥材，所以聞到的人，會感覺特別的香、特別舒服。這是我家少爺特別囑咐我，依老頭家生前最喜歡的味道，來製作這等新味香的。」

「原來是這麼一回事！」李羽嘴巴雖然說得淡然，但內心深受震撼，心想這曾振明製香的功力，又更為精緻與深奧，若是小發財號再不取得「紅土沉」，恐怕會被曾振明遠遠拋在腦後。

眾人依序入座筵席，李羽坐在李邦的旁邊，另一旁卻是文賢表哥，他肥厚的臉，更顯出鼻孔的大，幾根鼻毛露出在鼻孔外，沾了一些鼻涕鼻屎，怎麼看就是邋遢不乾淨：「原來是你啊！我還想說蘇萬利這麼大的家子，請大家來吃這些狀似乾柴泥水的飯菜茶湯，怎麼還擋著客人用膳，原來全是在等你這隻崽子！」

「文賢表哥久等了，真是失禮！」李邦拿起一杯茶，站起身子：「我以茶代酒，向表哥和羽弟弟致意。」

文賢表哥哼了一聲，隨手拿起茶杯便隨意回了一句：「就算是你我不如親兄弟，口口聲聲一句表哥長，表哥短的，也該在商場上敬個兩三分。我們南郊的金記香燭鋪，打算給武殿後面那條街起個名字，神龕上總要有個像樣的觀音彩，我想用『金記』兩字，提個泰山石給街坊安個順星太歲，諸二弟應該不會反對吧！」

李羽知道表哥想藉安泰山石的事情，把街名改為金記，決心不讓他得逞，於是嘴裡說著：「文賢表哥為何這麼有自信？『金記』兩字就能招來順星財神？你們金記賣給庶民百姓的蘇合香，遜於我家的艾香；賣給上戶人家的芸香，又失色於曾振明的奇楠沉香。不知文賢表哥是怎麼計算這三家的輸贏。若要安個順星太歲，也得考量我們這兩家榜頭的，而不是繞了彎子，算計在金記這家榜尾的。」

李邦也知道文賢表哥藉機索討人情，淡淡地說：「父親仙逝將近三年，蘇萬利還在整頓，這香燭大街用誰家的名字，還不是那麼急迫，過些日子再說也不遲！安顆泰山石，還要挑日子、撿時辰，若是選錯了時機安下去，招來的可是衰神、煞神，而不是福神、財神。」

文賢表哥氣得臉紅脖子粗：「好啊！一個跟我打蠻橫，一個同我裝傻瓜，你們兩人一搭一唱，一人念曲，一人叫曲，倒也挺開心得意的。我們南郊都還沒拿出真實力，你們怎麼知道金記香鋪，不能搏倒你們兩家？不如就這樣辦理：以一年為期，看誰家賺得最多，一年後的下元節，賺最多的那一家，就負責給水仙宮的水仙尊王，添祝壽的香油錢，打理千斤的紅龜與壽桃，只要誰當了香贊大戶，就由這戶認了這條街名。」

「這樣挺好！不愧是文賢表哥，頗有英雄的氣概，說話絕不打彎子。」李羽也把手上那杯茶給喝掉：「敬表哥！」

李邦先是不說話，過了一會兒說：「我找表哥和羽弟弟來這裡，並不是為了商事上的拚搏，而是另外一件事情！」

接著李邦喚了一聲，一個女子穿著素服，自內廂裡出來。這人正是蕭家三姊妹裡的姊姊蕭念。蕭念踩著三寸金蓮，一路進到廳堂內：「見過文賢表哥！」她轉過頭去，睥睨了一眼李羽，也懶得跟他打一聲招呼。

「唉唷！這蕭家大小姐，愈發風姿綽約起來，簡直就是西施、貂蟬再世。」文賢表哥的鼻孔更大了，鼻毛隨著鼻孔噴氣豎直，簡直就像豬八戒進了盤絲洞，起了色心。

接著從垂簾後又出來一個人，那人正是蕭奴。她身穿素服，盤起頭髮，雖未施胭粉，但臉蛋白裡透紅，好看極了：「見過文賢表哥，見過羽哥哥！」

「奴妹妹許多日不見，不知可好？」李羽問了一聲。

「多謝羽哥哥關心，一切安好。不知上回送過去的剪紙窗花，可有給羽哥哥的事業帶來安泰吉祥！」蕭奴問著。

「託奴妹妹剪紙手藝的福氣，吉利行的生意是愈來愈好了。」李羽放下茶杯，好好地看了一眼蕭奴，她害臊得低下頭去。

李邦接著說：「家父生前最掛念我家姊妹們的姻緣，今日是除喪日，在父親的面前我也好做個交代。我打算將姊姊許給文賢表哥，奴妹就合了羽弟弟。在這宴席上也沒外人，大家就這樣訂下來，等選了個好日子，再來談嫁娶的事宜。」

文賢表哥看了一眼蕭念，他露出一臉色迷迷地笑容：「這當然好！」

蕭奴的表情驚慌，就像一個到河邊打水的尼姑，見到了赤身裸體的漢子正在洗澡，驚恐壞了戒規，巴不得轉過身子就往樹林裡頭跑。

「男大當婚，女大當嫁。這三郊互媒，是商場上的喜事！」李邦說著。

這時一個女子忽然跑了進來：「不行！不行，二姊嫁給羽哥哥，充做了正室，那我也要隨二姊嫁給羽哥哥。」

「阿嬌不可在此胡鬧！」李邦聽到後有點生氣。

「誰說王爺娶了個福晉，不能再納個側福晉！羽哥哥英俊瀟灑，比這個豬鼻子文賢表哥要帥氣多了，我不管！如果二姊要嫁，我也要當二姊身邊的『紅娘』！」這下蕭嬌鬧得更厲害了。

「女孩子家要懂得規矩！」李邦正色。

李羽拱了手：「嬌妹妹抬愛了，我不是張生，奴妹子也不是崔鶯鶯。我與蕭奴真心相惜，我心裡只有她，這心匣子裡已經藏不下第二個人了！」

「阿嬌小妹若是歡喜，嫁給我也成！」文賢表哥笑嘻嘻地說。

「誰要嫁給你這個豬鼻子，我與李羽哥哥相好，干你什麼事！」蕭嬌轉過身子對李羽說：「我是真心喜歡著羽哥哥，這才成全了你享齊人之福，沒想到你非但不領情，還這般拒絕我，澆我冷水。」

「夠了，阿嬌。你再這般胡鬧，我就叫下人把妳攆出去！」李邦拍了桌子，這才安靜了下來。蕭嬌哼了一聲，接著就橫跩了一下，氣沖沖地跺著腳，一路走到後廂房去。

蕭奴深情款款地看著李羽，李羽也這般看著她。蕭奴萬萬沒想到李羽會這般說，她心底那隻小鹿跳躍著，心頭那隻黃鸝高歌著。她知道李羽的心底已經藏不下第二人。

李羽說著：「我打算乘船去廈門一趟，打算去祖籍地，給祖先們上一炷香。等我回來台灣後，就送來庚帖，我和妳在天願做比翼鳥；在地願結連理枝。」

「臭死了！臭死了！這裡哪來的酸騷味！」文賢表哥見不得他們相好，忍不住叫出聲來。

這艘名叫「福興號」的糖郊大福船，緩緩駛出鹿耳門港，船邊由繚公以細竹掛出一長串紅紅的爆竹，海頭在官廳內祭拜娘娘之後，就命繚公劈里啪啦地將爆竹點燃了。船上一干人等士氣高昂：海頭、二副、正副舵公、正副阿班、正副繚公、頭碇、二碇、一千、二千、直庫，乃至大小水手全都各就各位。

伙長看了看針路，在針艙裡拿了小發財號提供的線香拜了一拜，請了經羅神。取過午陽水，順著方位下了浮水磁針，浮針轉了一圈後，漸漸指出了南北方。伙長擺開沙漏，點了長明燈，然後走出針艙。

海頭指著前面的海洋：「舵公將舵把穩，頭碇起碇拔錨，繚公將篷帆張滿，往『乾』的方位前進。」

舵樓內的舵公撐起了勒肚、壓了舵牙，動了虎尾，舵棹轉動。頭碇自狗牙托出繩索，眾人轉動盤車，繩索自水中捲揚起石碇和鐵錨。繚公忙著命令阿班，在船篷上加掛插花褲，補滿了風力，船尾的順風旗飄揚著，李羽和隨侍夥計站在艄面將台上，威風凜凜。李羽是第一次上船，多少是那麼的興致昂發，但這股興奮之情，很快就被沖淡了。隨著船兒離岸愈遠，感覺站著的地面沒一個穩固牢靠，原本李羽還意氣風發，不過一個時辰，就已經吐了兩回。

「頭家不諳水路行船，如果覺得不舒爽，就到官廳裡歇一會兒吧！」海頭說著。

李羽原本想應諾幾句，但才要開口，就覺得肚子裡的東西就要從嘴巴裡跑出來，立刻摀上嘴，直往內艙裡奔。

他臥倒在官廳占櫃上，李羽昏昏沉沉不知睡了多久，也不知福興號走了多遠，暈船的症狀卻不見好轉。夥計進到官廳裡，見見頭家的狀況：「頭家舒爽多了嗎？」

「澎湖到了嗎？」李羽說起話來氣若游絲，但仍不忘惦記著行船狀況。

「已經過了南大嶼、網垵島，應該快到媽宮港了！等一下我請總鋪廚子，燒炭爐煮碗稀粥給頭家壓壓腸子、墊墊胃，不然頭家可要把腸胃全吐出來了。」夥計說著，他轉過頭，發現藥袋擱在包袱外頭，這才想起了出門前洪氾家長交代他的話，他說頭家第一次搭船遠行，不知會冒犯哪種疾痼。原先頭家接過藥袋後並不在意，可能輕忽了這其中影響生死交關的要局，要夥計幫忙留意頭家的身體狀況。

於是夥計走到包袱旁，打開了藥袋，發現裡頭有數十顆藥丸，袋子裡還放了一張小紙，裡頭說明了各種藥丸的用處與施藥法，他核實了黑色的那顆藥丸，這黑藥丸又稱「行軍丸」，專治暈船症狀，他拿了出來：「頭家若是不舒服，洪氾家長藥袋裡放了治暈的良藥！」

「快些拿來！」李羽原本還信誓旦旦，自認身強體壯，絕對不會打開那包藥袋，這回兒不得不低頭：「我這頭暈目眩，反胃作嘔，難受死了！」

夥計自水艙內取來了一碗淡水，連同行軍丸遞給李羽。李羽二話不說，一口就嚥下了藥丸，這行軍丸是用當門子、珍珠粉、梅片調製而成，其中「梅片」就是龍腦，是相當稀有的藥材，李羽在水仙宮解厄香爐上聞過龍腦的味道，知道這藥材的珍貴。過了不多久，肚子裡那些會引起反胃的東西，好像被打通了一般洩了出去，頭暈的症狀也消散不少，雖然耳朵裡還是鼓脹脹地，但李羽已經能下床行走：「哎呀！是我太大意了，我這身體裡裝了什麼糍糊，肚子裡填了什麼秕糠，家長都已經幫我算計清楚！」

福船在媽宮港停了一些時辰後，又繼續向西北航行，這已經是出海後的第三日。這日夜裡行船，悠悠蕩蕩，一輪明月自東方海面升上天空，月光灑向大海。或許是月兒太明亮，使李羽整晚難以入眠，他心裡想著一些事情，想著想著就覺得神奇有趣，不知這「浮水羅盤」是如何模樣，這艘船的方向全賴著小小的一根指路針，這針經是圓是扁？是短是長？自己身為大頭家，可也沒見過這把戲，不如趁著月色正好，摸進針艙裡瞧他一瞧。他走出官廳，穿過貓籬，通過舵樓，從旁邊的甕牖小窗鑽進去針艙，裡頭點著長明燈，浮水羅盤和沙漏擺在針艙的正中央，伙長倒臥在一旁睡得香甜，趁著他鼾聲連連的時候，李羽湊前一看，忽然一個風浪打來，船身略略顛簸了一下，李羽踉蹌幾步，差點踩到伙長的大腿，他張開雙手平衡，就像在打猴戲一般，向前彈了幾步，總算站穩了腳步。但另一手卻插入浮水羅盤的金盆中，裡頭的午陽水，全被袖子的棉織給吸走大半，那根羅針就像擱淺的小船，靜靜地躺在金盆底。

李羽心頭大喊不妙，這浮水羅盤可是走船的關鍵，他左顧右盼，一時也不知道淡水放在哪裡，心裡想一想，外頭這麼多海水，取來充一些應該也沒有關係。他發現針艙內的長明燈旁，正好有一條繩索，旁邊擺了個木杓，他索性把繩子綁了木杓柄，慢慢地退出了針艙。繞過貓籬，許多海員都在占櫃上歇息，李羽鑽出了撐面，將台上只有一個阿班留守。李羽見到他，心底有些慌張，阿班身子正抵著牛欄，眼睛看著圓圓的月亮，見到李羽走出來，對著李羽說：「頭家你瞧瞧，這太陰是這麼的圓，這麼的亮。」

「那正是『海上生明月，天涯共此時』啊！」李羽心裡還掛念著浮水羅盤的事情，隨口說說話想藉機打發他。

「頭家！你想一想，是這月亮比較近，還是廈門比較近！」阿班問著。

李羽一聽此話，哈哈大笑起來：「我未去過廈門，也沒去過太陰。不知誰近誰遠，不然你覺得哪一個較近？哪一個較遠？」李羽知道阿班的心意，故意順著他的話應對，但心底還在想著要如何打發他的方法。

「如果是太陰較近，曾聞有人自至廈門來，卻未聞有人自太陰來！若是廈門較近，怎麼看得見又大又圓的太陰，現在卻不見廈門的蹤影？」阿班說著。

李羽就知道他會這麼問：「太陰裡住著是神仙，沒有住人。相傳太陰是出外遊子的守護神，若是你心底壓著思鄉病，指望著故鄉的親人，當你凝視著它，就不覺得故鄉遙遠了。」

「頭家說的有道理，這廈門是行途上的近，心途上的遠。太陰又大又圓，剛好可以塞到浮雲的心頭裡，廈門屋宇車轎、青樓茶館，使幾個銀子就能買個錦繡繁華，廈門大雖大但卻是不圓滿。太陰這一升起，更熟悉了我故鄉老母的面容。我在這船上待了幾十年了，幾乎都要忘記故鄉的模樣了！」那個阿班似乎想起了什麼，對李羽說著：「怎麼頭家這麼晚了，還不睡覺？有這性情與我這討海人在這將台上共賞明月？」

「我起來解個手！」李羽語焉不詳，支支吾吾打了迷糊仗。他邊說邊往水仙門走去，他拉開板門，下面就是黑壓壓的海水。李羽假裝解下褲襠，站在那裡方便，背著阿班，偷偷摸摸地把繩索套著的木杓，放到下面的海水去，然後撈了一瓢海水上來。

完成後，關上水仙門，又靜悄悄地走繞回針艙去。伙長依舊睡得沉，李羽看了看浮水羅盤，雖然木杓拉上來的時候不穩當，灑掉了許多，但木杓裡還有足量的海水，他將海水倒了進去，這才心滿意足地回到自己的官廳睡覺去。

李羽在眾人的嘈雜聲中驚醒，一大清早海上起了大霧，怎麼都看不見陸地，福興號已經在這個海面上糾纏了好幾個時辰。海頭、伙長及一干眾人圍在艄面。李羽被聲音驚醒後，披了一件袍子，出了官廳，也湊到艄面上看了一看：「發生了什麼事？鬧哄哄的。」

伙長端出浮水羅盤，指著上面的浮針，李羽一看大驚失色，浮水羅盤裡的浮針，就像一隻想咬自己尾巴，在原地不停打轉的小狗，金盆裡的海水蒸發了一些，底下沉澱了一些海鹽。

伙長怒氣沖沖：「誰謬了浮水羅盤，驚動了經羅神！」

李羽一聽臉色發白，小小聲地說：「是我！」

眾人一聽，盡皆譁然。

「怎麼會是頭家？」夥計打量了一下：「昨天早上頭家還暈沉沉地，怎麼會是你？」

「實在對不住，昨夜月色太美，一時難入眠，想起身走一走，於是就擅自入了針艙，不料一個顛簸，就動了羅盤水！」頭家愈說臉色愈白：「這下該如何是好？」

「頭家對羅盤做了什麼？怎麼金盆現在成了這個模樣？」伙長問著。

「也沒什麼！就午夜裡取了海水，然後放進去……」頭家說著。

「這下不好了，浮水羅盤一定要用『午陽水』，要在太陽當空下的正午時分，取淡水入盆。這夜裡取水，幽陰水鬼會附在水裡頭，這下浮針可全沒了效果！」伙長又驚又急。

眾人鬧哄哄的，夥計可也著急了。忽然想起了一個東西，立刻跑到自己的包袱邊，打開包袱，從裡頭拿出一盒五色線香。

「這是什麼線香？」李羽問著：「小發財號什麼時候做這樣的東西，我怎麼不知道？」

夥計有點不好意思：「這不是小發財號的線香，而是曾振明號的東西，他們稱為『五行線香』，是我特別買的。我難忘曾振明家的線香味，此番與頭家出海來，佯裝了南郊的夥計，去曾振明號補充些奇楠香粉，打算帶回老家分送鄉親父老，就正好撞見了這一檔。」

「這五色香有何作用？」李羽已無心再計較其他的事情。

李勝興的夥計拿出五行線香，一支黑色的線香的香腳上寫著「指路香」三個小字，他入針艙接過長明燈，點燃了線香，然後走出來：「或許曾振明號的東西，能救大家一條性命！」

閩粵沿海，海盜猖獗。以鄭七為首的海盜，蟄伏在汕頭外海北方的無人島上，時常再往北一點，打劫福建一帶往來的商船。鄭七的徒弟鄭一也是粵海上赫赫有名的海盜頭子。鄭七一年前擄了一艘仙遊出海的舢舨船，上頭有一對出海要至無人島採摘藤壺的父子。鄭七要他們為海盜效力，兩人皆不從，鄭七命令手下雞姦了兒子，把父親綁在主桅上幾個時辰，以索鞭抽打。不得已，兩人從此成了鄭七海盜集團的一分子。

鄭七的海盜船尾隨糖郊的福興號，一直跟蹤到了廈門灣外海，但這艘福船行徑甚為古怪，在大霧裡原地打轉了幾圈，很快就要進入遼羅航道，卻在虎仔礁附近轉了一個大圈，又退回到金門東邊去。這艘福船上不是有浮針、有水垂嗎？這樣的走法不怕擱淺、撞上礁石？這艘行跡詭異的大福船出了遼羅外海，不知是要打北向官潯、牛家村去，或南向美頭山、梧村去，再不然西向篔簹港，也不用一刻鐘的時間，海盜船卻跟了兩個時辰，那艘福興號仍舊停留在廈門灣外海。

鄭七心中不解，心裡想著，難不成這是一艘「疫鬼船」，立刻命令眾人收起桅桿上的海盜紅旗：「與那艘船保持一定的距離，航行到它的下風處，繼續觀察。」鄭七吆喝水手快速地收起篷帆，在廈門外的礁島間躲過來藏過去。

指路香點燃後，烏黑的細煙升起。感覺在無風起霧的狀況下，黑煙卻更濃、更明顯，海頭說著：「廈門春末霧多，四周無風，真不知要如何前進？」

他話才一說完，那指路線香的黑煙漸漸轉向西南，原來現在是吹非常細微，甚至察覺不到的東北風：「廈門一帶除了夏季吹景風或涼風外，大部分的時候是吹融風。」

若現在是吹東北風，這下就大致可以確定陸地已在正西的方向。前兩個時辰在海灣裡繞來繞去，現在總算知道了方向。海頭交代了繚公，篷杆上張滿了插花褲，但篷帆仍是垂低低地，眾人們原來還露出笑容的，現在只剩驚慌失措且失望的表情，福船在原地漂蕩了一會兒後，阿班急急忙忙跑到將台上：「頭家、海頭！不好了，不好了！水垂才放下一丈三尺就碰到礁石了！」

「真是糟糕，難不成這一帶就是所謂的虎仔礁，廈門有走船諺：虎仔礁，三個明目見，七個水下消。這虎仔暗礁三個露出水面，七個藏在水下，藏在水下的更是猛如白額虎。若是稍有不慎，就會撞上礁石沉船的呀！」

指路香的黑煙在空中轉出了幾個螺旋，忽然黑煙漸漸轉了方向，火點也亮了起來。眾人都可以感覺到風向略略偏移，且風速也變大了，這下篷帆上頭的插花褲來不及收，船速卻漸漸加快，海頭搓著手緊張了，在將台上大喊：「收帆！收帆！再不收就要撞上礁岩了。」

這下船上一片大亂，海頭忽然想到什麼似的，立刻叫了水手依序把壓鈔內的椪餅桶搬出來：「性命要緊，頭家對不住了，你這幾桶椪餅可要先下海了，讓船身輕浮一點，免得撞上水底暗礁。」

李羽沒有抱怨，畢竟這浮水羅盤，是自己用了夜裡的海水導致失靈，這妻子是自己捅出來的，誰也怪不得誰：「海頭不要再說了，你再說下去我都要羞愧死了。」說完便下壓鈔幫忙搬椪餅。

一桶又一桶的椪餅被推下大海，巨大的沉落聲拍擊水面，擊撞出巨大的水花，桶子並沒有下沉，而是隨著海水漂浮著。

鄭七這群海盜，看到船上丟下一個又一個的木桶，覺得非常奇怪，鄭七心裡也起了戒心，他見過這類東西，摸著自己的鬍子說：「這中間定有詭詐，那些木桶肯定是『水雷』，這種東西又稱『水底龍王砲』，上次摸到岸上，在泉州船廠外見識過它爆炸的威力。清軍水師將它們丟入海中，半浮水上，若有敵船觸碰，馬上就會大爆炸！大家要拉開距離，這艘船上藏有火器，恐怕是官兵喬裝成民船，要打擊我們。大家要小心謹慎，以免中計。」

隨著風勢愈來愈大，椪餅桶被丟得愈來愈多。最後合計下了三十餘桶，幾乎全船內全數的椪餅桶子都被拋到了海裡。李羽望著水面的浮桶，難免心情複雜。李勝興的夥計這時驚喜大叫：「大家快來看，這線香裡有根細針啊！」

海頭與伙長湊過來一看，指路香已經燒完，一根烏黑的細針從香裡燒了出來。伙長又驚又喜：「果然沒錯，是根烏鐵浮針，沒想到這北郊的『指路香』裡，安了這樣的東西。」

取了午陽水，拜了經羅神，伙長將這根烏鐵浮針下到金盆中，浮針轉了一圈，漸漸指出了南北方向。海頭終於鬆了一口氣：「眾人各就各位，方向出來了，補滿篷帆，監探水深，繼續前進。」

不到半個時辰，福船終於抵達廈門。李羽望著船內剩下的五桶椪餅，內心五味交雜。喜的是性命能夠保全，憂的是原本在廈門販餅的計畫，現在可全化為烏有了，他交代了夥計：「能保住這條小命已經是萬幸了，這五桶餅就雇一輛牛車，我要運回漳州，在謁祖時分送給鄉親父老。」

以鄭七為首的這群海盜躲得遠遠地，眼巴巴地看著那艘船入廈門港卸貨，鄭七心中更是疑惑，為了了解狀況，他派了兩個手下穿著常服，同搭一艘小舢舨，假裝是漁民自外海抓魚回返廈門港，特別打聽這艘貨船的底細。間諜船還在虎仔礁附近繞了一圈，撈了一個浮桶回來。

鄭七聽到間諜船從廈門港打聽回來的消息後，一掌重重地拍在牛欄上，命令手下打開桶子，發現裡頭裝的全是生米和椪餅，並非什麼水雷火藥，更是怒不可遏：「好啊！原來那是台灣糖郊的貨船，在這裡同我扮豬戲老虎。這許多年來，還沒有任何一艘船，能從我『鎮海大將軍』眼下逃走，爾等在此守候，大家等這艘船再度出海，我們肯定要它乖乖交出買路財……」

李羽一行人走訪了泉州、最後抵達漳州，隨侍夥計的原籍在石碼，與頭家的祖籍李家庄相距並不遠。夥計特別從石碼安排了一個「合興七子班」，在李家庄上酬神謝祖，李家庄裡貧戶頗多，大家都湊在村子前，領李羽自台灣帶來的椪餅。大家七嘴八舌，李家庄中的長者看著身穿華服的李羽，沒有人認識這個已經去台灣的李家子孫，一個耆老自宗祠裡拿出了祖譜，上頭寫著李家太祖爺爺的名字，方才確認了這層關係。

合興七子班連兩日演了幾場，李羽總覺得漳州這裡的南管戲，過於溫火，到了後期幾場都忍不住打起哈欠，盹起瞌睡來。突發奇想，想到在台灣也曾見「亂彈戲」，所謂「吃肉吃三層，看戲看亂彈」，於是拿了些銀子，要夥計在泉州另外找來兩個武生，穿著戲服與那七子班合演文武戲，也找來幾個泉州的樂師，敲北方的大鑼大鼓，力拚南管的噯仔品蕭。這樂器大牌合套，氣氛頓時熱絡起來，這群演戲的人也曾見過京崑劇目，早已喜歡那種雅部花部的演法，只可惜曲藝界門第頗深，誰都不敢妄自加戲，現在有李羽頭家帶頭搗亂，南方戲摻了北方的唱法，演起來大開大闔，包容了北方雜戲的氣度，又有南方戲曲的婉約。

眾人沒見過這樣的劇目，七子班原本不想和這兩個泉州武生同台，但礙於頭家使了銀子，若是在唱曲上輸給這兩個外場的，恐怕壞了合興七子班的名聲，七子大鬥兩個武生，只纏鬧個滿場飛、全場繞。

眾人在戲棚下吱吱喳喳，李家庄上上下下內沒人見過這樣的劇目，這七子班裡面還有人學起京劇裡的丑角，畫了個白花臉，鬧了個桃花過渡，惹得戲棚下眾人鼓掌叫好。

「這是哪種戲曲啊？我可不曾在泉漳廈見過？」李家庄的耆老談論著。

附近幾個村庄的戲班，聽到風聲也都趕來一看究竟，大家竊竊私語：「也不知這石碼的合興七子班這般能演，不如我們戲班也演這套戲！」大家商討著，以後酬神賽會也要如法炮製。

「這種七子加兩個武生的亂套戲以後要如何稱呼？」觀眾中有人提出了疑義。

「叫『合興戲』如何？」一個戲班的主子說著。

「不好！不好！這不是便宜了石碼合興七子班那群人了嗎？」另一個班主說著：「聽說這是台灣糖郊大戶李羽的主意，不如就叫『郊加戲』如何？」

「郊加戲……七子戲中加了兩角，南北戲目交加，是郊商祭祖加的戲，果然名稱很貼切。」底下各路戲班的班主都滿意地笑了。

從此「郊加戲」就在閩南一帶流行開來，最後訛音為「高甲戲」，成為這套令人印象深刻的劇種名。

這天清晨，烈嶼海岸漂來一個又一個的木桶，島上清苦的孩子們圍在海岸線上叫鬧著：「這是什麼東西啊？」

孩子們合力把桶子推上岸，一個烈嶼島上的耆老正好在附近閒晃，聽到呼聲湊過來看。孩子們拿了廢棄的船舶鐵錨，合力撬開木桶，裡頭第一層是生米，眾人見到後又驚又喜，這些米足夠他們吃幾日白飯了。接著打開第二層，看到一個又一個胖嘟嘟的圓餅，沒人見過這種圓餅，不知這些圓餅打哪裡來，也不知道這些東西是誰家的，更不知道這種餅叫什麼名字。

那個耆老檢視了木桶內，裡頭藏了張小紙，寫著餅的作法及吃法，孩子們等不及了，拿起這些圓餅大口吃了起來，大家都讚不絕口。

「以麻油煎煮！砂糖、麵粉、珠蔥。」耆老讀著那桶中的小字。

一個孩子問著：「爺爺，這餅叫什麼名字啊？」

他想了一下，搖了搖頭：「爺爺也不知道，這餅裝在桶子裡，就叫『桶餅』吧！」

眾孩子們興高采烈地抬著桶子往村莊裡去，嘴巴高喊著桶餅。從此「桶餅」就成了烈嶼糕餅店裡的主要商品了。

裝載完畢後，福興號緩緩駛出廈門港。糖郊卸光了貨物，包含僅剩的五桶椪餅，幾斤黃麻、生薑、蕃薯、靛染，現在回程改載了一些青絲、大繩，最重要是補了滿艙的「紅土沉」。李羽親自聞過那香氣，不聞還好，一聞都覺得自己要飛上天界，當起神佛，那滋味果然是人間少有。心底得意萬分，果然有了這一物，小發財號肯定要坐上府城香燭鋪子的第一號了。

海頭在甲板上指揮著，大家都士氣高昂。李羽頭家在廈門的藥局裡，抓了一帖行軍散，先行服下。

夥計包妥剩下四色的五行線香，也將藥袋收了起來。心想這趟走船還算順利圓滿，五行線香與藥丸，才各用去了一個品項，看起來往後若也這般順利，一路若沒有大風大浪，大約出個三日到五日就能返回台灣。

大船駛出廈門港，就這樣走了一天一夜，第二天早晨。在桅桿上負責瞭望的阿班急得大叫，指著遠遠的後方：「有海賊啊！有一艘海賊船跟著找們呀！」

海頭一聽，心頭一驚，跑到官廳裡拿了一個圓筒狀的東西，湊在眼睛上。

李羽擔心地問：「怎麼？」

海頭大驚失色，嘴裡嘟囔著：「是紅旗海盜！廣東福建外海最惡名昭彰的海盜，以鄭七為首，我的表哥哥也是走船的，去年被這群海盜斬斷了左掌。他們出獵時，船桅豎紅旗。」

李羽又問：「你這圓筒狀的東西，是什麼？」

「這是紅毛人用的『千里眼』，西洋的寶物，可日望千里。這是泉州買來的奇貨，不信頭家你自己瞧一瞧！」海頭將望遠鏡遞給李羽。

李羽湊在自己的眼睛前，看了一看，果然可以看得非常遠，他清清楚楚地見到一艘船，船桅上掛著紅旗，緊跟在福興號後頭，船上一群人站在甲板上，使著大刀，人人看起來都是凶神惡煞的面相：「哎呀！這可不得了，這些海盜要使多少銀子才不會靠近我們。」

「頭家想都別想了，鄭七海盜以殘暴出了名，不但要錢，還可能要命！」海頭急得像熱鍋上的螞蟻，海盜在附近的消息，很快就傳遍整艘福興號。夥計人正好在官廳裡，聽到有海盜的消息，嚇了好大一跳。正要收拾細軟，就見到那包五行線香，心裡冷靜下來，想著這裡頭該不會有什麼可以救命的東西吧？

打開包紙，裡頭四根線香，翻了一下，發現黃色的那根線香的香腳上寫著「驅賊香」，夥計嘴裡喃喃念起來：「驅賊？難不成是驅海賊的香？」

他趕緊將這支香拿到甲板撐面上，頭家見到夥計拿了一支黃色的線香，忍不住問：「你這回又是什麼東西？」

「驅賊香？」海頭看了看香腳：「小小的一支香，要如何驅賊？」頭家拿起望遠鏡再看了一眼，那艘海盜船又更接近了。這艘船載了重物，始終脫不開距離，現在也管不著那些瑣碎的事情，只好說著：「不管了，先把香點起來，看看有什麼效果！」

夥計用了長明燈的火苗，點起了「驅賊香」，船上頓時磺煙大漫，味道像極了臭雞蛋。海頭喊著：「唉呀！是硫磺味啊，這硫磺怎麼驅賊啊？」

鄭七尾隨著糖郊的福興號，在下風處緊緊跟隨。打算將上一次的難堪與掃興，在這一次連本帶利討回來。現在和福興號已在咫尺之距，正要下手，竟然就聞到前方飄來的硫磺味，鄭七這下又起了疑心：「怎麼會有硫磺味？難不成這艘船是隻戰船，是大清水軍假扮的？上頭有火龍砲？」

鄭七踱步了一會兒：「不對！不對！這是糖郊的船，手下在廈門港內是確認過的。」他停頓了一下，心裡想著若是官商聯手，要來打擊他們這群海霸王，也不是完全不可能。還是小心一點不會蝕本啊！之前廣東的水師提督，就假裝了幾艘民船埋伏在汕頭港外，船上安排了幾名砲手，擊沉了鄭七海盜的兩艘紅旗船，他們可是費了好大的力氣，才恢復過來，現在若是貿然行動，且那艘福興號真的是水軍假扮，那恐怕就要偷雞不著蝕把米了，鄭七急得對後方大叫：「保持一定的距離，不要輕舉妄動。」

眾人見海盜船慢了下來，又驚又喜。但海頭還是滿腹憂愁：「海盜以為我們船上有火砲，真是娘娘慈悲、水神保佑，謝天謝地啊！但這驅賊香總會燒完，大家加快速度，快些拉開距離。若讓那群海盜知道我們是狐假虎威，大家肯定是小命不保啊！」

鄭七跟了一段時間，果然不見對方開砲，且見那艘船拉滿了篷帆，加快了船速，這下更是生氣：「果然又在裝瘋賣傻，調笑爺爺，我鄭七可是人稱的『鎮海大將軍』，連東海龍王看見我，都要敬畏個三分。這艘福船上明明什麼也沒有，竟然施放硫磺煙，訛我們是帶砲的戰船。把我們看成什麼了，弟兄們，加速前進，給他們一些顏色瞧瞧。」

鄭七命令手下放了三支火箭，海盜船在下風處，因此火箭沒有射中福興號的篷帆，箭頭偏了方向，紛紛落入海中。福興號上眾人鬧哄哄，眼見驅賊香漸漸熄滅，海盜愈來愈近，眾人束手無策。絕望之餘，海頭命令阿班在船尾掛上五色媽祖旗。五色旗只有在媽祖生日那天才會掛在船尾，但若遇到大風大浪，船家也會掛出五色旗，祈求娘娘保佑。

「掛出媽祖旗是在討饒嗎？我鄭七可不相信這一套！」鄭七命令手下加速前進。

此時有個海盜水手在船邊大喊著。海盜們擠到牛欄邊，外頭一邊是晴朗的溫暖天空，一邊是布滿烏雲的陰冷天氣，那沖天的雨雲，就像從海底捲上來的大海嘯，一堵高牆阻擋著，讓人看了驚悚。那一頭烏雲天裡是一片陰冷，晴空與烏雲的交界處，倏地由天上降下三條水龍捲，鄭七見狀大喊不妙，急得大叫：「收帆！收帆！」

「娘娘顯靈了！娘娘派三條水龍要來收拾咱們了。」眾海盜喧鬧著。

「胡說八道，這個季節下些梅雨也是正常的事情，關媽祖娘娘什麼事！」鄭七嘴巴裡這樣說，但也不敢嘴硬，畢竟水龍捲並不常見，難不成真的是娘娘顯靈。

這一頭的糖郊福船也看見水龍捲了，船上眾人喜極而泣：「真是媽祖娘娘派了三條水龍來救我們了！」

海頭明知這樣危險，但也顧不得這許多，叫人張滿了篷帆，往梅雨鋒面裡駛去，海頭嘴裡念著：「娘娘大慈大悲，後有海盜的追殺。糖郊福興號今日若能得到娘娘垂憐，返回台灣後必當籌設祭儀大謝娘娘恩德。」

「哎呀！那條大魚要跑了。」海盜們嚷著。

鄭七一見情況不對，原本要收起來的帆又叫人張開：「裝神弄鬼的傢伙，我就要讓你們見見，孫悟空怎麼逃出如來佛的掌心？」

「啟稟大將軍，追進雲霧裡頭很危險的！」一個海盜指著那片梅雨鋒說著。

鄭七聽了很不開心：「虎追巨狐，同死於斷崖是老虎的光榮；鯊襲大鯨，同淺於沙灘是鯊魚的榮幸。我鄭七稱霸四海這十多年裡，還沒有人能從我眼下逃走。絕不能讓那幾隻仔肥羊逃走了，誰要是還有意見，就把他從水仙門裡扔出去海上祭東海龍王。」

兩艘船漸漸駛入那陰森，且巨大的滯留鋒帶裡，原本顯示吹西南風的鼓脹的船旗，現在也垂了下來，抖動了幾下後，橫旗豎面，又飄揚起來指涉成南風轉東南風。海水波濤洶湧，捲上來時約有三丈浪高，海水打在所有人臉上，眾人一臉狼狽。但災禍並沒有因此消除，海盜船鍥而不捨緊追在後，愈來愈近，也愈來愈兇惡。有好幾次衝撞了福興號的側身，最後一次衝撞時，海盜船退了兩個船身，但一股海浪捲過來，將兩船又推迎相送，賊船突向前來，鄭七站在將台上揮舞大刀：「快來向鎮海大將軍磕響頭，磕頭的有賞錢，不磕頭的豎子等著浮鹹！」

福興號上的阿班們一聽，摸著自己的耳朵，雙膝一軟，差點跪了下去。夥計在官廳內整頓物品，聽到外頭嚷著有海盜要跳上這艘船，慌亂中捲了自身的雜物，手中滾出了一支紅通通線香，他拿起來一看，香腳上寫著「擒盜香」三個小字，夥計看著香腳喃喃道：「之前有驅賊香，現在有擒盜香……」正要檢視清楚，卻發現包紙底下寫著密密麻麻的小字，都是五種線香的用法，之前並沒有特別注意，這下可全都清楚明白了。忽然心生一計，匆匆忙忙跑到外頭，跟海頭說了幾句話，海頭點點頭，招呼大家入艙避難。陰沉沉的天空，夾雜著閃光，幾道雷電打入海水中，更顯周遭的氣氛可怖。

「雷公和電母在上，拜託大慈大悲的電母娘娘端好明鏡，看清楚這世間的善惡，給這些賊人一點教訓。」阿班合掌向天際一拜後，就快步奔入官廳內，大家都在府城風神廟裡見過雷公的形象：袒胸露腹、背有雙翅、毛角三尺、臉赤若猴、嘴若長喙、足若鷹爪，左手拿鍥，右手拿鎚；電母則是相貌端莊，兩手掌鏡。

相傳雷公曾失手劈死孝順的五娘，玉皇大帝知道後，特別讓五娘執掌雙鏡，成為電母，替雷公把闖人間的真實善惡。雷公脾氣暴躁，但電母性情慈悲，雷公執鎚擊鍥，電母就負責掌鏡反射，雷電雙出，漫天雲雨裡霹靂交加，雷聲轟轟作響。

兩船交併，天空倏地打下一道閃雷，擊中了海盜船的主桅，高杆上頭起了火光，眾人驚呼連連，兩船才又分開了一段距離。過了一會兒，原本還下著毛毛細雨，終於止息。兩船仍在海面上僵持，這時福興號上頭升起一道紅紅的細煙，像一條紅色的毒蛇，盤旋在半空中。福興號上的大小人員，早已躲入艙內。

鄭七指揮著水手滅了主桅上的火，叫幾個壯漢拋出麻黃繩梯，攀附在兩船牛欄間，鄭七舉著大刀振臂高喊著：「屠了這群崽子，不枉我們紅旗海盜的名聲。」

三個壯漢率先攀過繩梯，人人單手揮舞著大刀，像猛獸一般怒喊著。三人躍入福興號的將台內，下過雨後的將台上特別溼滑，其中一個壯漢跌了一跤，但立刻又站起身子。那條線香引出來的紅煙，像一條致命的海蛇，繞著船緣飄散著。

三個壯漢先是聞到一股淡淡的茱萸香，然後底下是一股潑辣刁蠻的滋味，嗆得大家淚流不止，刺痛難耐，口鼻幾乎快喘不過氣來，剛剛跌跤的那個大漢喊著：「這是什麼鬼東西？」

「擒盜香」是用蝙蝠草、茱萸為外裹，底下兩層是兩種特殊的辣子番姜構成，這兩種番姜是來自遙遠印度的「斷魂椒」，和墨西哥的「地獄火」，其辣度、嗆度更甚眾人所見過的任何一種辣椒。曾振明號的製香師傅將斷魂椒和地獄火曬乾，然後連皮帶籽研磨成粉。製香時，師傅要全身浸過豬油，眼睛則包上五層紗布，閉著眼睛，倚靠感覺展香扇，而身上的豬油能防止辣子粉直接沾到皮膚。

「搞什麼鬼！」鄭七叫更多手下們爬過繩梯，他拿起大刀指著那個擄來當海盜的年輕漁夫：「你也給我過去瞧一瞧！」

一群人陸陸續續爬過繩梯，來到福船上。剛剛的那三個壯漢，雙手蓋著眼皮子，痛得在地上打滾。眾人來到福興號的將台上，一個帶頭的海盜叫嚷著：「這船上是誰在當家？施了什麼邪魔怪術？把我們家哥哥弄得這等模樣？」

船艙內沒有任何應答，正當大夥舉起大刀要威嚇時。一股紅煙又慢慢地隨著南風飄轉了過來，眾人先是聞到一股熟悉的茱萸香：「誰在這裡燒『辟邪翁』？」

「燒茱萸是沒用的，我們是紅旗海盜，不是鬼魅！」另一個海盜哈哈大笑起來。

忽然那個哈哈大笑的海盜覺得喉嚨刺刺的、乾乾的，還以為自己笑過了頭，岔了氣，乾咳了幾聲。結果一咳就停不下來。大家也都覺得眼睛刺痛，伸手要去揉眼睛，不揉還好，揉過之後更痛，就像是針子直接插到眼珠子裡去了。眾人一片哀嚎聲，這時有人大叫：「快找淡水來澆淋眼睛啊！這些崽子放了毒煙，要弄瞎咱們的眼睛。」

眾人就像是無頭的蒼蠅，瞎了眼的耗子到處亂竄，一個海盜按著大刀，摸索著欄杆走著，另一頭一個海盜也轉身過來，兩人背碰背。其中一個海盜心頭一驚，以為是福興號上的人，趁他們眼盲慌亂的時候打算來暗算他們，拿起大刀就朝那個觸感的背脊上撲砍了過去。

「唉唷喂呀！遭人暗算啦！」那個被砍了一刀的海盜喊出聲音來。

這時砍人的海盜才發現自己砍錯了人，正要嚷出聲音來，卻連連咳個不停，連張嘴好好說一句話的能力都沒有。

眾海盜一聽有人遭暗算，更是驚慌失措，拿起大刀互砍了起來。將台上頓時腥風血雨，一場殺戮。

鄭七看著手下在福興號上互砍，還以為是為了分贓的利益擺不平，自己內訌起來，又叫了十幾個手下過去。這下子更多海盜中了計，福興號上的海盜大叫著：「快跳入海水中才能保全性命啊！」這一叫嚷，海盜們全跑到船邊，噗通噗通地像一隻又一隻的水雞跳下水。鄭七一旁見手下紛紛跳水脫逃，大叫著：「凡跳水逃跑者，我鎮海大將軍絕不輕饒！」

但這一吆喝並沒有減少眾海盜跳水脫逃的速度，不到一會兒，福興號上僅剩幾具屍體，和在那甲板撐面上打滾的年經漁夫。

鄭七原本還不清楚是怎麼一回事，忽然聞到淡淡的茱萸味，這才面容失色，驚覺不妙：「原來是用了『擒盜香』，他們是北郊的船？不是糖郊？」

鄭七也曾聽聞過其他打劫台灣北郊商船的海盜，中了一種致命的毒香，叫做「擒盜香」，有些海盜還因此雙眼失明，從此不敢擅碰北郊船舶的主意。這福船打一開始就施放磺煙，迂行廈門灣時也見過船上冒出一條黑煙，鄭七老早就覺得奇怪，但始終沒有跟北郊的五行線香連結到關係，現在才察覺這一點，卻也為時已晚。

「他奶奶的，中了崽子的毒計！拉開篷帆。撤退！快撤退！」鄭七喊了幾句，發覺嘴巴乾乾的，喉嚨也開始刺痛，更是驚慌：「快一點！快一點！這些崽子放了辣椒毒香，手腳頓了些、慢了些，小心你們就拿眼珠子換泥毬！」

鄭七的海盜船拉滿了篷帆，就像一隻急著張翅起飛的賊鷗，天空這時仍舊雷電交加，不一會兒就落下一道紫色的雷電，那道雷打中帆面，海盜船上頓時起了大火，鄭七大叫：「滅火！滅火！真是遇到衰神煞星了，快點滅火啊！能不能熬過這一關，就看這一著了。」

海盜船上的水手已不多，爬上桅杆滅火的速度也變得緩慢，漁夫的老爸爸提了兩桶水到甲板上，心頭掛念著福興號上兒子的安危，冷不防踩了個空，跌個四腳朝天，兩桶水全都灑在地上。

「搞什麼鬼，笨手笨腳的！」鄭七怒斥了一聲。

漁夫的爸爸猛磕頭：「大將軍息怒，小的立刻就去提水來救火。」

「還不快去，難不成要我多踹你兩腳？」鄭七威嚇著他。此時兩船愈離愈遠，鄭七的海盜船在洶湧的海面上，熊熊地燃燒著。

「天要亡我了啊！」鄭七望了火帆一眼，一時沮喪。這時天空開始落下傾盆大雨，鄭七抬望眼，仰天長嘯，看著那大雨漸漸澆熄篷帆上的大火，心頭總算安定了下來：「老天總算要留我一條生路！」

不知下了多久的傾盆大雨，不知漂蕩多少天，糖郊的福船終於駛出了鋒面。二副糾著阿班們，把船上的海盜屍體扔入海中，那個年輕的漁夫已經氣若游絲。海頭命令阿班將他用繩索綁起來，身上的刀械器具也全都丟到海裡。那個年輕的漁夫受了「擒盜香」辣椒煙霧的刺激，又在艙外淋了一整天的雨水，得了風寒，躺在床上全身發熱。頭家看了於心不忍，從藥袋裡拿出了一枚「大青龍丸」給這個年輕的漁夫服用，這藥丸是用桑葉、桔梗、款冬花等藥材蜜煉而成，對於治療傷風感冒特別有效，過了幾個時辰，高燒退了，他眼睛也漸漸清晰，總算能開口說話了。那漁夫雖然是福建仙遊人，平時講的也是莆田的閩東話，但他時常將漁獲運至廈門一帶販售，因此會說流利的漳州話。

頭家看那個人，面容姣善，說話和談吐溫潤靦腆，不似大奸大惡之人：「見你的模樣不像凶神惡煞，怎麼也幹起這檔無本生意來？」

那個年輕的漁夫將自己的身世和遭遇一一吐實，頭家年紀與那年輕的漁夫相仿，但命運卻如此不同，不免嘆了一口氣，起了惻隱之心：「要不然你就跟著我到台灣去，在我李勝興的名下工作，只要在我底下工作，就能籌得溫飽，不愁吃穿。至於你的父親，還在鄭七那幫歹賊手上。要是有機會，我再託官府的水軍、福建的提督注意這檔消息。」

李羽說完便轉過身子對海頭說：「你就叫人幫他鬆開繩索吧！我看他也是個可憐人兒。」

海頭雖然臉上黝黑，身材壯碩，胸膛上還有幾道年輕浪蕩時，所留下的疤痕，但胸膛裡也有顆溫暖柔嫩的心，粗枝大葉的他，細聲說著：「這位小哥真是對不住，我這就叫人幫你鬆開束縛。」

海頭說完就立刻揮揮手叫住阿班，示意要他替漁夫鬆開手腳。阿班看到海頭眼眶裡紅紅的、溼溼的，忍不住調笑說：「海頭今天是怎麼了，您的眼睛在流汗啊！」

「今天風兒大，海浪高。眼睛裡吃了海水，鹽粒子滴在眼睛裡難受！」海頭狡辯著，鼻音漸濃了起來。

「我看海頭是眼睛吃了鹽，怎麼都鹹；心頭嚐了醋，怎麼都酸啊！」阿班故意說著，順手就解開了漁夫身上的繩索。

那個年輕的漁夫被鬆開手腳後，看了頭家一眼，感激涕零地跪在地上，抱著他的雙腿哭泣說道：「感謝大恩人！我黃進發從此為頭家的牛馬，此生不忘頭家的恩德！還請頭家救救我父親，進發此生必定肝腦塗地……」

「這是當然！這是當然！」李羽不斷重複著：「我一定會救你父親。」

「多謝頭家允諾，請先受我三個響頭。」說完，那個漁夫就咚咚咚地在地板上磕了三個響頭。

眾人聽他哭得傷心，心中難免激盪。李羽拉起他的身子：「你大病初癒，好好休息，再過些時候就要到台灣啦！你就放下心上的石頭，什麼都不要想！你父親也一定好好的，不會有誤差。」

夥計看了看進發瘦弱的臉頰，發黑的手指，問了一句：「你要不要吃些東西，我請廚子煨碗稀粥給你！」

「我吃不下！」進發說著。

夥計又看了他的臉色一眼，知道他除了擔心自己的父親，身體裡還有些毛病，夥計在台灣見過這些徵狀，便在頭家的嘴邊說了些話。頭家聽到後，臉色一沉，嘴裡說著：「若真是如此，那可不得了。」

夥計伸手到藥袋裡翻找一遍，終於找到了治病的藥丸：「就是這顆藥丸，吃下去應該就可以見效！」

頭家接過那枚藥丸，對著進發說：「你這身體裡頭，還有個病灶，吃下這顆藥丸，才能痊癒！」

眾人一聽，都不知道頭家說的是什麼病。只見進發乖乖吃下藥丸後，不到一刻的時間，肚子絞痛難耐，眾人遞給他一個便盆，他稀里嘩啦地屙出了一大堆髒東西。

「唉唷！是蛔蟲啊！」海頭見到那便盆裡白白的，蠕動的蟲體，忍不住叫出了聲音來。

「這洪氾家長準備的『化蟲丸』，果當有效……」夥計也看了一下便盆，這汙糞裡約莫三十餘條蛔蟲，想必進發肚腸裡的蛔蟲大致給清出了七八成，若是抵達台灣，再調養幾日化蟲丸的配方，包準將這些蛔蟲就能清理得乾乾淨淨。這化蟲丸內有鶴虱、玄明粉、大黃、雷丸等藥材，都是驅蟲良藥，特別是「雷丸」，是一種專剋人體寄生蟲真菌類。

「進發會這麼瘦弱，原來是肚子裡有蟲啊！」海頭特別交代廚子，熬了碗稀粥過來：「你與那群賊人為伍，吃不乾淨的肉，喝不乾淨的水，當然就會生病。來我船上當二副，包準你養得白白胖胖的。」

福興號的二副聽完後眼白吊了一下：「海頭見這位小哥長得白面乾淨，就把我踹到一旁涼快去了。」

「你在我船上也無作用，每天都只籌得與舵公那幫瞎混喝酒，要你們這群老酒鬼醉生夢死，倒不如聘個白面的來船上做事，起碼還能看得清爽悠閒。」海頭抖出二副愛喝酒的糗事。

眾人聽了都哈哈大笑，海頭從廚子手中接過那碗粥，再將粥遞給進發，進發痾乾淨了肚子裡的蛔蟲，頓時食慾大開，吃了一大碗白粥，配了三條魚乾，他從來不知道，原來白粥與魚乾，竟是這樣的人間美味。

午後通過了網垵嶼，再過一些時辰，就要抵達台灣島。正舵公原本就是一個酒鬼，心裡想著反正就快抵達鹿耳門港，索性就在舵樓裡喝起酒來。副舵手理應規勸舵公辦理正經事，但很不湊巧，副舵手也是個愛喝酒的人，兩人就這樣嘻嘻哈哈地，在舵樓裡一杯接著一杯豪飲起來。

伙長守著長明燈，聽著船外的海浪聲，心想這福船筆直地往鹿耳門方向駛去，既沒有打量針路羅盤的位置，確定航線是否已經偏移，甚至連最後一次更換沙漏頭尾，上下倒置的基本工夫也都省略了。錯誤就在這樣一連串的疏忽之中造成，不到　會兒，船上負責打水垂的阿班，聽到水底鐵爪鏗鏘的響聲，正要大喊有暗礁，卻已來不及了。

船身忽然劇烈搖晃，船上各艙：東西官廳、東西貓簝、舵樓、針艙、阿班艙、繚公、舵公艙、總鋪艙、灶廚水艙全都感受到劇烈的震動。各艙堵經、頭含壇、大轉水、含壇鞋全發出了木材擠壓的聲響，讓人錯覺船身就要解體了。

「觸礁了！船兒觸礁了！」任職水垂測量的阿班在虛梢上死命地大喊著。

「怎麼會觸礁呢？」海頭匆匆忙忙拿出望遠鏡，跑到甲板撐面上，四處打量張望著，他先是低頭看了看船底下方，水花拍著船側，隱約可見礁石從透明的水底露出一寸在水上，礁石之間的魚蝦也清晰可見，船身就這樣不偏不倚，卡在兩個天然礁石所形成的溝槽之中。他交代阿班：「去看看舵樓裡出了什麼事？為何船會偏離方向？伙長又在做什麼，難道針路又出了什麼狀況？」

阿班跑入艙內四處喧嚷著：「觸礁了，我們的船觸礁了！」

海頭一一檢視四方的景況。西南方有一座島嶼，遠看形狀似貓，依據行船的經驗，海頭心中也有了底，他喃喃地說：「離網垵不遠。前方應該就是大小貓嶼！」

所謂「貓嶼」是由大貓、小貓兩個礁石島組成，貓嶼附近的海徑並非行船的主要水道，因此很少船隻會抵達這裡，貓嶼東北方有個柱狀的岩石，又被行船人稱為「貓乞」，夏季的貓嶼，成千上萬的海鳥會來這裡棲息，下蛋，加上此處鮮少人煙，因此成為海鳥的天堂。

船身現在卡在兩個淺水的暗礁的溝槽上，船身隨著外邊擠入礁溝的海浪略微晃蕩，但仍是無法前進，要是湧浪再大一點，或許能讓船身浮出去。

經過那陣劇烈的晃動後，舵公打翻了酒杯。這下又聽到阿班的呼聲，才察覺自己犯了過，原本微醺的臉更紅了。

海頭氣得哇哇大叫：「又是那兩個酒鬼壞了事情！」

三年前，一個春日早晨的大霧天裡，船出鹿耳門港，舵樓中的兩人喝得酩酊大醉，結果整艘船偏了方向，一路撞上北門嶼，擔貨艙內嚴重進水，船上好幾石的青糖全都泡了湯，氣得海頭命人把兩個人扔下水。之後雖然稍有收斂，但如今又再犯，海頭臉上現在已經浮出青筋，握緊拳頭且全身發抖。

李羽和夥計全湊到船上，看著漫天飛舞的海鳥，依稀可聽見貓嶼上聒聒的鳥鳴，壯觀的群鳥飛舞景象、衝擊峭壁掀起的巨浪，不禁心中激盪：「好美的景致啊！」

兩人看著這樣的景象，不知不覺就到了日頭略微西沉的時刻，百鳥歸巢，李羽想著自己人生的種種，現在只差幾步路程就能到家，但他仍有家歸不得，心中自是百感交集。身為糖郊之首，眾人欣羨，但總覺得人生欠缺一份安定的感覺，就像這行走在水面的船，浮浮的、浪蕩的，不安全也不踏實。

李勝興裡負責計算貨物數量的工人，走到家長洪氾的面前：「照家長的意思，盤點庫房裡的品項，但有十二樣東西，並未敷實，其中包含：麻索短少了三條、白糖短了七斤、斗笠少了七頂、『張生釜』

少了一只……」

洪氾聽到張生釜這三個字，立刻說著：「這張生釜少掉的那一只，是我給了頭家隨侍的夥計，那個不算短漏，庫簿上的碼子就給劃去註銷了吧！」

「是！」工人說完，就用硃砂筆在庫簿上點了碼，註記銷了帳。

所謂「張生釜」是一個蘇萬利幾十年前開始販售，相當特殊的五金鍋釜，之後隨著兩家鬮分，而歸入李勝興名下。鍋釜製作方式依照《天工開物》裡的描述，將生鐵燒至櫻紅色，倒入摻入老壁石灰泥捏形塑的外模裡，然後加上內模，等候冷卻。鑄造後反覆以木棍敲打檢查質地。鑄匠巧手製成的圓鍋形狀，下鍋是「凸」字形的鍋子，外觀就像關外滿人用來煮酸菜白肉的火鍋，在中間一根如煙囪狀的地方是注水開口；上鍋是「凹」字形的鍋子，同樣也只有內凹處有開口，使用時先在下鍋中注入海水，然後將上鍋倒蓋過來，蓋在下鍋之上，利用蒸餾的原理，將水和鹽分離。這種鍋釜是依據「張生煮海」的神話故事加以命名，因此又叫做「張生釜」。這種鍋釜原本用在特殊的煮滷製鹽方法上，但雍正頒布禁止私人製鹽的命令後，這種鍋釜就被廢棄不用了。

管理水艙的阿班急忙跑到撐面上：「不好了，不好了。剛剛的大震動，把水艙裡十幾桶淡水給搖翻了，結果廚房寄放在水艙裡的五袋米，全都泡了水。現在船上的淡水已經不多，米也受了潮！」

「水艙裡的水桶不是都有綁繩子嗎？怎會搖翻了呢？」海頭在夕陽下，垂下拿望眼鏡的手，有點驚訝地說著。

「剛剛那個震動實在太大，水艙裡的隔木已經變了形，結果勾在隔木上原本拉得緊緊的大索，因為隔木變形而鬆脫，水桶自然就翻倒了。」阿班解釋著。

「派人檢查船艙各處，除了水糧外，船身內是否進水！」海頭叫嚷著。

眾阿班分頭檢查，不一會兒各處返回稟報，除了水艙廚房有變形外，娘娘神像前的香爐翻倒、東貓籬的地板裂了個縫，其餘都沒有損失，船也沒有進水。

只見夥計轉過身子對海頭說：「海頭不用擔心淡水的事宜，我和頭家出門前，家裡的洪氾家長已經交代了我們，帶一個特殊的五金鍋釜出門，這個鍋釜就叫『張生釜』。」

夥計入官廳裡拿出張生釜來，海頭第一次見到這樣的鍋釜，感覺頗為新奇。夥計交代了用法，海頭便命人自下方取來海水，在撐面上升起炭火爐，分餾出淡水來。

海頭不禁讚嘆：「洪家長真是厲害，深謀遠慮，連這樣的事情都算計到了，我行船這麼多年，今天最是無話可說！」

海頭命令阿班和廚子將泡了水的五袋米，搬到撐面上來，一部分曬太陽，一部分煮稀飯。這天煮了一大鍋稀粥，分給大家食用，墊墊肚子。海頭又叫阿班將正副舵公用大繩捆起來，拉著一條繩子，將他們兩人懸空吊在船首，海頭說著：「若是我們無法脫身，就把你們兩人拿來祭水界！」

至於怠惰的伙長，在頭家的同意下，決定扣發半年的工資辛錢，以茲懲戒。

「不敢了，不敢了！海大哥、海老闆唷！就饒過我們吧！」副舵公懸在半空中叫喊著。正副舵公被懸在船首，像兩個肉粽吊在空中，下方就是尖銳的礁石島。

「不行，你們兩個酒鬼常給我壞事，現在哭什麼都沒用，若不給你們些顏色瞧瞧，還當我這船上是青樓酒家，想喝什麼、吃什麼、睡什麼都不用拘束。」海頭滿臉怒氣站在船首上說，但卻小聲地撇過頭去跟廚子講：「等會兒那兩個殺千刀的，叫累了，喊渴了，想喝水就拉他們上來給他們哺水，想吃粥就拉他們上來給他們餵粥。」

「海頭真是刀子嘴，豆腐心啊！」李羽正好聽見他與廚子的對話，忍不住說出口。

海頭嘆了口氣：「這船上眾人都與我共事數年，海上行船險惡，大家早已經親密如一家人了，是朋友也是兄弟。弟弟犯過，哥哥生氣幾天也就罷了。頭家也別怪我裝腔作勢，這走船撞上暗礁，攸關大家性命，不給點懲戒方法，以後恐難維持秩序。但若要我真的端正他們規矩，心中又多有不忍啊！」

「我知道！就照你的方式處理吧！」頭家微笑著。

到了黯黮的傍晚，海水略微退潮，礁石露出更多。原來船撞上這個礁石島，已經是在潮線最高的時候，海頭心中更為擔心：「這下可糟了，若是海潮不夠高，我們的船恐怕難以脫身！」

頭家和夥計兩人面面相覷，也知道這事情的嚴重性。海水幾乎退去後，礁石島浮出水面，眾阿班在星夜裡拿著火把，到礁石島上找些海味。一些人用魚叉捕了困在礁池內的臭肚魚，另一些人則在礁石洞上徒手抓到了一些螃蟹，又有另外一些知水性的阿班，潛入礁島附近的水域，獵來了不少的龍蝦、旭蟹。眾人趕在午夜大潮再度來襲前，返回船上。

廚子升起炭火，用張生釜分餾出了淡小和粗鹽，淡水拿來煮海鮮，粗鹽則抹在臭肚魚身上鹽烤，特別是有毒的背鰭，全上了一層鹽巴，然後插在木條上。雖然海鳥是在白天覓食，但船上飄來陣陣香味，仍吸引了數隻海鷗飛來福興號附近盤旋，一群阿班守在船邊，拿著竹竿揮舞驅趕飛鳥。炭火微微地烤，木條上的魚肉滴下魚油，香味更是濃郁；眾人自鍋中撈出水煮的龍蝦、旭蟹。不一會兒甲板撐面上便展開了豐盛的菜肴，每個人都期待著這樣一場歡樂的夜宴。

海頭命令阿班將正副舵公拖回船上，鬆開繩索，兩人臉色發白，身子發抖，廚子依照老方法煮了葛根、麻黃、生薑、桂枝等藥材，讓兩個舵公解解風寒。

「看你們兩人幹的好事！原本我們早該到鹿耳門港了，現在全卡在這裡動彈不得！如果我們還有性命活著回去，到明年下元節前出的船，決定都不給你們工錢了，你們就在這船上做些苦差事來贖罪！」海頭說起話來心底還有氣。

正副舵公跪倒在地上，猛向頭家磕頭賠罪。頭家見他們兩人今天也受了不少苦，把他們拉起身子來：「事情已經發生了，也就算了。你們兩人還是要思考如何解決此事比較妥當！今晚大家都累了，不如就好好地享用大餐吧！」

進發來到船上，清了清喉嚨，唱起了一曲閩東漁歌。眾阿班們拿起鍋碗瓢盆、碗筷水杯，隨著進發的歌聲節拍敲敲打打，大家都沉浸在歡樂的氣氛之中，卻不知道一場大災難即將來臨。

大家過了一夜，不知是受了夜裡的寒氣，還是吃壞了肚子，船上兩個阿班一早竟然泄痢不止。夥計在藥袋裡找尋適當的藥丸，依著藥袋裡的小紙說明念著：「因飲食積滯所致，腹肚脹痛，下痢赤白，服以『木香檳榔丸』即可緩和症狀。脈象洪大可下此藥；脈象浮大不可下此藥……」

「施這藥丸還要把脈，這船上有誰會把脈啊？」雖然夥計曾在古井藥局學過一些把脈的技巧，但許久沒了作用，心底還是怕怕的，不敢妄自把脈，夥計因此大聲嚷著：「有誰會把脈啊？」

正舵公很不好意思地走到夥計旁邊：「我會一點把脈的技巧，不如讓我試一試！」

「你會把脈？」旁邊的李羽聽到後又驚又喜：「你在這船上掌舵，哪處學來把脈的技巧？」

「不瞞頭家說，我是鎮東門外竹篙厝陳家的子嗣，祖父陳玉瓊是幫人看牙齒的郎中，我從我父親那裡學來了把脈的技巧。」正舵公娓娓道出故事來，原來雍正即位初期，陳玉瓊就在東門城外，搭竹篙厝替人看牙行醫，若遇貧戶還不收任何費用，口耳相傳，都稱陳家是積善人家，當朝的趙知縣知道了，便頒了一個「齒德可風」的匾額，要掛在這陳姓人家的竹篙厝中，從此大家就稱這陳家的竹篙厝行醫館為「德高厝」。

林爽文事件時，北上要與莊大田會師的陳靈光大軍，殺到府城外的德高厝，陳大將軍因為牙痛而停滯不前，舵公的父親傳承了祖父陳玉瓊的手藝，也幫人看牙治病。陳靈光大軍知道這件事後，把舵公的父親擄到營帳內，脅迫他要替大將軍治病。果然陳靈光的牙病不出三日便痊癒了，大將軍便把一路上從鳳山縣掠奪來的財物，分一些當作給陳家的賞銀。

林爽文事件結束後，清廷對參與事件的人全都加以虐殺殆盡，陳家人為了避風頭，散盡了家財，全數分給德高厝鄰里，因而能止住了所有人說話的那張嘴，保全了一條性命，最後他還叮囑鄰里將「德高厝」改念為「竹篙厝」，想逃避殺身之禍，父親也因此韓康洗手。陳家老父為了怕將來會有個什麼閃失，只傳了兩兄弟把脈技巧，未傳天仙麻沸散和拔牙的技術，從此中斷了三個世代的治牙醫術：陳家哥哥到古井藥局底下當脈師，弟弟對醫藥沒有興趣，就在這船上充作了舵公。

正舵公對兩個阿班把過脈後說：「脈之沉浮，病之深淺。『浮脈』為病之在表，如水漂木，如微風吹鳥背上毛，厭厭聶聶，如循榆莢；『沉脈』主裡證，如綿裹砂，內剛外柔；如石投水，必極其底。他們兩人脈象初來乍到，感覺浮如漂木在水，浮大中空，感覺為『芤』，但仔細斟酌後，拍拍而浮是『洪脈』，來時雖盛去悠悠。與『浮脈』輕平似捻蔥，虛來遲大豁然空，浮而柔細方為濡，散似楊花無定蹤不同……依我所見，他們現在出現的正是『洪脈』。」

經舵公確定後，可施用「木香檳榔丸」，廚子燒了兩碗淡水，那兩個阿班稀里呼嚕就將棕灰色，如綠豆般大小的五顆木香檳榔丸給吞了下肚，下痢的症狀果然改善了。

過了兩天，還是沒有想出脫身的辦法。米也快吃完了，炭也快用盡了。每天所見，還是無聊的海水，頂著無趣的藍天。頭家臉上抹了皂莢水，坐在板凳上，一個阿班亮出閃閃的剃頭刀，在官廳裡幫頭家修乾淨鬍子。船上鼓譟的聲音愈來愈大，副舵公都知道這一切是因自己而起，船上雖然有張生釜，但若沒有炭火做為火源，光有這樣的鍋釜，也是巧婦難為無米之炊。正當大家議論紛紛的時候，廚子急忙跑到海頭面前，說了一些話，海頭臉色凝重起來：「真是這樣？」

海頭尾隨廚子到艙裡頭，掀開米甕一看，剩下的生米果然都發了霉：「都是那次撞擊後米粒泡了水，沒完全曬乾的緣故，這下可糟了，現在全都發了霉，不能吃了。」

生米發霉的消息，很快就在船上傳開，眾人士氣低落，一個阿班無奈的說著：「再過幾天我們就要餓死在這船上了！」

「怎麼會餓死，你每天在這裡都有蝦蟹可以吃，應該開心得很！」另一個阿班說著。

「有龍蝦有什麼用，你沒聽到廚子說船上快沒炭火了。」那個阿班一臉憂愁地說著：「況且每天蝦蟹海鮮，我吃得心底也煩膩了。你看看天上的海鷗，像不像一隻熱呼呼的烤鴨！」說著說著，那個阿班的口水就流了下來。

副舵公愈聽愈心傷，明知道阿班們不是在說給自己聽，卻怎麼聽都像在指責自己的違失。他到水艙裡拿了個大木盆，脫光了全身的衣物，僅留下一條短褲，一片白布遮住自己的要害，短褲後方沒有合襠，褲布捲在腰際，露出了兩個圓鼓鼓的屁蛋，他二話不說帶著木盆跳入海中，獨自一個人往貓嶼的方向泅泳而去。

「副舵公落水啦！」船上的人驚叫聲此起彼落。正在官廳裡剃鬍子的李羽頭家，正在艙內察看米糧的海頭，全都跑了出來。

「他沒事游泳去那裡幹什麼？」海頭拿起望遠鏡，看到他抱了個大木桶，游在往貓嶼的半途中：「還帶木桶，這是何解？」

副舵公登上大貓嶼，島上發出一股鳥的腥臭。原來是島上早已積滿了厚厚的一層鳥糞，這島上除了偶爾出現的海蛇外，鳥類幾乎沒有天敵，海鳥也沒見過陌生人，因此並不懼生。

副舵公在島上收集了幾百顆鳥蛋，心想也應該收集一些木材，充作船上的柴火，但找了好久，岩壁上有草，底下有海菜，除了海鳥從遠方的島嶼叼來的樹枝所築的鳥巢，幾乎找不到合適於燃燒的柴薪。副舵公轉身就要回頭，忽然發現地上一塊又一塊的鳥糞石，白裡透黃，心裡想著不知道這些鳥糞石能不能當柴火？於是順手攏了三大塊在木桶之中。

大家看到副舵公泅水回來，船上響起了熱烈的掌聲，沒想到他能游那麼遠。回到船上後，廚子檢視木桶，發現裡頭幾個鳥窩，裝著百餘顆鳥蛋，雖然破了一些，但全部煎過後也夠十幾個人吃了。

「這是什麼？」海頭拿起鳥糞石，一陣奇怪的味道撲鼻而來：「哎呀！是臭鳥屎啊！」

「或許這些鳥糞，可以當木炭來使用！」副舵公說著。

海頭於是命人將鳥糞石剉成細細的粉末，混合在鳥窩拆開的樹枝裡，然後添加到炭爐裡，那火焰不但沒有滅掉，還燒得火旺，鳥糞中夾雜著燐質，火焰就像是祝融廟火神爺爺的鬍子，又長又茂盛，火舌衝出了五寸多高，而且完全沒有濃煙。眾人被這樣的熱度嚇退了一步，海頭卻是滿心喜悅，至少炭火有著落了。

煎鳥蛋、配龍蝦，又這樣過了三日，船上的阿班又開始抱怨起來：「已經幾天沒吃到白米了，我們什麼時候能離開這個鬼地方？」

「誰知道？」繚公拉開篷帆繩子，讓阿班們能把洗過的衣物掛在上面曬太陽，原本船上的木炭就已經相當的珍貴，但現在有了張生釜和鳥糞石，將這海水日夜不停的燒煮，很快就把水艙內的淡水桶子裝滿了。阿班們終於能好好洗個澡，換洗衣服。

每燒一次張生釜，負責煮水的阿班，就要用鐵勾刮一次黏附在下鍋裡的煉鹽渣子，這海水愈燒愈多，沉積也就堆疊更多，好幾次都將粗鹽燒焦，冒出了濃濃的煙霧。這一回負責燒水的阿班摳了一摳內鍋，鐵勾竟然硬生生刺穿了張生釜，這下子可全都報廢了。

「燒了這麼多次海水，鐵鍋早就不堪使用了！」頭家不但沒有責怪阿班的意思，反而理解這樣的事情：「只是我們再不想辦法脫困，恐怕大家都要死在這裡。」

這天早上，海水剛退，繚公就招集幾十名阿班，腰繫一面大鼓，帶著大索到礁石島上，眾人將大索綁在船尾，試圖用人力拖拉的方式，把船拉出礁石溝。

「我打一聲大鼓，大家就用力拉！」繚公手按腰鼓，拍了一下。

吆喝一聲後，眾人一拉，船身挪動了一下，但船底和礁石之間摩擦，發出了巨大的嘰嘎聲。海頭奔上將台大喊：「不可以，大家快住手，船底會破洞的！」

這一喊叫，眾人的熱情就像被澆了一盆冷水。夥計在官廳裡整理行囊，發現包袱裡最後兩根五行線香，一支白線香，一支青線香。白線香的香腳寫著「聚鷗香」，夥計心裡想著，北郊出船用這聚鷗香有什麼作用，但這仔細一回想，才記起北郊船舶出海時，往往會有大批海鷗相隨，人都說海鷗是媽祖的信使，大夥見北郊的船舶有海鷗聚繞，還以為船上的阿班拿了小魚乾餵食，才引來這群「媽祖信使」護航，給了北郊出船的好彩頭，現在想起來，原來是用了「聚鷗香」。難怪這包裝裡，白香擺在最上頭；青香擱在最下頭，原來這五行線香在使用上，還有先後順序。

外頭有一個阿班呼喊的聲音，那個聲音愈來愈大，他好幾天沒吃到米飯，血糖降低，滿眼昏花，他拿著羅網往天空拋撒，嘴裡嚷著：「烤雞在天空飛，烤鴨在天空飛，烤鵝在天空飛，大家快來幫我用羅網攔住那些雞鴨鵝！」

夥計走出官廳，看了看天空，什麼也沒有，海鷗飛得遠遠地，沒有靠近。夥計到針艙長明燈前，點燃了「聚鷗香」，白煙嬝嬝，聞起來像是青鱗仔魚，或像是小丁香的味道，天空立刻聚攏了大批的海鷗。那個阿班躲到篷帆後面，等到大批的海鷗飛下來時，撒了羅網，一舉就攫抓了十幾隻海鷗。

「牠們可是媽祖的信使，不能吃牠們！」夥計拿出白線香，天上的海鷗又聚攏過來，夥計趕緊用手掐熄了點燃的香頭，海鷗才又散去：「吃了海鷗，媽祖娘娘可是會生氣的。」

「我知道！我知道！」那個阿班邊說，邊露出一個詭異的笑容：「你說是這膀子好吃，還是腿子好吃。加些滷水，醬料、蔥、薑、蒜，乾煸或醬烤都好吃……」

海頭大喝一聲：「你這個龜蛋，是給海龍王要了膽子，敢在娘娘信使上動歪腦筋，還不快放了這群海鷗！」

阿班被這海頭如獅般的一怒吼給嚇怔，一會兒後總算清醒過來：「我拿這羅網做什麼？」網子內的一隻海鷗，無辜地彎著脖子看著他，那個阿班立刻大叫出聲音來：「我怎麼會抓到這麼多的海鷗？」

海頭入艙將發霉的白米拿出來，全撒在甲板上，過了一會兒，天上數百隻海鷗湧到甲板上，吃著那些發霉的白米。那個阿班拿走羅網，網子內的海鷗跳了出來，和同伴們一起吃乾淨白米後，拍拍翅膀就飛走了。

這天夜裡，鳥糞石也剛好燒到只剩下一枚。廚子對海頭說：「夜裡風浪大，若不去貓嶼取些鳥糞石回來，大家恐怕夜裡要吹涼風了。」

之前取來的糞石尚多，每晚都會在甲板上用小爐子生火，給眾阿班們取取暖，大家每天晚上看星星、抓龍蝦，也不知道度過多少天了。

海頭看了看四周：「夜黑風高的，船上哪還有人敢死？我看還是明天一大早再出主意！」

正舵公聽到後，羞赧了起來：「海老闆，就讓我們兩個罪人去貓嶼上採集糞石吧！」正舵公指著他和副舵公兩人。

「天黑水冷，你們兩人下水，會凍僵的！」海頭看著他們，心底總有些不忍：「明日太陽出來了再去也不遲。」

「沒有關係的，只要備妥兩袋烈酒，我們願意做敢死！」正舵公拍拍胸脯說著：「當真是走船於海上的漢子就不怕死！」

海頭勉為其難地說：「好吧！」

有了上次的經驗，他們兩人準備了兩支沒有點燃的火把，用布沾了蠟油，包裹住火把前端。兩個羊皮酒袋裝滿烈酒，然後拿了燧石與火鐮，擱在木桶裡，兩人脫光了身上的衣褲，就逕自泅泳到貓嶼那頭去了。兩人上岸後，用燧石和火鐮點燃了火把，拿起火把對峭壁一照，底下海水裡數以萬計的青鱗仔魚，因為趨光而跳躍出水面，一時蔚為壯觀。

副舵公喊著：「你瞧瞧底下的石洞，像不像海龍王的水晶宮？」他拿出羊皮酒袋，打開袋頭的頸口喝了一口甘甜的醇酒。

「美極了！」正舵公拿起火把一照，底下青鱗仔魚又跳出水面，魚的身體反射光線，頓時和滿天的星辰相互輝映。

正舵公也打開羊皮酒袋喝了一口：「人說台灣多番俗，熟番好飲酒，諸如：姑待酒、老勿酒、頊刻酒、椰子酒、甘蔗酒、蕃薯酒、檳榔酒……我們兩人以酒誤了事，今天就在這裡當國子監祭酒的乾癮，瀝酒以祭四海水神。」

說完，正舵公便將手上的烈酒灑在地面。正當兩人沉醉在這幅美景中時，地面忽然一陣大搖動，先是一個下沉，正舵公手上的火把掉到峭壁下。他驚聲大喊：「是地震！」

接著是左右的平移，貓嶼上的成千海鳥受到驚嚇，往天空中飛去，副舵公被那群飛鳥嚇了一跳，手上的火把滾了一圈，火把掉到旁邊的地面上，剛好碰到正舵公之前瀝酒的地方，而四周也都是堆疊深厚的鳥糞。在烈酒的幫助下，火勢愈燒愈旺，地面忽然開始爆燃起來。接著地面裂出一條縫，地下的毒氣冒了出來，火舌沿著縫隙向四處蔓延。

在船上的眾人見到貓嶼忽然冒出火光，又遇到地震的搖晃，尖叫聲此起彼落。正當海頭想拿出望遠鏡，來看一看貓嶼上的狀況，卻見到一股大浪往船身側邊湧過來。原來這個海底地震，引起了一丈高的潮差起伏，大浪墊高了潮線，船身就這樣硬是被擠出了礁石溝，眾人仰望著天，跪在甲板上流下淚水：「是大慈大悲的媽祖娘娘顯靈了，是水仙尊王顯靈了。」

船兒張開了風帆，眾人守在牛欄邊，望著已是熊熊烈火的貓嶼，感覺整座貓嶼都在燃燒，島嶼上的火勢實在猛烈，船不敢靠近，生怕一接近貓嶼，篷帆也跟著燃燒起來。原來海底地震把貓嶼上的厚鳥糞層震出一條裂縫，壓在糞土底下的沼氣隨之散出，若是正副舵公沒被燒死，現在也應該已經被毒死了。天空群鳥飛舞，火光照射在海面上，小底的青鱗仔魚在島嶼的四周跳躍著，大家看著這既詭異又美麗的畫面，心底都知道，正副舵公已無生還的希望，眾人面面相覷，緘默不語。

海頭擦去了眼角的淚水：「我們得救了，阿班上桅觀察風向。伙長打量針路，繚公準備補插花褌！我們就要回家了。」海頭隨後叫來進發，他強忍住悲傷對他說：「你就暫代副舵公一職，我會找一個熟稔舵樓作業的阿班協助你掌舵。」

船身退出了礁石溝，負責管鐵錨，打水坓的阿班急忙拉動繩索，但總覺得鐵爪好像勾到了什麼東西，變得又沉又重：「糟糕！鐵錨勾到東西了！」

「勾到什麼？是礁石嗎？」海頭也緊張起來，他湊上前一把攫住了纜繩。船身已經退出暗礁區，這回可不能在這個節骨眼上出任何差錯：「兄弟們，大夥過來幫忙拉啊！」

大家死命地推著綁著水下石碇的繩索盤車，繚公如喪家犬般地哀嚎著：「砍斷纜繩，放棄石碇和船錨！如果再不截斷繩索，我們會永遠被困在這裡的。」

「對！不要冒險，砍掉纜繩好了！」海頭用力推著盤車，死命地叫嚷。

話還沒說完，眾人的力量，已經將鐵錨和石碇拉出水面，因為用力過猛，石碇騰出空中，重重跌落在甲板上，墜落後在擼面上打出了一個破洞。拉出水面的鐵錨，捲起一堆海水，水面底下冒出一大片氣泡，眾人一見大驚失色，一個紅通通的東西從氣泡裡衝出水面，那是一件漂亮的紅珊瑚。一個阿班立刻躍入水中，將那件紅珊瑚抱住，船上眾人趕緊拋下麻黃繩梯，讓阿班回到船上。

「哇！」眾人驚呼連連，看著這件漂亮的紅珊瑚，就像一個千手千眼觀世音菩薩，張開了數千隻手、數萬隻手，睥睨著這群死裡逃生，驚魂未定的眾生相。

第六章：龍虎井

來來往往的大船進出鹿耳門港，擔貨的、挑物的夯漢往來如常。福興號尾隨著其他大船，一路搖搖晃晃返回到鹿耳門港內，港內糖郊伙夫見到後，立刻燃放爆竹：「李勝興的頭家回來了！」「真的是福興號！去了那麼久，我還以為出事了！」李勝興家負責擔貨到手撐仔船上的工人們，站在碼頭上吱吱喳喳地討論著。

「李羽頭家是吉人天相，哪會有什麼事情？」另一個挑夫蹲在船塢上，一手拿著布巾擦著自己臉上的汗水：「聽說這次福興號載回來許多紅土沉，肯定能把曾振明香號打得落花流水。」

李羽登上碼頭，眾人團團圍住李羽，幾個糖郊內的商號頭家，正好在鹿耳門附近買辦，聽聞李勝興的大老闆從廈門返回台灣，全都來到碼頭上給李羽道賀接風。

李羽過了這麼多天，終於能腳踏實地，內心激動。或許是在海面上待得太久，才一上岸還感覺到地面略略地在搖晃，他眼角泛著淚光：「感謝諸位朋友這些日子的關心，此趟去廈門，感覺就如唐三藏去西天取經一般，歷經千辛萬苦，度過了重重的危機。千鈞繫於一髮，萬死而能得一生。找個吉祥如意的日子，我要與福興號的海頭一起給海安宮的媽祖、水仙宮的水仙尊王們上一炷清香。」

小發財號的老闆左瞧瞧、右望望，總算見到擔夫從福興號內艙裡，挑出一擔又一擔的「紅土沉」，碼頭上立刻飄散一股高雅渾厚的氣味。

「哎呀！真是香死人了！」小發財號的老闆閉上眼睛，靠著鼻子嗅了一嗅：「這紅土沉香極其深厚，香郁馡馥、重而不侵凌、濃而不妖豔，翩然優雅，香氣渾然天成。猶如幽林裡的蕙蘭、草原上的龍抱柱、綠野的一線香啊！」

李勝興家載回紅土沉的消息，立刻傳遍了府城大街小巷。眾人日夜守在武殿後那條大街上，等著小發財號的新味香上市。過了幾天，小發財號門前擺開了鮮紅的線香品項，另有紅土沉香粉、沉香片。附帶販售精緻的貔貅銅香爐、用來盛裝木屑沉片的明月鎏金蓮花香爐、祈祝生子得男的熊羆雙耳香爐，各式沉香爐具琳琅滿目，不勝枚舉。頓時紅土沉香成了府城大街上的貴戶人家極品風味，這紅土沉香一路賣到今年下元節前一個月，仍未見人群自小發財號門前消散。

李邦走出曾振明號，看著小發財號前門庭若市，臉上一抹笑意：「這羽弟弟果然還是找到了做生意的方法！」

曾振明裡的老夥計也走了出來，對李邦做了個揖：「頭家果然還是放不下心，不然也不會刻意要卑末我，把咱們北郊走船自用的『五行線香』，賣給糖郊李勝興家的那個年輕夥計。」

其實李邦早就觀察很久，尤其是李勝興家的夥計，打從西來庵開光坐殿那一日，誤打誤撞買了曾振明家的線香後，從此就成了曾振明號的老顧客。眾人也都心照不宣，任憑這夥計來曾振明店裡光顧。

「你可能會覺得我奇怪，我李邦至少也是個堂堂北郊的領首，不幫襯親朋、也不幫襯好友，偏偏去襄助一個糖郊，以前互稱是兄弟，而現在卻是商場上的敵人。或許認為我鄉愿，但我的心底始終還留著一絲遺憾與虧欠，畢竟蘇萬利與李勝興原來就系出同源。」李邦轉過身子，就要進入門可羅雀的曾振明香鋪中，他知道若是對李勝興趕盡殺絕，對自己的妹妹蕭奴是一種感情上的戕害，畢竟她與李羽已到了論及婚嫁的程度。李邦無意打擊李勝興，即使是糖郊弄來了「紅土沉」，可能危及曾振明的香燭事業，他都認為無所謂。李邦摸著自己脖子上的黑漆木牌，想著太公在病榻前的遺訓，太公李逵伸出手來在李羽手掌上寫出的「和」字，李邦沉浸在這些過往的回憶之中，既美好又無情。他深深地嘆了一口氣說：「我本將心托明月，無奈明月入溝渠！不知羽弟弟能否知道我這番情義？」

雖然有所感嘆、但也有所期待，他摸著黑漆木牌，始終不懂那上面的字義：三郊乃為「北郊」、「南郊」與「糖郊」，太公給這面木牌時，只有兩郊，還未有三郊。什麼東西叫做「港郊之駝」？什麼東西又叫「尤為公重」？

他摸了木牌一陣子，忽然一個叫嚷聲，吸引了李邦的注意力，他又轉回門前的階梯上。大街上的乞丐們吵嚷著：「李勝興的頭家要率員去水仙宮上香，聽說要拿出全府城最好的線香祭神啊！」

「那我一定要去聞一聞，這幾日大街上都飄散著紅土沉香味，把府城搞得像西方極樂世界一樣，現在又有新味香？那肯定是個絕妙的風味！」幾個新來的乞丐似乎忘記了自己身上的體臭味，反而期待聞到那些富戶人家才能匹配的香氣。

「不只這樣，還聽說李勝興的福興號，在海上捕到了一種『奇物』，打算帶到水仙宮敬獻水仙尊王！」剛剛那個乞丐，把在吉利行寶劍號外頭聽來的小道消息說了一遍。

「什麼奇物？」幾個乞丐面面相覷。

「聽說是如來佛的化身啊！」那個乞丐端起姿態，雙手扠在胸前說：「是李勝興頭家受了水神的庇佑，此次出海撈到水晶宮裡的『寶物』。等一下就要帶著寶物，在水仙宮裡酬神。他們要點些長明燈，撥些香油錢，發落些賑濟的東西，說不定李勝興的頭家會大發慈悲，在水仙宮前分饅頭、米糧，救濟我們這些清苦的人。」

不只街上的乞丐們議論紛紛，就連負責勒索錢財的浪蕩者、江湖卜筮觀星的術士、街上演皮猴戲的說唱藝人，甚至是青樓上的娼婦都探出頭來，打算看一看李勝興酬神的寶物究竟是何物？

「喔！」李邦聽到這裡也不禁好奇，聽乞丐們所言，這回李羽去了廈門，除了帶回來紅土沉香，還發落了其他東西，李邦對香鋪裡的老夥計說：「去把曾振明家長找來，同我一起去水仙宮一探究竟！」

為了下元節將至，水仙宮裡早已人滿為患。李羽穿得相當正式，端正好衣冠，領著家長洪氾、海頭、繚公、阿班、李勝興的夥計長工等一干人等，浩浩蕩蕩進到廟裡，眾人議論紛紛。

只見一個李勝興的夥計呈上一個絹布蓋著的東西，他擺到神桌上，然後輕輕抽掉絹布，一個如火焰般美麗的紅珊瑚就展開在眾人眼前。

「哇！」眾人驚呼聲連連，從來沒有人見過這麼大的紅珊瑚，樸實自然的天工，展開的部分玉潤圓滑、收斂的部分寒芒色正，外形就像大慈大悲的千手千眼觀世音，手握有金剛杵、梵甲、寶印、寶珠等物，端坐大法輪之下，兩手當心合掌，垂憐著眾生。

「是觀世音菩薩寶像啊！」圍觀的老婦人流著眼淚，雙手合什。

「人說紅珊瑚是如來佛祖的化身，見上這一面更勝造了七級浮屠！」眾人沉醉在這般神蹟之中。

李羽拿出一支青色的線香，眾人沒見過這等顏色的線香，他點燃後一股優雅的清香立刻飄散開來。

李邦正好到了水仙宮外，聞到這個氣味，忍不住說：「這味道……」

「沒錯，這是五行線香裡最後的線香：『酬神香』。」蘇萬利的家長曾振明說著：「這線香裡頭有著墨西哥才有的香蘭花，南洋才有的碧血樹。北郊諸船依照慣例，都會將此香敬獻船上官廳裡的娘娘，還沒有人將此香拿來敬獻廟裡的水仙尊王！」

李羽拿著這支青色的線香，對水仙尊王拜了一拜，嘴裡喃喃：「多虧有這北郊曾振明的五行線香，信士李羽才能在這裡向水仙尊王們獻香。這天下第一香鋪子，果然為『曾振明』莫屬！」

李羽此話一出，旁邊陪同的小發財號老闆，臉上原本笑嘻嘻，倏地變成極為難看的面容，這幾日紅土沉香大賣，街坊上早已傳言武殿後的那條香燭鋪子街，遲早要叫「小發財街」，李羽頭家這席話，分明就是把小發財號從九霄雲外，直接打入十八層地獄裡。

「這麼高級的線香是北郊曾振明做的？李勝興的頭家又怎會拿在手上？」眾人不敢置信，大家議論紛紛。

「既然北郊有這麼好的東西，怎麼沒有對外販售？」大家你一言，我一語，眾人還是腦筋糊塗，不知李羽頭家現在隨口褒獎對手，還替北郊的線香樹立口碑，是什麼道理：難不成這裡頭還有拐彎抹角的成分在？

李羽拜了三拜，將青色線香插入香爐後說：「真正的好香就是這樣樸質無華，真正的大頭家就是這樣不四處宣揚，此趟去廈門歷劫歸來，讓我更深知李勝興尚有不足之處，而這府城裡的頭號香燭鋪子，非『曾振明』號莫屬。」

此話一出，眾人盡皆譁然。剛剛已經說過一次曾振明的好，大家只當是李羽頭家逢個人情，見見表面功夫而已。現在又褒揚第二次，分明就是故意說出口，而非無心柳成蔭。所謂「文人相輕、商人互仇」，在這官場上、商場上哪個不是同一款模樣，大商人鬥法，不是齜牙咧嘴就是面目猙獰。現在李羽頭家，竟然當著眾人的面前示弱認輸，實在也是個商場上的異類，販貨行賈界裡的奇葩。

「好漢子！」水仙宮裡的住持廟祝拍了拍手：「所謂和氣方能生財，知短方能補長。李羽不愧是大頭家，這裡說盡了曾振明的好處，倒顯出了李羽頭家的宰相肚！」

「此番出海，方知自己見識短、學問蹇滯。蘇萬利頭家果然了得，曾振明號雖是新鋪子，但製香能力早已讓其他兩家望塵莫及！」李羽說著：「再過數日便是下元節，我想這水仙宮贊香大戶的位置，就讓給曾振明去做吧！不知小發財號老闆意下如何？」

小發財號的老闆聽到後，一時臉紅脖子粗，原本想多說幾句，但糖郊的大戶領首說了話，自己只不過是個糖郊的小猢猻，製香的小鋪子，哪有餘地吭個氣，發個聲：「就聽大頭家的吩咐！」

眾人裡頭夾雜著北郊的工人，大家聽了拍拍手：「這武殿後那條街，就要叫做『曾振明街』了。」

正當大家歡欣鼓舞之際，一個熟悉的聲音喊住了大家的叫嚷聲：「你們就這樣決定了街名，是把我南郊的『金記香燭鋪』當成了乾貨死人了？小發財號的老闆平時說話聲如洪鐘，今日也不響一聲屁，盡在那掇李勝興頭家的熱臀，糞水憋在腸子底可是會得痔病的。小發財號真的頂得住？真的都沒意見……果然是花果山上美猴王打主意，水濂洞裡猴孫子不吭聲？」

轉過頭，眾人就見到今年又當選水仙宮爐主的合意興，他們當家的文賢少爺來到水仙宮廟門外，接著剛剛那些冷嘲熱諷的話繼續說：「李勝興這樣裝腔作勢，也不知道羞恥。」

眾人讓出了一條路來，文賢表哥領著七、八個壯漢，一臉凶神惡煞模樣，走入了水仙宮內：「你點的這是什麼怪味道，我還以為是誰家的臭腳丫味？連這等三流的線香也敢拿出來張揚，本大爺今天就讓大家見識一下，什麼叫做『好香』！」

兩個壯漢硬是走到神桌前，從包袱中拿出一支土黃色的線香，接著就在水仙宮裡點了起來。

廟祝住持一開始就覺得不妥，本想阻止，但礙於爐主要對水仙尊王上香，實在無理由反對，廟祝只能緊張兮兮地問一句：「這是什麼香？」

「當門子，我這組線香是金記特製的『合歡香』，要讓你們知道這府城裡，不是只有小發財號，和曾振明號會做線香。」文賢表哥邊說話，邊摳起自己鼻孔裡的鼻屎，挖出一團後隨意找了個方向彈出去。

合意興的壯漢點燃後，一抹輕煙自香頭飄散出來，這味道就是說不上來的怪異。四周圍觀的人愈嗅口愈乾渴，每個人都聞得面紅耳赤，一個看熱鬧的婦人見著四周了，驚叫出聲音來：「唉唷！你這男人的褲襠裡裝了些什麼東西？」

站在一個大姊後面的北郊工人，不知自己失了態，還貼得如此靠近，不知不覺那東西，隔著褲襠就抵住了前面大姊的大屁股。那個大姊回過身子賞了他一個巴掌：「登徒子！」

那個工人挨了一個莫名其妙的巴掌，低下身子一看才知其中道理。他褲襠裡的東西直挺挺地豎了起來：「唉唷我的媽呀！」他趕緊用兩手捧住了自己的要害，退出水仙宮。

文賢表哥笑了幾聲：「我這合歡香，可不是你們這幾個小娃娃，可以抵擋它的威風！」他看了一眼紅珊瑚：「我就要你見識一下，這觀世音如何鬥得過我們家的歡喜佛，要是聞過我家金記的合歡香，觀自在恐怕也要坐跏成為濕婆羅。」

圍觀的觀眾裡有一個懷孕不久的孕婦，她忽然臉色大變，肚子裡絞痛難奈，血水從兩腳間流了出來。眾人大叫：「哎呀！這兒有孕婦要流產了！」

洪氾家長立刻奔上前，折斷了香爐上的合歡香，熄滅了香頭：「快找郎中來，這未足六個月的孕婦不可聞到麝香，麝香會導致小產！」

水仙宮內頓時亂哄哄，李邦進到水仙宮內，他要求家長曾振明幫忙用布巾把孕婦抬出廟門。文賢表哥看了地上幾滴血珠子印，哼了一聲：「真是觸霉頭！」

眾人七手八腳把孕婦抬出水仙宮後，廟裡所有人全都被廟祝請到宮外，文賢表哥對李邦說：「蘇萬利已經除了喪，我打算找個好日子，將庚帖送到蘇萬利府上，我要風風光光迎娶蕭家大小姐。」

李邦看了文賢表哥今天的模樣，人不似人、魔不似魔，為了自身的利益糾葛，幾乎要變了個人形，忍不住抱怨：「文賢表哥還是要一番自重，所謂奸商重巧門、殷商重家門，若是在街上的大小買賣，都只籌個沽名釣譽，只想貪圖個蠅頭小利，卻壞了名聲大譽，那可就賠了夫人又折兵！文賢表哥未來可是咱家的大姊夫，蘇萬利家可不想玷污了自己的名聲！」

文賢表哥看了李邦一眼，語氣略顯不屑：「你現在是在指責我囉！」

「不敢說教訓，大家彼此切磋，他山之石亦可做為借鏡，沒有什麼指責不指責的。」李邦說著。

「文賢表哥為人心胸狹窄，所以人說東，你就妄想成西。蘇萬利的大頭家點個幾句，文賢表哥就耳後生風、鼻頭出火，恐怕有傷當今水仙宮三益堂主事爐主兒子的身分！聽說合意興裡頭原本應該文聖大哥做大當家，幾年前開始得了怪病，近年來也很少參加活動，我想該不會是文賢表哥給他下了蠱毒，打算謀奪合意興的大位？」洪氾家長故意譏諷他。

「你這是算哪根蔥？哪瓣蒜？此間還有你這個家中下人說話的餘地？」這些話正中文賢表哥下懷，文聖久病不出，府城商界早已耳語漫天，只瞧他氣得臉紅脖子粗：「羽老弟，你倒一旁涼快清爽。派個小嘍囉來這裡踏狗尾，你就安安心心地在那裡賞孤戲，也不怕人家說你李勝興閒話，忒恁了你們家欠缺富戶風範。」

「我們李勝興家做事一向端端正正，白閒著非議也不曾勝過文賢表哥在外狼藉的『名聲』！」李羽說起話來更是鋒利，盡往文賢表哥的弱點裡死打。

文賢表哥說：「光耍嘴皮子是沒有用的，要見到商場上的銀子才是真功夫！」說完，便帶著手下壯漢，悻悻然地離去。

李邦見文賢表哥走掉，心中仍是不安：「不知這金記香燭鋪子，還會出什麼惡毒的招數？」

「我看這幾日，三益堂若要辦理交際酬酢事宜，文賢表哥肯定會拿這件事情來說嘴。」洪氾家長補充：「他是非要武殿後面那條街，叫做『金記鋪子街』才肯善罷甘休！」

水仙宮的住持從廟裡，將紅珊瑚好好地端了出來：「李羽頭家就把這紅珊瑚帶回去吧！」

「我這紅珊瑚原本就是要借花獻佛，留在水仙宮中就算是給尊王們添添神氣，擺在這裡倒也無妨。」李羽說著。

「不！不！不！這可不行，紅珊瑚寶貴得很，善男信女都想沾這奇物的風采、強盜白天打它的算盤，宵小夜裡打它的主意，甚至是衙門裡的官爺爺們，也可能來廟裡轉來轉去，想趁機勒索一番，伺機摸回家擱在自已的書房裡賞玩！若是頭家硬是要把這東西置在這裡，老朽就是拴十條鐵鍊在身上，也綁不住這珍物啊！」住持沉思了一下：「楚莊王旁敲側擊問了周鼎的大小與輕重、始皇帝做藍田美玉盡為傳國之璽。歷代將相君王皆有符證，想要稱霸四方，總要有些東西做為憑據，紅珊瑚不如就做為三益堂霸主的證明！」

「這樣也不錯！」李羽瞟了一眼洪氾，又看了一眼李邦：「我這紅珊瑚就提到三益堂裡去分發下落吧！」

大家不知道李羽在打什麼主意，只見他命令夥計，接過紅珊瑚，將之包裹好，眾人就這樣離開了水仙宮。

文賢表哥氣沖沖回到合意興，散了眾人，自己獨自攀上了合意興本號的閣樓上，抵達這條街屋裡最氣派的房舍屋頂，屋頂上長滿青苔的瓦縫裡，立著十幾根樹枝，每根樹枝上頭各插著一隻的壁虎，看起來已經在太陽底下曬很久，早已曬成了壁虎乾，黑紫色的守宮屍體看起來令人作嘔，文賢表哥摘下壁虎乾，拿到樓下的灶房裡，準備替合意興的老頭家煎一碗補陽藥，他拿著團扇等著燒火，接著打發了家中的奴婢出了門，然後將壁虎乾塞入藥材中，取代原來藥帖裡的海馬乾，一併入砂鍋熬煮，為了讓藥效更好，又額外添加了吳茱萸、蛇床了、人參。

文賢表哥燒好陽藥，端到父親的書房中：「父親大人，這碗藥已經煎好了！」

「桂枝呢？怎沒見到她的身影？這藥怎麼是你在打理？」文賢表哥的父親問起奴婢桂枝的下落，早上桂枝已經在老爺書房裡，準備了一個小盤子，擺了兩顆鹹鴨蛋，文賢的父親最喜歡吃鹹鴨蛋了，而這些東西全是由奴婢在打理。

「一早就不見這死丫頭的影子，可能去哪個地方幽會年輕的漢子了！」文賢表哥東拉西扯，接著說：「別管那賤婦的死活了，請父親喝了這一碗暖水臟、壯陽道的『補陽湯』，裡頭有好多珍貴的藥材，今晚肯定能和阿姨魚水相好！」

父親望了文賢一眼：「這幾日你怎麼特別關心，我和你阿姨之間相好的事情，難不成這湯裡下了砒霜鴆藥？」

「父親說這番話不是折煞了孩兒嗎？我與文聖大哥兄友弟恭，與阿姨情同親生母子，前些日子阿姨特地教我一些做人的道理，她的教誨字字珠璣，可比針錐在我背上的刺，荻畫於地上的字。」文賢說起謊話來，臉不紅氣不喘。

「你拿這個婦人草包，跟岳飛的母親比！跟歐陽修的老母比！」文賢的父親哈哈笑了幾聲：「你阿姨幾斤幾兩我會不知情？你這嘴皮子上了西洋蠟，愈來愈油腔滑舌了，不過我聽得很是開心啊！原本這陣子還為了你文聖哥哥的事情在煩心，最近看你的表現，我就放心不少。」父親拿起藥碗，咕嚕一聲就把壯陽湯藥給喝下了肚。

出了父親的書房，文賢立刻又準備了一支棕褐色的線香，和一個白色的小瓷盅，走到文聖大哥的房間。

「誰！」文聖隔著門說話，他的聲音聽起來沙啞。

「是我，給哥哥送『芙蓉香』來了！」文賢說著。

文聖迫不及待喊：「快點進來！」

文賢推開房門，走進文聖大哥的房間，拿出了棕褐色的線香，順手就用房間裡的蠟燭替文聖大哥點上，然後將那白色的瓷盅放在桌上：「你一定要聞一聞這天界才有的奇香，若哥哥還嫌不夠，照慣例還有幾個丸子給你準備妥當了。」文賢說著說著，嘴巴像裂到耳後一般地笑開，幾乎都可以看見他臼齒上的蛀洞了。

所謂的芙蓉香，就是「阿芙蓉」，又稱「福壽膏」，也就是俗稱的「鴉片」：是摘自罌粟朔果裡流出來的白色汁液，使其凝結成膏體，生鴉片是黑色的，在唐代就已從大食國傳入中原，鴉片又被稱為「烏香」，生鴉片沒有經過任何處理，聞起來有一股尿騷味。高級一點的就製成「半熟鴉片」或「熟鴉片」，是以燒煮發酵方式，去除那股濃烈的味道，使之改變風味，變成淡淡的甜香，然後製成菸條，用紙包裹販售。鴉片在乾隆年間是完全被禁止吸食的，但長江流域以南已經有不少地區種植罌粟花，農夫們將罌粟花、罌粟嫩芽、罌粟籽挑至市場販售，花可用來觀賞，嫩芽能入菜，罌粟籽又稱「御米」，在藥局裡充作藥材，用來治療脫肛。

罌粟籽除了可當漢藥外，還能榨出罌粟油，在涪陵、忠州、酆都一帶常常當作為炒菜油來使用；在雲南、貴州一帶，甚至流行用罌粟花的朔果殼，置於鍋內熬出湯底，所以無論是罌粟花、罌粟嫩芽還是罌粟籽都能加以販售，栽種的農民往往能因此而牟得暴利。但在市場上，「鴉片」這毒物還是被禁止販賣和製造，因此大部分的鴉片，全來自海外的輸入，特別是從英國人那裡。

一開始，東方的瓷器、絲綢、茶葉在西方很受歡迎，但自不列顛進口入清朝的商品，卻一直不受一般民眾青睞。乾隆年間英皇喬治三世派了人使喬治瑪嘎尼，帶了五百九十件國禮，到北京商討貿易事宜，乾隆皇帝卻因大使不願向他行跪拜大禮，而鬧得雙方不歡而散，乾隆最後下令驅逐英國大使。

後來英國人發現走私鴉片有利可圖，於是想盡了各種方法把鴉片自印度走私到廣東，鴉片在英倫地區被用來治療疾病、壓抑疼痛及寧神鎮定，因此被稱作為「洋藥」，英國人四處宣稱抽鴉片的好處，誘引華人吸食。

各地官員看似查辦得勤快，但英國人懂得賄賂清朝地方官員，加上鴉片有讓人成癮的特性，有些官員陽奉陰違，白晝裡緝菸繳辦，夜晚就軟綿綿地躺在墊了綢絲絹毯的臥椅上，盡情地抽著英國人孝敬的福壽膏。很快地清朝的地方官員，就成了英國人手上操弄的傀儡，愈是查禁嚴格，愈是助長吸食歪風。鴉片逐漸由江南、閩浙、兩廣開始向內陸傳遞流行，台灣尚且偏安。但金記惦記著這股利益，透過南郊的商船轉了個彎，從廈門以南諸港口，引進來小量的阿芙蓉，用了一些來做成「芙蓉香」，另外一些就搓成小顆的「鴉片丸」。只有熟門熟路的顧客，才能從金記這裡買到含鴉片成分的芙蓉香。

「那我就先告退了……」文賢笑嘻嘻地看了一下文聖，文聖懶懶地揮了揮手，示意要他退出去：「這鴉片丸也擱在桌上了！」文賢望了剛剛的那個瓷盅一眼：「哥哥保重了！」

「知道了！」文聖有點不耐煩地揮揮手，文賢終於退了出來。

起先，文聖也不知道阿芙蓉是什麼，但自從三、四年前，某一天夜裡開始，從樓井外就會有一股淡淡的臭味，順著微風吹進開了窗的房間裡。剛開始沒有引起文聖的注意，但過了一個月，這股味道仍然存在，於是他便找了打理家中事務的文賢，問了事情的原委。

文賢誆了一個理由，說是街屋中央的樓井下，栽種了來自錫蘭的琉璃芙蓉花，這種花的汁液是用來做「洋藥」，又誆了聞過這種花味的人，就能強健體魄、延年益壽，其實是文賢早就知道吸了鴉片會上癮，於是命人故意在樓井裡種了普通的木槿、錦葵，又命人在文聖順風的那個房間窗子外，點了一支芙蓉香。文聖原本還有些疑慮，但只要出現這股味道的那個夜晚，他的身子就覺得輕飄飄地，整個人躺在床上，柔軟地就像一攤散灑在地上的水，慢慢地被蒸發，逸失到天空裡去，久而久之也就不再排斥這股味道。

到了一段時間後，文聖幾乎已經上了癮，從兩年前某個夜裡開始，窗外便不再飄來這股味道，文聖整晚徹夜難眠，脾氣變得易怒、暴躁、畏寒，感覺四周光線變得昏暗。這一天他終於忍不住，到樓井下去尋那朵打一開始，就不存在的琉璃芙蓉花，最後他只發現木槿、錦葵的蹤跡，用他的鼻子嗅過後，才確認不是這些花朵所散發的味道。

遍尋不著鴉片的他，忽然悵然若失、不知所措，毒癮又在這一時刻發作，文聖一時又急又惱怒，奔到大廳裡拉住文賢問了明白，文賢東拉西扯，最後假意羞愧的態勢說：「真是對不住大哥，金記香燭鋪子正在試驗一種奇香，就叫『芙蓉香』，就是用錫蘭傳來的琉璃芙蓉花做的，原本以為能有定神安眠的效果，但始終逸散一股惡臭的味道，我們還以為是失敗了，沒想到哥哥這般喜歡！」

「這香味乍聞之下，真的不甚好聞。但聞過之後讓人飄飄欲仙……」文聖臉上顯露了一股焦慮感：「你們真的都不再做那種香？我何時能再聞到那一味？」

文賢假意拖住下巴沉思，一會兒說：「金記原本已經捨棄了芙蓉香的製作，但如果哥哥真的不嫌棄那股味道，我每晚親自送一支線香到你房間，給你助眠！」

文聖喜形於色：「這樣很好，一切勞煩弟弟了！」

這樣又過了一年，文聖的毒癮愈養愈大，最後文賢還故意搓了幾個鴉片小丸，讓他服用，更添過癮的威力。到了最後，文聖幾乎成了廢人，老頭家多次發現文聖心神不寧，說話結結巴巴，還以為沾惹了什麼髒東西，請了道士到家裡頭淨淨晦氣，卻仍不見起色，於是就由文賢暫代了合意興家的商務，此舉正中文賢詭計的下懷。

後來文聖輾轉從金記香燭鋪子裡，每天晚上在窗口負責點芙蓉香夥計口中，知道鴉片的作用，這天夜裡就在房間裡等著文賢的到來，當他一踏進房間時，立刻起身就賞了他一個耳光，文賢跌坐在地，手上的線香和鴉片丸散落一地。文賢摀著臉頰，又驚又懼：「怎麼！」

「文賢你好毒的心腸啊！竟然用鴉片這種毒藥來誆我，說什麼錫蘭的琉璃芙蓉花，說什麼安神鎮定的洋藥，原來全是你的詭計！」文聖暴跳如雷。

文賢撿回了那些東西：「我還以為哥哥會喜歡，原來你不喜歡啊！既然這樣，我就讓哥哥眼不見為淨，這幾樣東西我拿走就是了。」

正當文賢要走出房間，文聖臉上神經揪抽了一下：「慢著！」他欲言又止，心底噗通噗通地跳著：「……你這東西先且留下來，我……需要冷靜地想一想。」

從那一天起，文聖就已鑄下了終身受鴉片茶毒的錯誤，文聖就怕父親擔心，於是都在他面前裝成若無其事的模樣，就怕戳破了文賢的詭計，再也聞不到這天上人間才有的獨特「香味」。

這天夜裡，合意興頭家的房間全打起了燈籠，文賢表哥的阿姨，也就是合意興頭家那個無名無分的愛妾，衣衫不整，下身沒穿任何衣裙，露出恥毛和下體，大步奔出了房間叫嚷著：「來人啊！快來人啊！頭家得了風症了！」

合意興裡的家長領著男丁，入了頭家的臥房，只見頭家也是下身赤裸，上半身還穿著綢羅衫，可見剛剛兩人還穿著上衫在相好，怎知這一刻，頭家嘴角就有些唾沫泡泡，身子輕輕地抽動著，躺在一旁不省人事。

文賢奔入房內，見到這股光景，張著大嘴，發出了像水雞般的怪異哭聲：「是床笫風啊！腹下死啊！老頭家可也在閨閣裡得了樂趣，所謂牡丹花下死，這下子不就死盡了、死透了，可也成了舒舒服服的風流鬼！」

眾人一聽，盡皆失色，不知這話裡頭說的是傷心，還是見獵心喜。家長不明就裡：「怎麼辦？可要請郎中先生來家裡看一看！這風症在合意興家中可沒人會醫治啊！」

文賢明知這中了風症的人，要替他舒緩手腳，也知道要按壓百會、曲鬢、肩井、曲池、風市等處，使腦中的積瘀消散，他卻用了相反的方法：「不必了，這床笫陰風屬於寒氣。把老頭家抬正，替他蓋上棉襖！叫人熬些熱補的當歸藥頭、人參枸杞給老頭家去去陰寒！過些時候自然就會好了！」

家長內心有些疑惑，似乎跟他所聽聞的治癒方法有所不同。文賢的阿姨，也就是文聖的親生母親，雖然長得手姿綽約，但卻是個不識大字的草包，只能光在一旁窮著急。

「怎麼？懷疑我啊！」文賢忽然正色起來。

「不敢！」家長說著：「就照文賢少爺的方法做吧！」

眾人七手八腳抬好頭家，只聽見頭家的鼾聲愈來愈重，就像是熟睡了一般，其實已經病入膏肓，文賢卻得意洋洋地說：「你們瞧瞧，我父親這回不是睡得挺香甜的。」

奴僕們在文聖的房間外來回穿梭，此時在房間裡的文聖，正在飄飄然九霄天外，渾然不知外頭發生了什麼事情。

水仙解厄日前，三益堂爐主起了會議。水仙宮歷經了三年，又過了北郊、糖郊，最後又輪回南郊擔任爐主，上回水仙斛選拔爐主，合意興和金永順仍是纏鬥到最後的「楚漢相爭」，不知是合意興運氣太好，還是水仙尊王們真的另有指示，最後合意興老頭家抓鬮羅漢錢，取了寫著「漢」字的紅布，竟然就一發中的，當選了爐主。金永順雖覺遺憾，但也只能一笑置之，不知道這一年來，合意興在市場上到處削價競爭，樹敵頗多，南郊內的同業早有微詞。

最近又逢文賢表哥掌握了實權，合意興更是到了氣勢凌人的地步，南郊商團內大小商賈對爐主多有戒懼，不滿的聲音早已到達了極點，就等某個時機爆發出來。發生了這麼大的事情，三益堂內瀰漫一股不尋常的氣氛。合意興的老頭家在病榻上整整躺了十餘日，救回一口氣後就終日尸居在家；文聖則是眼廓凹陷，略顯憔悴，和家長說話時眼神飄忽、說話全對不上口，眾人還以為文聖是因為父親遭逢遽厄，悲傷過度而失了心神，完全不知道文聖早已經是個不折不扣的癮君子。文賢假意這樣的機會，順理成章擺脫了父親的制約與哥哥的競逐，接掌了合意興頭家的位子。

三益堂上，合意興的文賢頭家，招呼下人們端上最好的茶點，文賢故意擺了闊綽：「我叫人準備了上好的肉燕！頂級的武夷茶葉。」

一旁南郊的董事，拿起筷子夾起一個肉燕，吃了一口，眉毛立刻揚了上去：「這肉燕裡的肉是什麼肉？好像不是豬肉啊！比豬肉更滑嫩順口。」

「這是鹿肉！」文賢得意洋洋地說著：「所謂仙人騎鹿，鹿肉乃是為仙獸，我這是託人自番人那裡購來的。」

南郊的大戶金永順頭家，與合意興老頭家是世交，見他兒子在這節骨眼上還在展示自家的威風，不禁搖了搖頭說：「文賢姪兒準備鹿肉燕、武夷茶雖然不錯，但是你的父親現在正在病榻上，不宜鋪張浪費，還要懂得分寸才能辦事得體！」

「林伯伯這樣說就差矣！我父親可還沒升天成佛呢？何必把這氣氛搞得像辦喪事一樣！」文賢這句話一出口，眾人盡覺得他不識大體，他又繼續說：「我這父親現在躺在床上，以前他總愛吃鹹鴨蛋，現在說不定已經打量要在蘇州城上賣鹹鴨蛋」！」閩南話中的蘇州與土丘同音，土丘是指墳墓，文賢故意把土丘講成蘇州，其心早已昭然若揭。

「……打從十日前，金記就開始販售『合歡香』，這一推出可造成了轟動，金記乃日進斗金，我想這水仙宮的香贊大戶，肯定是金記莫屬！」文賢繼續說著這些日子的商戰事情，眾人聽得略顯不耐。

李羽說著：「我這有一尊紅珊瑚，打算做為三益堂的『霸主之證』。」說完，便叫人把上回敬獻水仙宮的紅珊瑚，請進三益堂內。

「羽弟弟對我可真是好啊！」文賢表哥望了那紅珊瑚一眼：「你紅珊瑚大小，擱在我合意興正面大堂裡頭正好適當！」

「文賢表哥不必往自己臉上貼金，我這紅珊瑚，是打算敬獻給蘇萬利！我等海上驚魂數日，多虧曾振明的五行線香，才能脫離險境、化險為夷……」李羽將此次出海所遇到的種種情況，包含驚心動魄的海盜追逐、令人膽戰心驚的貓嶼歷劫，全都一五一十講述了一遍，各郊的代表聽得津津有味，大家都對北郊的五行線香很感興趣，最後李羽登高一呼：「下一回的水仙宮贊香大戶，是否能敦請蘇萬利擔任？」

「就這麼說定了！」北郊的兩個代表，率先自圓桌的「龍角」方位站起身子舉杯響應。

李羽沒有坐下：「我糖郊自是全力襄助！」

坐在虎角方位的另一個糖郊代表，立刻起身跟進，小發財號見糖郊內的兩個代表已經起身，這才心不甘情不願地起了身。

鳳角上的林交後人，金永順的頭家站了起來：「我也支持香燭鋪子街，就叫『曾振明』街，我雖身在南郊，但我公斷事情從不區分親疏遠近。你們看我雖然比各位頭家都要年長好幾歲，年紀也都與各位的父親相當，但我現在可是老驥伏櫪，滿肚子雄心壯志：我知道哪個店、哪個號賣的是人情義理；哪個行、哪個鋪賣的是眉睫之利。」

「林伯伯這麼說，不是給其他兩郊看笑話嗎？若要推舉，自當推我南郊的金記才是！」文賢表哥說起話來義正詞嚴，好像理所當然一般。

「姪兒可別以為我像你父親一樣是個老糊塗，你慫恿金記賣的不只『合歡香』，我聽說還有……」

「林伯伯決定支持誰，姪兒照辦就是了！」文賢趕緊出聲打斷金永順頭家的話，就怕私下賣「芙蓉香」的齷齪勾當，給金永順的頭家掀了出來。

「就這樣說定了，武殿後那條街，改明日就叫『曾振明』街！」李羽舉起杯子，敬了大家一杯。

李邦站起身子回謝眾人：「大家盛情難卻，我李某只好恭敬不如從命！」說完，便招呼夥計收下了紅珊瑚。

「這大街給了曾振明、贊香給了蘇萬利，好處全都讓你吃乾抹淨，至少要留些渣子給我。我這還有一件事情沒有了卻：我打算在這次水仙解厄日上迎娶蘇萬利的大小姐，不知邦弟弟能否成全？」文賢表哥說著。

「這可不妥！」李邦一聽，背脊發涼。之前沒能看穿文賢的品行，現在親眼目睹、親耳聽到，方知文賢表哥的人品極差，心中對當初媒介這段婚姻，懊悔不已：「所謂急事緩辦，事緩則圓。」

「邦弟弟這是什麼意思？你上回除喪之日時，不是還要我送庚帖到蘇萬利府上，現在我父親躺在病榻上，才需要辦些喜事來沖一沖，怎麼『唔頭食西瓜，半暝仔反症』，這商人無信是大忌……」文賢表哥一串如連珠炮似的話，讓李邦搭不上腔來。

「蘇萬利、李勝興家中都沒有長輩，我合意興的父親也正在病榻上，不如就三家聯姻，在水官解厄日上一起辦理大娶事宜吧！這拜堂之事，就在水仙宮裡舉辦！水仙尊王可比我們自家的祖先一樣，沒有水仙宮，就沒有三益堂；沒有三益堂，就不會有我們今日各自的成就！」文賢表哥大大讚美了水仙尊王一番，大家聽了也找不到反駁的話語，南郊的董事也跟著答腔。

李邦心中盤算著，若與李羽成了親家，可是極好之事。無奈後頭還有個文賢表哥，這兩門親事可是天差地遠，大為不同，一個招來笑面佛，一個惹來無常鬼，要他答應李羽這頭沒有猶豫，若是首肯文賢這邊可就百般不願。他推三阻四不成後，只好無奈地說：「我回去問過念姊姊的意見！若是羽弟弟要來送庚帖，我自當打開蘇萬利的大門親自歡迎啊！」

李邦返回蘇萬利後，將情況講給蕭念聽。但是蕭念早已對文賢表哥的形象有了好感，認為文賢表哥談吐風趣，出手大方，聽李邦說這些話，還以為是他在這之間作梗，故意破壞他的形象，和李邦瞎攪蠻纏之後，扯著非文賢表哥不嫁的理由胡鬧。最後李邦只好任由著她，答應讓蕭念嫁給文賢表哥。

新娘挽面、新郎剃頭，又是裁衣、又是安床，婚禮的籌備如火如荼進行。水官解厄日當天，蘇萬利、李勝興、合意興三郊大家，皆掛起紅彩大燈籠，三家選在此日聯姻，成了街坊津津樂道的話題。李勝興與合意興的媒婆，早在數日前就到了蘇萬利裡頭納采，然後在水仙宮裡問名，徵得水仙尊王的同意，合了雙方的八字，經過納吉、納徵、請期等手續，最後擇定在水官解厄日當天明媒大娶。

一頂大花轎清早載著李羽從李勝興家出發，花轎帷子為「喜鵲臨門」圖；另一頂大花轎，載著文賢表哥從合意興出發，帷子是「鴛鴦戲水」圖。兩頂花轎隊伍皆由手持連根帶葉青竹子，上頭掛一團肥豬肉，來驅白虎神的夥計領導著，沿路跟隨鼓吹手、叔爺、嫁娶，兩個隊伍後方都跟著一頂空的新娘轎，轎中放一碗轎斗圓、一碗豬腳，轎子後頭擱著一頂大八卦米篩，其中一個卦象故意多畫了一爻，變成七個，以免沖到了新娘大神。兩頂迎娶的隊伍幾乎同時抵達蘇萬利家門前，蘇萬利請家奴在門口撒了穀豆，驅除青羊、烏雞、青牛三煞神後，兩個新郎下轎步入蘇萬利大宅中。

在房間中，蕭嬌幫忙兩個姊姊打理妝容，之前她偷聽到媒婆們的談話，說李勝興、合意興同時迎娶蘇萬利家的兩個大姑娘，就怕搞錯了事情，新娘上錯花轎嫁錯郎，於是特別作了區分：蕭念的紅蓋頭繡的是「鴛鴦戲水」圖；蕭奴的頭紅蓋繡的是「喜鵲臨門」圖，這蕭念跟著進合意興的鴛鴦花轎；蕭奴進去李勝興的喜鵲花轎。

蕭嬌纏著李羽還有幾分心意，由愛生恨，心底有意要壞了這門親事，趁著媒婆出去外頭打湯圓的時候，陰暗的面容下露出了凶光，轉過身子還是笑盈盈地說：「二姊，我說大姊穿的是三寸金蓮，走起路來婀娜多姿，如果妳也穿了繡花鞋，大步豪邁地像男人般走出去，眾人可能會嫌妳是個天足大女啊！這台灣有俗諺：大腳女，嬈過山。妳不如墊起腳尖，學學大姊走路的樣子，才不會給羽哥哥在街頭巷尾添上閒言閒語！」

蕭奴想了一下，果然是如此。小時候看過一個番女，嫁給一個羅漢腳，走起路來像大番鴨，俗氣極了；大戶人家小姐嫁娶絕對不一樣，出門入花轎，總是輕手輕腳地，嬌滴滴地，不知是故意裝賢淑，還是本來就端莊，或許放慢腳步，可也留些秉性給鄰里街坊探聽。

「妹妹說得極好，我這就放慢腳步，跟在大姊後面即是！」蕭奴在梳妝銅鏡前抿了一下塗上胭脂的嘴脣，新娘便有新娘的扮相，哪個女子不希望出嫁之時是最美的模樣？

蕭嬌端正好了二姊的鳳冠，伸手拿出了鴛鴦戲水的紅頭蓋，給姊姊蓋上。接著大姊的頭蓋也被蕭嬌故意披上，蕭奴嚷了一聲：「這蓋頭巾順序對嗎？」

「沒錯！我見過媒婆的紙上是這樣寫的……」蕭嬌故意撒了個謊。

媒婆進到房裡，見了狀叫出聲音來：「唉唷！兩個大小姐怎麼逕自上了紅頭蓋了，這上蓋可要看時辰，都還沒吃過湯圓……」

蕭嬌擠眉弄眼，對媒婆示意：「兩個姊姊都緊張得很，這都已經上了頭蓋，她們急著要嫁。除了新郎之外，誰都不能再拿下頭蓋來！」

蓋頭底下兩個人同時噗哧笑出聲音來。蕭嬌使了個眼色給媒婆。

「哦！對對對，今天頭頂上都擱著新娘大神，蓋上頭巾誰也不許說話。新娘只管哭，哭得愈兇、愈淒厲，表示婆家以後會愈來愈富有，丈夫能夠賺大錢。」媒婆看了新娘紅頭蓋上頭已經有「鴛鴦戲水」與「喜鵲臨門」圖，又看了裙子底下，蕭奴踮起腳尖，裙角又剛好遮住了繡花鞋，媒婆心想這鴛鴦戲水圖底下，應該是三寸金蓮的小腳鞋，肯定是蕭念大姊沒錯，蕭奴現在心底歡喜，卻假意發出幾聲傷心的啜泣聲，媒婆聽到那哭聲：初聞時略微陰鬱，但氣息裡又有幾絲狂喜的成分，這回兒肯定是大姊錯不了，於是扯起大嗓門說：「對！對！對！就是這樣哭，儘管哭。如果都準備好了，就等大花轎來抬兩位大小姐出門啦！」

不一會兒，兩個小姐從廂房裡出來，男方聘禮上了椰子、檳榔、鳳梨、橘子等，女方嫁妝則回了檳榔、甘蔗、桂圓、芙蓉等物。

蘇萬利這裡已無父母，所謂「天上天公，地上母舅公」，自從蘇萬利巨變後，蘇萬利輩分最大的便是蕭國大哥了，他坐在大廳上，以兄長的身分替代高堂，收了女婿們給的喝茶錢，蕭國用一張紅紙包了一個銅錢做為回禮，討個喜氣，蕭家其他兄弟，依序站在大廳兩側，嘴裡嚷著壓韻的四句聯。

文賢表哥頭戴狀元帽，豬鼻子孔撐得大大地，就像豬八戒要娶親，眾人見他傻愣愣地笑，這哼哼哈哈起來，便掩不住他性好漁色的模樣，他看到新娘紅頭蓋上的「鴛鴦戲水」圖，心裡胡亂想著，目光挪到下面，看著羅綢華服的新娘，心想不知這套紅罩子底下的女體是什麼模樣，眼睛睜大，口水都快流下來。

李羽穿著長袍馬褂，英姿煥發。雙方拜過女方家的祖先，文賢表哥催促著新娘們上路。蕭奴進了文賢表哥的花轎；蕭念上了李羽的彩輿。媒婆在轎外嚷著：「新娘坐乎正，入門才會得人疼！」兩頂花轎裡的新娘幾乎是同時，把扇子從帷子裡丟出來，蕭國的太太，也就是新娘的嫂嫂，代替母親的地位，在門前潑了一盆水。

舁夫吆喝了一聲，兩個迎娶隊伍浩浩蕩蕩向水仙宮前進。水官解厄的陣藝剛剛返回北勢街上不久，這陣頭裡凡是會對喜事對沖的陰神，全都做了迴避：鍾馗側了個身子，袖子擋住了祂的青面獠牙、官將首用羽扇遮住猙獰的大花臉，只留敲鑼的旗手還在傻呼呼地站在那裡，街上匡匡匡地響著鑼點子。三家辦喜事的郊商，今天全都委派了各自的家長到水仙宮裡獻香，花轎抵達時，董事與爐主也剛好鬮選完畢，不出所料，下屆爐主由北郊蘇萬利擔任，董事也依往例順利選出。在此之後，緊接著就是三家聯姻的大戲，眾董事與郊商們留在水仙宮內看熱鬧，花轎到了水仙宮外，兩位新郎拿起扇子敲了三下轎子，又用腳踢了三下轎框。奴婢們拿著八卦米篩遮住新娘的頭頂，新娘出來花轎，先破了紅瓦、再過烘爐，兩對新人依序入廟，對水仙尊王拜了拜，轉過水仙宮，三益堂布置得像一幢新的房舍，今日三益堂的右廂房充作李勝興家的洞房；三益堂的左廂房充作合意興家的閨室。

水仙宮大殿上一時好不熱鬧，眾人都能感受到這股喜氣。接過媒人遞上來的合巹酒，媒人對文賢表哥使了個眼色，嘴裡說著：「喝過交杯酒，琴瑟始合鳴。」

文賢表哥撐大了鼻孔，笑得嘴巴攏不起來。拜天地禮完成，文賢表哥說著：「娘子，堂也拜過了，合巹酒也喝了，這會兒該入了洞房？」

紅頭蓋下的蕭奴聽到是文賢表哥的聲音，先是一驚，心裡想著怎麼會是他在說話，沒想到這回換一旁的李羽說了話：「娘子，我們已經是夫妻了，妳就同我入了廂房吧！」

蕭奴心中不安，但罩著頭蓋，也不確定這外頭領著她的究竟是誰，現在聽到李羽的聲音，心情安定不少，她點點頭，伸出了手指。在旁邊的李勝興的家長，看了一下那伸出來的手指，嫩如菰白的手指上有壓痕，略有瘀青，洪氾心頭一驚，想起了琵琶的四相八品，乾闥婆手抄琴弦的模樣：「難不成文賢表哥的新娘子頭蓋底下，是蕭奴妹妹？」

「怎麼不見合意興的老頭家在這裡主持婚禮？」剛從廈門返回來台灣的商人，圍在人群裡，也來水仙宮上湊湊熱鬧，他們不知合意興的近況，就站在洪氾家長後頭討論起來。

「合意興的頭家早就去『蘇州賣鴨蛋』了！」另一個知道狀況的南郊商人訕笑著，拿著文賢在三益堂裡說的誑語，應答了那個商人的疑問。

「合意興事業做得挺大的，竟然開枝散葉到蘇州去了！沒想到這鹹鴨蛋還有商機啊！」那個商人還不明就裡，隨著那些話起舞。

眾人哈哈大笑，只有那個商人還丈二金剛，不知大家輕蔑的嘻笑是什麼意思。洪氾轉過身子，正好看到後面有一個合意興的夥計，在那群開玩笑的南郊商人中鬼鬼祟祟，他逕自準備了東西。把兩種奇怪的線香放進竹籃裡，然後跟旁邊的金記香燭鋪頭家，談論一些不欲人知的事情，他先是故意壓低聲音說話，接著又興高采烈地說，要去打點左右廂房的布置，由他們討論事情的模樣看來，肯定是個詭計。洪氾借意尿遁，也跟著合意興的這個夥計出去。

他躲到一旁，聽到合意興的夥計正說著一個極大的陰謀：文賢表哥打算等一下在水仙宮外的宴席上，給李羽頭家的酒中下蒙汗藥。然後在左廂房點合歡香；右廂房點迷魂香。先去右廂房嚐過蕭奴妹妹的滋味後，再去左廂房裡當個正式的女婿。

洪氾知道「迷魂香」這種東西，是用曼陀羅花與大麻所製成的線香，曼陀羅又稱醉心花或醉仙桃，是從印度傳來，早在漢朝就已傳入中原，相傳三國時代華佗的麻沸散中，就含有曼陀羅成分，李時珍的《本草綱目》中也有記述：「八月采此花（曼陀羅），七月采火麻子花（大麻），陰乾，等分為末，熱酒調服三錢，少頃昏昏如醉。」

迷魂香使用後會讓人麻痺，出現幻覺。沒想到文賢表哥這頭豬八戒，骨子竟然這般使壞，若是讓他得逞，李羽頭家今日豈不戴了綠頭巾，接了屎盆子。他忽然心生一計，快步跑回水仙宮，但他不知道為何蕭奴會和蕭念對換了位置，不過仔細一想，這樣也不惡。不如就將計就計，來個以其人之道，還治其人之身。

李邦正打算從蘇萬利到水仙宮去，就見到蕭嬌站在門口的大紅燈籠底下探望。李邦走向前去，在她背後看了許久，總算開口出聲：「妹子在掛心什麼？」

蕭嬌先是被那聲音嚇了一跳，回頭望了一眼李邦，嘴巴說著：「原來是六哥，沒什麼事情？」

「這麼快就思念起兩個姊姊了？」李邦帶著笑意，想要拍拍她的肩膀。

「哎呀！你不懂我為難的地方！」蕭嬌想了又想，知道早上打理這件事情不妥當，如果最後讓文賢表哥那頭癩蝦蟆得逞，那二姊的貞操名節，恐怕就毀於一旦。但蕭嬌內心又深愛著李羽，若是只給了二姊，那自己心頭上總有那麼些失落感。蕭嬌就在這詭計復仇與企希盼望之間猶豫不決，在該說與不該說之間躊躇兩難：「這事情來龍去脈說起來複雜，我不同你說了，我要自己去水仙宮看情況！」

李邦還沒來得及喊出口，蕭嬌已不顧自己身上，還穿著華麗的錦繡羅袍、頭上別著一朵鮮豔的紅花，逕自拎起裙襬往水仙宮奔去。

「這么妹真是姑娘沒有姑娘相，前門出去了一個師姑，後門挨進了一個和尚。也不留些少女的矜持和嬌羞，給其他公子哥兒打聽！以後怎麼嫁得出去？」李邦嘆了一口氣，轉進屋子裡準備換件衣服，招呼抬轎就要往水仙宮去。

中午水仙宮外擺開亖筵，廟門大開，鐘鼓皆鳴。府城大小商賈、官吏仕紳全都來此捧個人場，來吃這兩對新郎與新娘的「紅圓仔筵」。糖郊和南郊也藉此機會，彼此拚搏勢力。宴席酒桌從廟門外起算，擺滿整個北勢街與杉行街，街上的酒席座位，全是給各路商號頭家安排的，沒有被邀請的府城商家還引以為恥。合意興與李勝興招集了各自家裡灶房的廚師，又花了銀子請了街上餐館的燒菜大師傅，合計宰了一百二十頭豬、殺了一千四百條魚，才弄出這樣一個規模。每桌準備十二道菜：一鍋湯圓、一碗肉丸、豬肝、芋頭、土豆、鯉魚……每道菜皆有個吉祥如意的名字，打菜配飯的夥計拿著木勺子，拎著菜桶，舀著菜肴穿梭其中，等會兒這裡給主子們添些飯，等會兒那裡商賈們加些酒，大街上一時朋酒斯饗，曰殺羔羊，看起來好不熱鬧。也只有三郊辦理婚宴，才會有此大手筆規模。

三益堂正門進去，廳內允用原來的議事公桌，做為歌筵：府城裡的道爺、府爺、台灣縣與嘉義縣的縣太爺們才能坐此桌大位，李邦還沒過來，歌伎已經唱起曲子，於是李羽端起酒杯，打算先行敬酒。卻一時不見洪氾家長的下落，內心有些緊張。忽然就見到進發在三益堂外，招招手將他叫進正堂之中。

「頭家叫進發有什麼事嗎？」進發自從到台灣工作後，漸漸習慣了這裡的生活。

今天乃水官解厄與頭家娶妻的大日子，三郊各商號皆休業一日，肉菜魚玉等市井諸集，也全都休市一天，連平常進出鹿耳門與五條港密集的商船，今日也全都停擺了。

「我都不見洪氾家長的影子，你就先陪我給府爺們逐桌敬酒！」李羽說著：「你的酒膽海量通到哪裡？」

進發笑了一笑：「跟著海頭、繚公學了一些喝酒的技術，腸子裝了酒，但比起已經過世的正副舵公，那可就差多了。進發海量雖然有所不及，不是什麼三寶太監下西洋，但至少通到澎湖沒有問題。」

「那好，今天就讓你練練酒膽子，打個通關！」李羽說完，便拉著進發開始依序敬酒。

他走到一個面容寬厚、天庭飽滿、氣宇不凡的賓客後面，那個人正是大將軍王得祿，李羽上前敬酒：「久仰王大將軍威名，今日一見，果然氣宇軒昂！」

王得祿站起身子：「不敢當！」

旁邊的嘉義縣太爺插了話：「可不是嗎，這王大人在林爽文反賊攻諸羅城時，手執軍旗大令，一路浩浩蕩蕩殺進北社尾，把林賊大軍殺得片甲不留！」

「是啊！連福安康福大人都稱呼他是神武英勇！」一旁台灣鎮總兵說了話。

王得祿臉上略微紅潤，其實那時候正在撤退，是他身上的草鞋不慎掉落在戰場上，王得祿人高馬大，腳的尺寸也與眾人不同，那個草鞋是他溝尾老家的兄嫂親手替他縫製的，得祿對兄嫂亦有慕心，就因遺落草鞋才會一時情急，忘記自己還手持軍旗，一路殺入敵營中。眾人見大將軍英勇敢死，士氣大振，一鼓作氣殺入敵營，結果勢如破竹，凱旋歸來。

在王得祿身邊坐著一個英俊瀟灑、風流倜儻的人，李羽見他相貌不凡，也舉起酒杯示意：「王大人，這位少爺是？」

王得祿看了那個公子哥一眼，欲言又止，這回是那個人自己說話了：「我叫永琰，是個京城來的商人！」

王得祿笑得尷尬：「公子是想來台灣轉一轉，看看這大清國底下的台灣，到底是怎麼個繁榮模樣！」

「敢問公子尊姓？」李羽問著。

永琰眼珠子轉呀轉，打了個主意，忽然就說：「愛新覺羅的『羅』字！」

李羽一聽，心中怔了一下，這宴席間全是老爺大人，還沒有哪個商人敢在這些人面前，提到皇族姓氏的名諱，心裡想著難不成他與當今的朝廷聖上，有什麼干係。又見道爺、府爺們默不吭聲，更加確定這個人來歷不凡。

「羅公子愛說笑了！這台灣處處是商機，不知羅公子在京城是開哪個號？以後三郊在京城內也有個照應！」李羽把酒杯舉得高高。

「我這號子說起來不起眼，紅牆黃瓦人人能見，坐落京城的長安大街上，壓在瞻雲牌樓裡；擱在就日牌樓外。」那個公子哥好像在念順口溜一般。

李羽更是心驚，坐落長安大街，紅牆黃瓦，那不正是天安門後面的紫禁城了嗎：「羅公子販的可是九族既睦、售的可是平章百姓啊！」

那個人看了李羽一眼，知道他說的話是引自《尚書》裡的篇章，在說明堯帝的德性，不禁哈哈大笑：「果然是李勝興的少年頭家，人家點繞個幾句討價還價，就知道鋪子裡貨色齊不齊全，果然精明幹練。」說完，便舉起酒杯一乾而盡，接著就坐回筵席內享用菜色。

「這廣東、福建近年受到鄭七海盜的攻擊，實在令人不勝其擾！」台灣鎮總兵說著：「我澎湖、台灣兩個水師協，近日回報。有個自稱蔡牽的海盜，滋擾鹿耳門沿岸，聽說與鄭七那幫盜匪也有關係！」

進發聽到鄭七兩字，內心怒火中燒，他看了看台灣鎮總兵，忽然脫口而出：「如果大人願意剿滅海盜，進發願意從軍！」

此話一出口，連李羽都嚇了一大跳。他知道進發的父親還在鄭七手上，他和海盜早就形同水火，但在這裡說這些事情，不是分明給道爺難看的嗎？這筵席上還有大人物，談這些事情難道不會給上頭添壓力？

李羽觀察了酒席，台灣兵備道的楊廷理大人眨眨眼睛，王得祿大人轉過去看台灣府，知府點點頭示意，好像他們三人知道那羅公子的身分，府爺、道爺兩個人彼此又打了暗號。但台灣縣、嘉義縣和台灣鎮總兵似乎還在狀況外，台灣鎮總兵還在那滔滔不絕地說著：「不只這樣，還有朱濆騷擾海防……」

羅公子說著：「沒想到我大清國底下，還有那麼多亂臣賊子！我原以為只有朱一貴、林爽文這等惡賊，剿了陸上，海上還有。我想王將軍應該聽得內心癢癢的吧！恨不得現在就殺出去討伐逆賊！」

台灣道楊大人汗珠子從臉上流下來：「這朱濆只是個小賊，一年內本道必當剿滅！請羅公子寬心。」

王得祿聽到楊大人這樣說，不得不表態：「蔡牽這股勢力，就由我來負責，不必勞煩總兵大人！」

總兵和嘉義縣令面面相覷，楊大人怎麼自己攬了事情，王得祿又怎麼管到水師剿海盜的事情上頭。只聽到羅公子撫掌大笑：「果然是鐵錚錚的漢子，我敬楊大人、王大人一人各一杯。身為一個商人，就擔心這些海盜的滋擾，我近來在台灣踏查，有庶民說我大清水師比不上外頭的海賊。我綠營水兵每次出海必定吐得七葷八素，海賊卻能神出鬼沒，襲擊廣福台廈諸海港。今天聽到兩位大人這樣說，以後我來台灣，可就安心多了。」

羅公子一次一杯，喝光了兩杯酒，最後拿起一杯回敬進發：「這位小哥哥也是英雄出少年，入我大清綠營，未來也是個威風的大將軍。我這就祝你勇猛殺敵，盡忠報國，一切順利成功。」說完，也是一乾而盡。

王得祿叫手下抄了進發的生辰籍貫，命他找個日子到他麾下報到。李羽看著進發的眼神，知道他心意已決，也就不再留他了。

嘉義縣令說：「金永順、蘇萬利等郊商，當初籌資五千元，自湄洲迎來娘娘香火，在西定坊南勢港邊建了海安宮，廟廊開闊，左有接官亭、風神廟；右有藥王廟、鎮渡頭，廟門坐東向西。林賊亂後，福安康大人感念娘娘庇佑，乃奏請聖上擴建海安宮，讓鎮港媽祖能大顯神威。這海安宮原本就是三郊所倚、我大清朝廷僅為各位襄理改建的工務，我想聽聽諸位大頭家的意見，這官拜大廟，各位大頭家也應當捐些功德款，替廊廟分憂解勞！」

文賢表哥正好進到三益堂內，聽到這些話便說：「我合意興在海安宮興建之時，就已經捐建千里眼、順風耳花崗石像一對，泉州匠師所刻的龍抱柱一雙，上頭還有銘篆商號字樣。每年三益堂都有分攤出費，挹注海安宮修建費用，不知宮廟還欠哪些餅銀，我們合意興可以挪些門攤銀，給海安宮助助神氣。」

「文賢果然是個聰明人，海安宮乃我大清在台灣，奏准擴建敕封並列的媽祖官廟，每年春秋兩祭皆是香客如織。但水仙宮以西，沒有一口淡水井，不知兩位頭家願不願意協助鑿井，方便尋常百姓使用。」台灣縣的縣令說著。

「鑿井當然沒有問題，我合意興願意配合！」文賢表哥耍了闊綽：「官老爺別說一口井，就是兩口井也給您挖出來，羽弟弟說是或不是？」文賢表哥看了李羽一眼。

李羽不屑與他同流，就借力使力：「文賢表哥說要鑿兩口井，我看就我李勝興在海安宮左側一口；合意興在右側開一口。」

「好啊！羽弟弟果然爽快乾脆，這一人一口才能知道誰家的實力堅強。」文賢表哥心底恨得牙癢癢，想著李勝興明著衝向我，暗地調侃我，分明是給我三分褒獎，七分難看：「三個月內一定挖出水來，到時候羽弟弟可不要徒留了一口枯井啊！」

羅公子見兩人一來一往，樂得看草蜢逗公雞，也加入了戰局：「兩位頭家的約定，我來做見證，如果兩位真的挖出了淡水，我也付一筆錢，來給海安宮籌個改建翻修的費用。」

蕭嬌匆匆忙忙跑到了三益堂的後門，守著三益堂外圍的合意興、李勝興家奴問她話她也不回答，眾人攔她不住，見她是新娘們的小妹，只好開門讓她一路進到裡頭。她先是往左廂房的方向奔去，打開房門，就見到新娘早已坐在桌几前，頭上仍蓋著布巾，桌上放著一把秤砣，是要給新郎倌等會兒掀蓋頭用的。

「是二姊姊嗎？我是阿嬌。」蕭嬌問著。

新娘點點頭，但沒有說話，蕭嬌知道果然是蕭奴沒錯。

「搞錯了，二姊！妳現在待在水仙宮左廂房中，跟那癩蝦蟆、大壁虎拜了堂！」蕭嬌說起話來有點吞吞吐吐，上氣不接下氣。

「什麼！」蕭奴拿下頭巾，再也顧不得新娘的嬌羞與禁忌：「我怎麼會在這裡，還跟那大鼻孔拜了堂？」

蕭嬌一時語塞，不敢說出實情，只好催促二姊：「趕緊到右廂房跟大姊換過來，否則可就要一失足成千古恨了。」

「這可怎麼辦！」蕭奴知道若是穿著一身大紅新娘服出去，這身綢羅鳳冠不引起注意都難：「阿嬌，我和妳先對換衣服，妳先蓋著頭巾在這裡頂著。我換了妳的衣服到大姊那邊，再請大姊穿妳的衣服回來，這樣就不會引起眾人的注意。」

「我！」蕭嬌百般不願意，待在這裡等於是身陷虎穴：「那隻大壁虎若敬完筵席的酒回來，不把我生吞活剝才怪！」蕭嬌話中猶豫不決。

「我家良人與那個大鼻孔，不敬完這水仙宮裡外三四百桌酒席，不喝得酩酊大醉是不會回來歇息的，妳放心。至少還有一兩個時辰，趕快換完衣服，歸正原位，我想時間還綽綽有餘。」蕭奴知道今天酒席的規模，催促著妹子脫下衣服。

此時南郊的夥計，受了大鼻子文賢表哥的指使，偷偷跑到右廂房外準備幹起壞事來，他一手拿竹籃、一手秉著蠟燭。然後在窗口放上小香爐，輕輕點上了迷魂香，他順手將那支用來點線香的蠟燭，擱在窗台上，嘴裡笑吟吟細說：「等會再去左廂點上『合歡香』，這事情就大功告成了。」

糖郊的夥計，接到了洪氾家長的訊息，相約前來阻止合意與文賢表哥的詭計，大家臉上都用白布巾蒙住口鼻，裡頭塗了毒扁豆藥粉促醒，以毒攻毒，防止吸入迷魂香而昏睡。眾人趁他不注意，從後方偷襲，一人拿起大棒子，從他腦門上一敲：「兔崽子，不給你點顏色瞧瞧，當爺爺是驢孬！」

那個施煙的南郊夥計，一時眼冒金星，差點倒在地上。糖郊的夥計分工合作，一人用手巾摀著他的嘴，另外兩人合力抱著他的手腳，他掙扎了幾下，吸入手巾上洋金花做的迷魂粉，身體抽搐兩下後就不省人事了。他們把南郊負責點香的夥計，從水仙宮後門拖抬出去。古井藥局的坐堂說：「好啊！竟然拿『迷魂藥』來使壞，這行為最敗德，把他拖回去李勝興的大倉庫，等這事情完畢，再把他押到三益堂上公審。」眾人七手八腳把他推到手拉車上，往李勝興家的大倉庫而去：這擄人的工作都是大家頭一回做，但大家的內心卻是雀躍不已。

洪汜從旁邊走廊出來，看了那支迷魂香，知道眾人行動已經成功，自己也戴了塗了毒扁豆粉的白布巾摀住口鼻，此時迷魂香的煙霧甚大，心想這下子可不得了，非要趕緊將迷魂香的線頭折斷。然後低頭看了一下擱在旁邊地上的竹籃，裡頭果然還有一個銅爐和一支合歡香，想必這個傢伙等一下就要去左廂房施放毒煙。正要打量裡頭的蕭念小姐安危，沒想到遠遠就見到一個穿著喜氣洋洋的女子，用一把團扇遮住自己的臉，從穿堂裡走了過來。

洪汜趕緊把白布巾摘下來，藏到身後，斷了頭的迷魂香就擱在窗台上，他嘴裡乾乾地，神色緊張，就怕遭人誤會。他吞了一口口水後說著：「請問小姐有什麼事嗎？」

蕭奴故意壓低了聲調，頭更低了，兩手的手指也全捲進袖子裡：「我是蘇萬利的三小姐，我來看看我家二姊的狀況！」

「喔！原來是蕭三小姐！」洪汜自己也緊張起來，心想如果是蕭家的三小姐知道這裡有迷魂香，又在廂房外鬼鬼祟祟，她伶牙俐齒，等會兒不把自己傳成了垂涎女色的淫賊了：「不知三小姐為何遮住頭面！」

蕭奴這下也著急了，巧扮蕭嬌的模樣，在這三益堂後廂走廊上這樣走來走去，倘若是讓洪汜家長知道，這以後怎麼在李勝興家待下去：「我這臉上長了個膿癰，家長就別過問。」

「是這樣的，若是三小姐不嫌棄，我家古井藥局裡有金銀花……」洪汜好意說著。

「你也太多管閒事了吧！」蕭奴心中一急，忍不住叫出聲音來。

這一出口，不但洪氾家長嚇了一跳，蕭奴自己也嚇退了一步：「對不住，嚇著洪家長了。奴家還有要事，不與家長在這兒槓談了！」

洪氾聽那聲音，頗像蕭奴。但仔細想一想，她現在應該還在右廂房中昏迷不醒，身陷危機，洪氾急著想救她，於是就沒有深究。念頭倏地一轉，等會兒蕭嬌進到廂房內，發現了實情，自己就完了。但從另一個面向想，這樣也好，蕭嬌進到房間裡，至少二小姐也有人照應，那個豬鼻子詭計應該不會得逞。於是他便匆匆忙忙就要離開，一時也忘記旁邊那個放著迷魂香的竹籃：「既然這樣，洪某就告辭了！」

洪氾扯著白布巾，趕緊往水仙宮後門的位置而去。蕭奴鬆了一口氣，進到右廂房，發現裡頭有一點點煙味，這時姊姊已經趴在桌案上睡著了，蕭奴沒有意識到姊姊中了毒煙，還以為是姊姊等那大鼻子太久，感覺睏頓，自己就睡著了。蕭奴推了她幾下，她仍未醒過來，心底急壞了：「這可怎麼辦？姊姊怎會睡得那麼沉。」

這下子蕭奴再也管不了那麼多了，搓了搓手，拿掉姊姊的紅頭巾，在她臉上拍打幾下，把她兩片臉蛋皮打成了櫻紅的顏色，大姊蕭念這才悠悠睜開眼睛：「怎麼？」

蕭念看到蕭奴站在屋子裡，嚇了一跳：「二妹子怎在這裡！」

蕭奴把拜堂和進錯房間的事情，跟姊姊說了一遍，這下子連蕭念也緊張起來：「這可怎麼好？」「我們要趕快換回來！」蕭奴把計畫跟大姊說了一遍，她點點頭。

於是兩個人就在房間裡對換了衣服，接著大姊就踩著三寸金蓮，拿著扇子走出房間。蕭念出來房間後看了一看，發現窗台上有一支折掉半截的線香，上頭剛好有一支用來點香的蠟燭，心想這該不會是香鋪裡送來的東西，蕭念看了看四周，地上還有一個竹籃，這裡頭裝了什麼東西。她打開一看：是一個線香和銅爐，不知道這是什麼香。

「這不是水仙宮上用來拜神的線香，怎擱在這兒？香鋪子辦事的下人們手腳也太不靈光了。」蕭念也沒多想，順手就把窗台上的半截線香收進竹籃裡，接著她吹熄蠟燭，把團扇放在竹籃裡，扭著扭著就往自己的房間而去。

文賢表哥敬完了一半的酒席，日頭也漸漸西下，心裡想起了蕭奴美好的臉蛋，打算來個一宿雙美，享齊人之福。糖郊的夥計們吱吱喳喳討論著，大家知道了這個大鼻孔的詭計，莫不義憤填膺，打算好好地給他教訓。一個糖郊夥計負責支開合意興的家長，然後偷換桌上幾瓶酒矸，大家知道其中三瓶老紅酒，是合意興新郎相公用來敬酒用的，他們在其中兩瓶老酒裡頭加了大黃、芒硝、火麻仁、郁李仁，這些藥材可都是瀉藥的成分。

合意興的夥計拿了裝了蒙汗藥的酒矸，上頭貼著「匪我求童」四個字的薄紙做為暗號，這四個字乃是「蒙卦」裡的釋義，準備擱在等一下送給李羽敬酒的托盤上。李勝興家的夥計分工合作，在廚房又綁走了使壞的合意興家夥計，原來的「匪我求童」被改成了「物與無妄」，轉來轉去後，就擱到等一下要送給文賢敬酒的托盤上，和另外兩瓶加了瀉藥的老紅酒擺在一起。

「羽弟弟，我想我醉了！可要半路就回去洞房！」文賢表哥故意裝可憐，此時才剛敬完杉行街上一半的酒席。

合意興的家長命家奴退回酒矸，打算就此收手，一旁金華府的漢子們嚷著：「不行！不行！文賢表哥至少敬完我們金華府兄弟們，才可離去。不然合意興的頭家就是龜孫子，縮頭兒。以後也別要金華府的兄弟們為南郊拉車、載貨、撐船。」

金華府裡的兄弟，全是洪汜家長的好朋友，此間開了幾桌酒席，正好堵在文賢表哥的面前，廚房裡換了酒，外頭的宴席上，金華府的苦力們便勸酒，這「狸貓已經換了太子」，眾人便也不再客氣。合意興的家長迫於無奈，只好叫人拿來托盤上那三瓶酒，家長看了一下酒矸，不知這上頭怎有「物與無妄」這四個字。

「不喝完三矸，不許洞房！」金華府的船夫貨漢們藉機起鬨。

「這不公平，李勝興的頭家怎麼不用喝啊！」文賢表哥撐開鼻孔說著。

「哎呀！你這水仙宮的大爐主跟那小董事比，文賢表哥乃是關帝爺爺，李羽頭家只不過是匹赤兔馬。你就把我們當成華雄、顏良之輩，跟我們過個五關，斬決六將。」眾人又拱又譏，把文賢表哥抬得爽舒舒地。

文賢拗不過盛情：「好吧，就你們這一桌，可不許再通海了！」

「知道了，知道了，文賢表哥一夫當關，嵩夫莫敵啊！關老爺要殺出陣來了。」眾人取鬧聲此起彼落。

大家七手八腳，吆喝文賢表哥喝完酒矸裡的酒，剛剛被偷換置入瀉藥的兩瓶老酒，早就進了文賢表哥的肚子裡。最後合意興的夥計，送上貼著紙條的最後一瓶酒，上頭寫著「物與無妄」四個字，文賢看了那酒研一眼：「什麼叫『物與無妄』？」

金華府的住持也是洪氾的好朋友，故意跟文賢表哥東拉西扯：「這可是卦經裡的頭一卦啊！所謂無妄：乃為『其匪正有眚，不利有攸往』，是叫人做事要踏實，別癩蝦蟆老是肖想著白鵝肉！」

文賢咕噥一番，喝了一杯下了蒙汗藥的酒，嘴巴嚷著：「你這稀里呼嚕的一串屁，我聽得很不耐煩！」

蕭念走到半路，想著想著，一股尿意上來，於是提著竹籃先往茅廁的方向而去。這竹籃可提不進去茅廁，她四下探望，發現了一株桂花樹，於是便把竹籃放在樹下。

蕭念進去茅廁後，水仙宮的住持正好經過，發現桂花樹下有個可疑的竹籃，上前一看，發現裡頭有半截線香插在銅爐裡，還有一支奇怪的線香和未用的銅爐擱在另一邊，一個女子的團扇在裡頭，這下可迷糊了：「哎呀！這不是媒娶用的線香嗎？這媒婆也真是的，把人送進洞房，線香可忘記在這裡。」

住持拿走竹籃，蕭念也正好如廁出來。她發現桂花樹底下的竹籃不見了，心頭一驚：「唉唷！那竹籃怎麼不見了？是誰拿走了竹籃？」

蕭念正在左顧右盼的時候，此時卻聽見附近有公貓叫春的聲音，心底砰砰跳。臉紅潤潤地，不知如何是好。

「大姊！大姊！」

蕭念定睛一看，原來剛剛的貓叫聲，是蕭嬌模仿出來的，她躲在走廊旁的矮樹中：「我等妳等得不耐煩，從廂房先出來了！」

蕭嬌剛剛一直待在廂房裡，隨著時間愈來愈久，內心愈來愈煩躁。心想長姊怎麼不快點來，倘若她再不出現，自己肯定遭到大鼻子的侮辱，最後受不了了，也不顧自己身上還穿著新娘服，奔了出來。

「竹籃是妳拿走的呀？」蕭念一臉疑惑。

「什麼竹籃？我不知道！」蕭嬌哼了一下：「姊姊趕快回廂房裡，我可不想見到那個噁心的大鼻子……」

文賢表哥喝完那些加了瀉藥、蒙汗藥的酒後，便立刻返回三益堂。李羽原本打算繼續敬酒，直到北勢街上，正好遇到李勝興的夥計和金華府的幾個朋友，他們把洪氾家長交代的事情、文賢表哥的陰謀詭計，一五一十跟他稟明後，他立刻奔回三益堂，打算阻止這場詭計的發生。

水仙宮的住持走到三益堂大門，手中拿著竹籃，心想：這線香也有祝福之意，不如就點起來討個喜氣，拐了個彎進到水仙宮裡，見後廂的福德正神香爐空蕩蕩的，於是便把那半截線香點燃，安插在福德正神的香爐中；又到另外一側，見到東海龍王的塑像，把竹籃裡的「合歡香」也給點上，放進東海龍王的香爐中。這點完合歡線香後，看那東海龍王頭上的犄角竟然愈來愈大，他還以為自己老眼昏花，定睛一看，神像上頭什麼變化也沒有。再過一些時刻，住持就覺得身體不對勁，這嘴上嚷的是「狂鼓史漁陽三弄」，這褲襠子底下折騰的是「玉禪師翠鄉一夢」，住持再也把持不住，直往後房奪門而出。

文賢表哥七分醉意，三分色膽，直奔右廂房，打算先嚐嚐二小姐的鮮味。人都還沒抵達房門前，這屎水已經到了肛門頭：「唉唷喂呀！《陽貨》中提到有三疾：狂也、矜也、愚也；這身體也有三急：屁也、尿也、屎也。」

文賢表哥轉了幾圈，來到水仙宮正後方，一股濃烈的香氣自殿後方飄出，文賢表哥聞到了迷魂香的味道，腦筋昏沉沉一片空白。話還沒說完，已經先發了個溼潤潤的響屁，帶出了些黃灰色的穢水。他掩著屁股，肛門就要鑽出一隻五爪金龍，這髒東西難纏出頭，身子卻不聽使喚，忽然眼前一黑，人兒麻痺，全身正面倒下，就這樣把鼻梁給撞歪了。

眾人趕了過來，看到這番景象，全都哈哈大笑。李羽確認了情況，心中竊喜：「多行不義必自斃！」

「活該，誰叫你要使壞！」洪氾家長招呼眾人，將痾了屎的文賢表哥，抬回他自己的房間。

人群之中有個穿錦綢的姑娘，在月光下左顧右盼，這人正是蕭嬌，她望了一眼洪氾，洪氾看見她，便在她面前仔細端詳。

「看什麼？沒看過像我這樣美麗的姑娘啊？」蕭嬌蠻橫，瞪了洪氾一眼。

「奇怪了！妳臉上可也沒癰瘡？」洪氾愈看愈不解。

「什麼癰瘡？本姑娘天生麗質，哪會長什麼麻子臉？」蕭嬌氣焰高漲。

洪氾說：「難不成剛剛不是蕭三姑娘？」

洪氾這一說出口，蕭嬌便知頭尾，趕緊把話吞了回去：「哦！我這臉上剛剛的確長了髒東西，但可能是心火上升，肝氣充足。現在這大鼻子得到報應，我氣也消了，髒東西自然就不見了……」

洪汜一聽，覺得她說得幼稚有趣，哈哈人笑起來。

「怎麼，取笑本姑娘啊？」蕭嬌兩手插腰，像個紫砂壺。

洪汜邊笑邊說：「妳這臉上若長了疹子，可不成了『麻姑』了嗎？」

「我若是麻姑，那你啥？蔡經啊！可不心頭想著我給你搔癢！」蕭嬌氣得臉紅脖子粗。

「怎麼，用妳這隻雞爪！」洪汜笑得更人聲了，仔細看了她一眼，月光下的蕭嬌，真有幾分仙女的模樣，洪汜內心不免心動：「我可要讓妳鞭得死去活來了。」

蕭嬌氣得七竅生煙：「不許笑，我不許你笑！」

鳥雀在窗外啼叫著，外頭芭蕉樹在微風中，發出窸窣的響聲。陽光灑入三益堂的廂房中，李羽在床上悠悠醒過來，見到蕭奴睡在自己身邊，心中滿是幸福。

洪汜與蕭嬌自覺同病相憐，洪汜所愛的蕭奴嫁給李羽；蕭嬌所愛的李羽娶了蕭奴。兩人雖有怨懟，卻也無可奈何。洪汜時常安慰蕭嬌，蕭嬌也愈發看洪汜順眼，之後蕭嬌收斂了不少蠻橫氣息。和李勝興的洪汜家長愈走愈近。

兩年後蕭嬌嫁給李勝興家長洪汜，蕭嬌敕理衣裳，做些女紅，弄些針黹。婚後半年就去古井藥局學習抓藥、煎藥、看診、把脈的技術，洪汜見她改變了個性，愈發喜愛她。蕭嬌跟著古井藥局裡的坐堂師傅認真學習，有了之前深厚的女紅基礎，蕭嬌開始學習如何把繡花針燒得鐵紅，心思細膩地操作起「燔針」這項醫術。

府城大街小巷都流傳著，古井藥局有個神奇的女坐堂，能用繡花燒針治療風溼病，果然使得眾人趨之若鶩，古井藥局天天病患如織，府城第一女坐堂的聲名不脛而走。

蕭奴待在李勝興家裡，當起了實質的老闆娘。她每天都親自進出帳房把持，貨銀幾分、幾釐、幾錢全都要算得清清楚楚，一絲不苟。以往打帳的算盤，碼子常常訛誤，現在可都規規矩矩、正正當當。家長不在，她便屋前屋後張羅棧貨，原本一些外地來拉車，跑單幫的貨夫還當她是個嫩娘子，好欺負。沒想到老闆娘初聞雌雞聲，再聞便是猛虎嘯，三兩下便把那些車夫貨漢管理得服服貼貼。這樣過了一年，李勝興的家業與資產日漸壯大，最後竟然超過了合意興、規模直逼金永順，名聲更近蘇萬利。

就在此時，蕭奴生了一對異卵雙生的龍鳳胎，李羽非常高興，便將姊姊取名為「李甜」，弟弟取名為「李鹹」，「甜」字乃紀念李勝興起自糖業；「鹹」字則得吉利行所販售的意麵與鹹粿。李羽認為李勝興在生意上有甜又有鹹，才能老少皆宜、闔家歡樂。

蕭嬌此時也生了個女兒，洪氾將她取名為「洪茶」，李羽便把她視為自己的女兒一般疼愛有加。洪氾從此對李羽更是忠心不二，李勝興事業內外兼顧，規模更是如日在天。沒想到半年後，洪茶得了肺病去世，李羽還將之厚葬，洪氾看在眼裡，感激在心中。

另外一頭，海安宮內原本由李勝興與合意興拚搏的鑿井工作，在兩人娶妻生子之後又逢波折。李勝興先是挖得不夠深，沒能鑿出泉眼，拜過娘娘塑像後才順利鑿出水源。合意興在海安宮右側所鑿的井，不但沒有湧出淡水，竟然還吐出鹹砂水。

文賢表哥請示娘娘後，降乩指示：「伯益」井神與水仙尊王禹帝之子「啟」，生前有過節，此井泉眼正好在水仙宮前南勢港的腳下。水仙不放水，井神也無奈，天界諸神商量後，決定此井只能砌留半口，並在滿月的月光下設壇祭拜，方能湧出淡水。合意興的鑿井師傅依照娘娘指示照做，最後果真得到甘醇無比的淡水。兩井成為全府城最西濤的淡水井，海安宮左側的便被稱為「日井」；右側那半口便是「月井」。

海安宮因受了福安康的官銀修葺而聞名，楊大人任台灣兵備道之時，同意設置香爐貲，以充廟費：在上橫街有店兩所，年收十八銀；又在旁邊空地蓋商店兩所，歲收佛銀租十二餅，空地旁接近南勢港的地方，加蓋小船澳，船隻出入歲收佛銀十一餅，之後又在河寮港街加蓋店所，充銀租六十餅。另外在日月井裡取用淡水，收一些釐金，對於廟務也頗有幫助。

己未年乾隆皇帝崩，嘉慶帝繼位後，下令給了一筆官銀修建海安宮。官銀由戶部侍郎監送來到台灣，侍郎一進海安宮，就見廟外有一面木牌，木牌上寫著「日月朝午取清水拾釐」，意思是日月井在早上至正午前取水，每次收取經費十釐，而這木牌就高高掛在廟門外的大榕樹上，侍郎心頭很不是滋味：「這井是誰開的呀？」

海安宮的董事趙寶跟大人哼哈了兩句：「大人！這兩井是府城內的李勝興與合意興開鑿的，他們都是我海安宮的董事。」

「你不知我們乃大清國的子民，如何用得『明朝』兩字啊！又為何後頭加了『清水』云云？難不成是某個暗碼，想圖謀不軌？」侍郎指著牆上的木牌，上頭的日月兩字寫得太黏，和後面的朝字連在一起，遠遠看真的是「明朝」兩字。若是再加後頭的字，就成了「明朝午取清水」的模樣。

「『明朝午取清水』是什麼意思？『午』字是『忤』的意思嗎？『取』又作何解釋？這李勝興、合意興是跟反賊有什麼瓜葛？」侍郎擺起官威：「你這廟裡擺了兩口小井，我護送官銀前來補葺廟舍，若是讓皇上知道這裡有這樣的東西，你我肯定都要被抄家滅頂，誅滅九族。」

趙寶嚇出一身冷汗：「這兩口井不叫日月井，鄉里多稱呼這是『龍虎井』，我可以擔保，這李勝興和合意興絕對沒有反意！我這就立刻叫人把木牌改過來。」

侍郎聽他這麼一說，這才放下心來，搖搖擺擺，大大方方地走入海安宮內。

王大將軍和楊大人果然展開了剿滅海盜的工作，但過了一年仍未見績效。每天都能見到王大人的船隊駛出鹿耳門，在鹽水港、布袋嘴、笨港之間來來去去，沒想到海盜勢力竟是如此堅強，一年復一年，海盜不但無法剿滅，反而更加頑固強大。

嘉慶在紫禁城的太和殿上勃然大怒，拍了九龍金鑾寶殿，幾乎連乾隆帝親書的「建極綏猷」那塊匾額，差點都給嘉慶拍了下來：「這楊廷理曾與我誓言，不滅朱濆、蔡牽兩個逆賊絕不罷休，他乃我大清的臣子，竟然如此軟弱無力，傳令下去，沒有消滅海盜，我絕不讓清和返回京畿。」

「清和」是楊廷理大人的小字，眾大臣面面相覷，不敢替楊大人多說一句話。於是皇上下詔，楊廷理返回台灣去繼續當知府，這樣又過了三年。仍未剿滅海盜勢力，嘉慶更是怒不可遏，聽廣東惠潮嘉道衙，和廣東水師提督的回報，說海盜頭子們藏匿在台灣噶瑪蘭一帶，於是清廷故意設置了噶瑪蘭廳，楊大人最後竟然被貶為噶瑪蘭廳通判，繼續剿滅躲到南風澳一帶的朱濆、蔡牽勢力。

王得祿最後受不了，只好求助三郊，在三益堂內，李羽、李邦、文賢各領三郊之一方，李邦取得紅珊瑚，乃為三郊之霸主。王大人站起身子說：「蘇萬利的李老闆與諸位大頭家，我王得祿從戎多年，就蔡牽、朱濆這兩個惡賊最為刁蠻。朱濆自稱『南海王』，殺了汀州總兵李應貴，然後滋擾台灣各地，我軍追剿多年，賊人一路騷擾鹿港、淡水兩地，最後躲入噶瑪蘭地區。也因為如此，當今聖上才會奏准設置噶瑪蘭廳，楊大人被降調通判，要求他若不剿滅匪徒，不得歸返京畿。人說與君無戲言，我與楊大人誠誓若未成功，羞愧任朝中要職。之前與聖上的承諾，如今看來恐成了『欺君』大罪……」從這話中，可以聽得出來王大人十分懊惱。原來當初來台灣的那位「羅公子」，便是當今的嘉慶君。王大人繼續說：「官銀這幾年全都用在剿匪上，不知三郊能否出錢出力，與我朝廷同聲一氣！」

「這『同聲一氣』最後會不會變成『沆瀣一氣』？」文賢表哥的嘴皮子仍是那般下賤：「我們可是一般商人，三郊幫了弱官，以後出海會不會就讓海盜頭子們，有了報復的理由，成了代罪羔羊？還是我們三郊向海盜們繳了買路財、出洋費，求取航道上的平安！」

「文賢這些話不是在羞辱我嗎？」王大人立刻變了臉，拔出長劍揮向文賢，文賢側了個臉，驚險之餘差點就削掉他的耳朵：「士可殺不可辱，我投醪破釜，與海盜在海上纏鬥多年。敬重文賢是個大頭家，倘若你在此地大放厥詞，我就先斬了你，然後再自殺。」

李邦立刻站起身子：「萬萬不可，王大將軍英勇無敵。文賢表哥一時口快，請大將軍息怒！」

王得祿總算消了怒氣，坐了下來。文賢嚇得啞口無言，癱軟在座位上。李羽這下也站起身子：「殺匪乃是國之大事，我們三郊就應當仁不讓。我有建議：我們每一郊團各籌五千兩，合計一萬五千兩，向福建船廠訂製快船，另外再向洋人買入大砲。」

「有了船砲就好辦事了！」李邦想了一下：「但這賊船高大，砲船較小，恐要徵集大商船，充做戰船。另外有船有砲但沒有人也不行，不如我們三郊領首，帶些人也上戰船參戰。」

「不！不！不！我不要！」文賢表哥嘴巴嚷著。

李羽聽了點頭如搗蒜：「我曾受到海盜襲擊，知其惡霸嘴臉。若需要我李勝興出錢出力，我都不會推辭。」

一旁的金永順已經由年輕的一代主導，少年林姓頭家說：「如果文賢不願代表南郊出戰，這錢與人全由我金永順負責。」

另外一個南郊董事也看不下去：「沒想到合意興是個只籌賺錢的鼠輩，我不屑與這人為伍，如果要把合意興，從我南郊裡頭除名，現在就可上水仙宮請示水仙尊王。」

李邦看著自己的親家遭到眾人圍剿，實在也不忍心：「諸位朋友請息怒，請聽我一言：文賢表哥為人雖小氣、詭計多端，但總還知道大情大理，我相信他會做出正確的選擇。」

文賢聽到這句話，一時插不上口，怎麼聽就覺得怎麼怪。在這議事堂上遭到眾人圍剿，現在可也不能輕舉妄動，不如就先順應他們，虛應故事：「好吧，要我參戰可以，我可不要打頭陣，做敢死先鋒。」

文賢想到之前從匾額上拿下來的《順風相送》，如果迫不得已真要上船，或許還能救他一命。

王得祿聽得十分高興：「如果眾頭家願意為國效力，我會奏請兵部，授糖郊領首李老闆、金永順的林老闆『守備』的虛職，三益堂霸主授予「都司』一職，各位如有需要，都能上戰船協助作戰。」

文賢一聽還有官職虛授，立刻問：「這『守備』是正幾品、從幾品啊？是否比知府大人位階還大？」

眾人已不想理會他的話，李邦繼續說：「多謝王大人抬愛，我們三郊不會為了這些沽名釣譽而出戰，即使沒有官職，我們仍會竭盡心力，完成殺敵任務。之前林爽文賊變，我們三郊亦曾籌組『白甲旗』義民，五條港的工人以媽祖為名，另籌『五巴旗』軍。此次三郊所參戰的義勇海軍，沿用討伐林賊的制度，唯白甲改為黑，工人們的臂膀統一使用黑布，布上繡上白線，寫著『順天應人』四個字，另繡『三益堂』字樣以供區別。」

糖郊與南郊其他董事也都贊成，這案子就這樣定了下來。

七月到了，李羽的孩子也滿了五周歲。蕭奴從農家那裡學來一些醃漬果物的作法，加上洪氾家長給了一些陳皮、甘草等中藥，使得滋味更是絕妙。李羽準備出戰的那一天，蕭奴拿來了這醃漬過後的黑色果物，此時李鹹正好站在旁邊。蕭奴便將果物交給李鹹：「把這東西交給你爹吃！」

「爹！這個給你。」李鹹將醃漬果物拿給李羽，稚嫩的小嘴紅通通。

李羽捏了他臉蛋一下，看了這個東西便問：「這是什麼？」

「這種東西叫做『錢』，古人送別時餽贈於友、於情人，望君能早日平安歸來。」蕭奴知道這事情是攔不住，只能把眼淚往肚子裡吞。

李羽吃了一口，口中先酸後鹹，最後還有甜味：「真是好吃！如果我平安歸來，必將此物拿來吉利行販賣。」

「良人若是喜歡，可以多帶一些上船！」蕭奴用紙包了一些蜜餞給李羽：「希望你吃這東西的時候，能想到我們家的李鹹！」

李羽點點頭：「娘子的心意我不會忘記！」接著就低下頭摸摸李鹹的頭：「好好聽你娘的話，念些書，學些字，將來才能做國家的棟梁！」

「知道了！」李鹹還是不知道父親話中的意思，只知允諾點頭。

王得祿以福建水師提督的身分，率領戰船一百餘艘，浩浩蕩蕩駛出鹿耳門港。戰鼓擂天，戰旗隨風飄揚。三郊共派出民船三十、戰船五艘，跟隨在大軍之後。以往朝廷不准商船配槍帶砲，要不是王提督已走投無路，向聖上奏請開恩，大家也不會見到這等軍容壯盛的模樣。三郊的戰船豎起黑色大旗，正上方寫著「順天應人」，旗子上面還飄著三益堂的小字樣。

大頭家們全待在三益堂義軍的旗艦「中流號」上，李邦手拿軍令旗，高呼勝利成功。點將台上眾水手士氣高昂，大家跟著李邦都司呼喊勝利成功，聲音震天價響，氣勢更勝正規軍。

李邦說著：「我授命李老闆為右守備，注意船隊右舷，領南風號、東風號；林老闆為左守備，注意船隊左舷，領北風號、西風號。」

兩人都拱手：「遵命！」

船上眾人動了起來，拉繩子的，扯盤車的，補插花褲的，全都各就各位，井然有序。戰船上官廳除了媽祖塑像外，還帶了水仙尊王們出戰。旗艦帶了「禹帝」的塑像分身，其餘四戰船分別帶著項羽、寒奡、伍員、屈原等四神像分身出戰。林老闆領銜北風、西風兩船，李老闆領南風、東風兩船，這左右的配置就如同水仙宮上神明塑像的擺設位置。

此時閩廣外海盜匪猖獗：廣東原有海盜鄭一、鄭七勢力，鄭一殺人越貨，索大小船隻「出洋稅」，在廣東擄到一個面容姣好的少年漁夫「張保仔」，從此和他有了斷袖之愫，而鄭一的妻子石氏也喜歡張保仔，進而發展為複雜的三角關係。

鄭一死於颱風，鄭七死在西山朝變。南海的海盜勢力便由張保仔繼承，每次海盜出獵必豎紅旗，又被人稱為是「紅旗海盜」；另一方面，浙江福建外海，則由蔡牽等人維繫勢力，也豎紅旗：嘉慶九年，蔡牽在浮鷹洋大破溫州水師，朝廷震驚，皇帝下令浙江提督李長庚追剿。後來蔡牽與浙江提督李長庚，多次在外海短兵相接，最後李長庚破了蔡牽的大軍在定海，劫後餘生的蔡牽嘆了一口氣，直說：「不怕千萬兵，只怕李長庚。」

又過了一年，蔡牽勢力再度捲土重來，自稱「鎮海王」，襲擊台灣鳳山、打狗等地，南台灣四處人心惶惶，府城也險些被包圍。三郊貨船多次被劫，惹得三益堂裡眾人都義憤填膺。嘉慶十二年冬，李長庚與福建水師提督張見陞，合擊蔡牽勢力在廣東的黑水洋外，蔡牽被殺到只剩三船，竟然還能回射一砲，擊中李長庚的座船，浙江水師提督李長庚因此殉職。之後朝廷更是震驚，王得祿原來也在李長庚麾下，不得不被緊急派任福建水師提督，繼續辦理殲滅蔡牽的事情。

此次出海，正是要往北一路殺至浙江，聽聞蔡牽前些日子襲擊鹿港，殺人越貨，惹得彰化百姓人心浮動，接著二十日後又襲擊浙江的鎮海、台州、溫州等地，搞得兩地四處雞飛狗跳、雞犬不寧。府城三郊加入作戰行列，也是有史以來頭一遭。眾人都說官民聯手，這蔡牽肯定是法網難逃。

文賢抱著《順風相送》這本書上船，原本以為它有些魔力，才會讓老頭家藏在家中匾額後面多年，抱它上船，求個心頭平安。文賢翻了兩三頁後，就把它小心翼翼地放回木箱裡，就怕海上打上船的浪頭溼氣重，書本會因此受潮，木箱裡塗滿了西洋蠟，開闔的地方還貼了棉布，上了兩層豬油，避免水氣侵入。文賢抱起這個木箱，正要往旗艦的官廳裡走，一個大浪打來，他感到頭暈目眩，木箱一脫，竟然就飛脫到海水裡去了。

「唉唷喂呀！我的《順風相送》！」文賢表哥又驚又急，急忙在船上大叫：「誰來幫我撿那個東西？」船上的水手，沒人想理會他，全都默不吭聲。文賢表哥驚急之下，不顧自己安危，竟然縱身一跳，躍入海中。

「有人落水啦！」船上立刻慌亂起來。

李邦奔到牛欄邊：「是誰落水？」

「合意興的頭家文賢！」水手稟報都司。

「快派人下水去救！」李邦嚷著。

大家眼見海象奇差無比，沒人敢跳下水，李邦不管三七二十一，自己就跳入水中。

「都司落水了！」戰船上的水手敲起鑼來，四處點嚷著。大夥全都圍到牛欄邊議論紛紛：「都司落水了，快放繩索！」

眾人一番折騰，拋繩子的水手死命吆喝，李邦眼見救不了文賢，只好把繩套捲在自己腰上，大夥總算把李邦拉回船上。海象險惡，文賢和那個裝著《順風相送》的木箱，早就消失在怒濤洶湧的波浪之中。

文賢遇難後，李邦雖然有些沮喪，但整體士氣並未低落，反而是眾人心中雀躍：船上的水手，是三郊各家商船招募而來，早就耳聞文賢表哥的為人，他遭到如此厄運，反而大快人心，眾人皆曰惡有惡報，現在水神爺爺，拿了文賢表哥這個活人祭過龍王後，說不定往後的戰況會更有利於義軍。李邦寫了一篇祭文，招集了李羽，金永順的林老闆等人，在白晝裡投入大海，以奠文賢表哥的孤魂。

大軍殺到浙江台州外海，正巧蔡牽打劫完一個小漁村，駛至白犬外洋，王得祿大軍衝殺入敵陣中。蔡牽見狀，大驚失色，不知清廷水軍會埋伏在此，這些船隻乃自台灣而來，蔡牽雖已叫人把守浙江、福建諸港口，觀察官府動靜，沒想到這次竟然腹背受敵，大軍是從台灣出發，完全出蔡牽意料之外。蔡牽這回僅有五十多艘海盜船，眼見百艘戰船大軍壓境，心中也有些害怕起來。

「這可糟糕，船上欠缺彈藥啊！」蔡牽嘴裡嘀咕：「把銀彈給我抬出來。」

為了防止海盜作亂，朝廷管制了沿海的鐵器流通。蔡牽這干人打劫了洋船、台廈兩地的大商船，將所獲的白銀、官錠，全都鑄成子彈，大批的金子燒熔成船錨。這海盜所用的，是不折不扣的「銀彈」，駛的便是「金銀寶藏船」。

蔡牽把槍枝配發給水手，這些槍乃是洋船上的東西，將銀彈裝入後，威力更勝清廷現在水軍的實力。眾人將金錨丟下水，船身微微晃動了一下。五十多艘海盜船整整齊齊地轉了個方向，排出了船砲陣。

「眾人注意，我鎮海王可不是浪得虛名，浙江水師提督李長庚死在我手中，這回也要王得祿那崽子，死在這白犬外洋裡！」蔡牽大喊一聲，揮下黃金刀。

海盜船全部轉了右舷，露出火砲開口，五十多艘船艦同時開砲，蔚為壯觀。砲彈飛過水面，倏然飛來，王得祿的先鋒船中了砲彈沉沒，後頭大軍前進的速度仍然未停歇。

王得祿身為福建水師提督，怎會怕這樣的小伎倆：「砲手就位，全面還擊！無論如何，今天一定要剿滅蔡賊！」

不一會兒，福建水師的戰艦火砲也發射了過來，在水面上炸出一道又一道的水花，兩軍對峙，水花火花齊飛。李邦聽到前方砲彈聲隆隆，立刻抬起頭來看，他可沒見識過這海戰的場面，揮動了軍旗：「轉過去，我們從右翼繞過去包夾！」

「稟都司，這可不是打陸戰啊！」一個小水手靠近李邦的耳朵說話，他也姓戚，是明朝名將戚繼光的後人。

李邦聽了這戰術，猛點頭：「這不就是戚將軍的南塘鴛鴦陣法嗎？以長兵器的遠，護短兵器的近；以短兵器的勇猛，補長兵器的遲鈍！這樣甚好，我們就來個出其不意，克敵制勝。」

於是南風號與北風號集結到北邊上風處，兩船抬出高射臼砲；旗艦、西風號、東風號混入福建水師大軍中，西風號抬出隼砲；東風號則抬出佛朗機砲。

李邦揮動軍旗，北側的南風號、北風號率先開砲，臼砲吐出的砲彈，在天空形成一條又長又美麗的拋物線。不一會兒，兩艘海盜船從中央爆裂，三郊的旗艦上頓時歡聲雷動。接著軍旗轉了個方向，西風號開射了隼砲，同樣打中兩艘海盜船，接著東風號殺到最前頭，佛朗機砲連番猛攻，嚇得海盜們個個是膽戰心驚。

「這是什麼方法？」王得祿沒見過這樣的陣法：「臼砲打遠，隼砲打近，以長補短，以短護長。真是令人拍案叫絕！」

蔡牽眼見火砲從四面八方而來，一時嚇得手足失措，不到一刻鐘的時間，海盜已經沉了十餘艘。他正視前方，負責開砲的正是後方豎黑旗的義民船，嘴裡叫著：「好啊！那幾個鱉縮頭的傢伙，躲在裡頭給將軍我放冷箭，正砲對過去打死他家的舅奶奶，讓那些鱉雞知道我鎮海王可不是好惹的！」

蔡牽將砲口對向三益堂義軍的旗艦，一聲令下，煙硝火花齊發，兩三枚砲彈飛過眾船頭頂，直往李邦所在的旗艦飛來。

兩顆砲彈落在船的右側，炸出幾個巨大的水花，一顆打在船尾，炸了個破洞，所幸沒有進水。旗艦搖搖晃晃。李邦的令旗差點手拿不住，最後一顆砲彈飛來時，李羽正好看見了，奮力推了李邦一把，砲彈削去李羽的右手，頓時血流如注，砲彈撞到將台甲板，飛跳了出去，在旁邊另一艘水軍船上爆炸，炸死了七八個人。

「哎呀！李守備中彈了！」李邦拿好令旗大喊：「快來替守備止血！」

李邦蹲下身子，眼見李羽傷得很重，他立刻叫人揮動義民旗子，船上眾人高喊：「護住都司旗艦！

賊人攻擊三益堂的中流號。」

王得祿見狀，立刻下達軍令狀，船隻陸續擺出螃蟹陣來，左右兩個蟹螯以佛朗機砲做底，蟹眼以隼砲、鷹砲做先鋒，八個蟹腳以臼砲做掩護，中間兩艘砲船駛出來，升起兩具奇怪的武器，上頭由八個砲射孔構成。

蔡牽一見這個武器便大驚失色：「這是西班牙火龍砲陣，我見過這東西，這是西班牙王國軍艦的祕密武器。」

蔡牽話還沒說完，火龍砲陣已經連番發射八發砲彈，兩艘砲船被自己火砲的後推力量，震得歪斜了方位，全都在原地轉了一圈。這操作火砲陣的砲手，全是台灣府城招來的聾子，有些水手是又聾又瞎又啞，但駛船拉繩的功力一流。這些火龍砲的威力驚人，但有一個致命的缺陷，就是那震穿耳膜的強大聲音，和巨大的後座力，一般人是受不了的。為了操作這些祕密武器，提督絞盡腦汁，要不是三郊商人給了幫助，王得祿也想不出這樣的對策：哪個耳聰目明的正常人，會願意操作這樣的火砲。而這些向西班牙王國購入火龍砲的費用，全是由三郊集資湊足，此番海戰若無三郊的鼎力襄助，官兵和強盜，簡直就是雞卵碰石頭，枉然無用。

火砲一連八發，蔡牽的海盜船幾乎連閃躲的餘地都沒有，火砲擊穿第一排海盜船，一下子就沉了五艘，後頭螃蟹陣的八腳臼砲飛彈打下來，海盜船又中兩艘。

蔡牽心頭一驚：「轉頭！轉頭！我們不是火龍砲的對手。」

蔡牽話還沒說完，佛朗機砲的火力已經逼了過來，海盜船的船帆立刻燒起來，蔡牽垂下頭：「大家拿起火槍來，跟他們死命拚了！」

海盜們眼見火砲輸給水軍，全都操起火槍，打算做最後的抵抗。海上槍聲四起，銀彈四處飛竄。王得祿原本以為這是窮鼠最後的反嚙，黔驢技窮。沒想到海盜們的狙擊能力一流，幾乎是一槍一命，打得螃蟹陣七葷八素，很快又敗下陣來，等一下這艘船沒了哪個兵勇，等一下那艘船少了哪個弁夫。

中流號上一片哀戚，李羽少了右手胳臂，血流不止。李邦滿臉淚水，壓住了他的傷口，替他擦拭血水。

李羽為了救他，竟然遭此劫難，李邦心裡愧疚：「羽弟弟不要說話，這場海戰我們就快勝利了！」「你不必安慰我，我知道我的大限將至。我與你爭鬥多年，這上頭沒有誰贏，也沒有誰輸！請你幫我轉達洪家長，要他好好經營李勝興，我是劉備白帝託孤諸葛亮……」李羽說起話來氣若游絲，他把僅剩的一隻手伸進衣服裡，拿出了一個紙包的東西，手指慢慢攤開。

李邦看了一眼，那紙包的是黑壓壓的蜜餞，他滿臉淚涕，伸手拿了一個，抹向李羽的嘴唇，李羽舔著蜜餞的味道，嘴裡淡淡地說：「李鹹、李鹹……」

不一會兒就撒手人寰了。李邦抱起李羽的屍身，仰天一嘯，這驚天動地的怒吼，猶張飛長坂坡上的一鳴，如武松景陽崗上搏虎最後的一嘶。他拿出軍令旗，東風號、南風號穿出螃蟹陣右側；西風號、北風號穿出螃蟹陣左側，後頭許多三郊民工的大船跟隨。一聲令下，四艘船艦上發射機關強弩，元朝時弩箭就從阿拉伯傳入中原，明代時加了機關連發，海盜們沒預料這四船上竟然裝了機械強弩，只見三郊水手用斧頭砍斷繩索，整個面板上千萬支弩箭如雨水般飛灑出去。

第一波飛箭襲來，射死了三、四十個海盜。上頭幾包蠟紙包裹的東西掉了下來，幾個海盜看見這些東西，面面相覷：「這是什麼？」

話還沒說完，那些東西就炸散出來，原來蠟紙裡安裝了掌心雷，眾人大叫：「是辣椒粉啊！」

李邦把曾振明的「擒盜香」用在這裡，海盜們哪受得了印度「斷魂椒」，與墨西哥「地獄火」的雙重攻擊，不斷流淚，眼睛沾了辣椒粉，又下了幾滴眼淚，更是辣得睜不開眼睛。

「這群王八羔子，婊子使了龜公計。」蔡牽掩住眼睛，準備退入官艙內，抬頭一望，天空成群結隊的海鷗盤旋，景象驚人。他看向四周那東西南北四艘船，船上整齊劃一地升起一股煙霧，隨著那四道煙霧，海鷗愈聚愈多。

王提督的手下見狀，軍心大振，眾人高呼：「媽祖顯靈了！」

相反的，海盜們軍心潰散，大家從沒見過這麼壯觀，又這樣恐怖的景象。天上的海鷗密密麻麻，就像夏季田野裡的飛蚊盤成旋風，一會兒捲過來、一會兒又捲過去。

王得祿找來手下：「三郊用這是什麼東西？」

「稟提督大人，這是曾振明的『聚鷗香』，這海鷗是媽祖的信使，我們本次大戰，必定告捷！」那個手下臉上掛著一股笑意。

王得祿知道手下們打從心底知道這場戰役會贏，眾人喜孜孜的表情全寫在臉上：「這三郊竟然有這樣的東西，真是讓我大開眼界。」王得祿轉過身子，正好見到海盜船上的蔡牽，正打算躲入官艙，叫旁邊的人拿來一支火槍：「擒賊先擒王，你這隻大老鼠休想逃？」

他操起火槍，對準蔡牽的身子，開了一槍。子彈飄了出去，一面布帆揚了起來，子彈碰到了布角，轉了個方向，沒打中蔡牽的心臟，直往他的左眼窩射進去：「唉唷！」

蔡牽叫了一聲，左眼被打爛了，倒在地上痛苦呻吟：「快對我開槍！快對我開槍！我不能落入他們手裡，否則會被剁成肉醬，用刑至死。」

「大王，得罪了！」旁邊的一個海盜聽到他這樣說，舉起火槍朝他開了一發，銀彈飛了出來，直中心臟，蔡牽頓時斷了氣息。

守備楊康寧跳入賊船，將另一個紅衣賊首陳漢砍死落海。另一支船隊從蟹腳分出去，擊沉了兩艘海盜船，接著殺入中心：孫大剛率守備周應元、千總周國泰突圍，千總被一發火砲打傷了腿，失去了追緝的先機。

海盜們見勢不可擋，也知大勢已去，只好用小舢舨載著蔡牽屍體趁亂逃走。大船走得慢，小船逃得快，這載著蔡牽屍體的舢舨，不一會兒已消失得無影無蹤。

眾人驚呼惋惜，但有舟師見了蔡牽慘死模樣，也算了卻一樁心事。王提督大軍擄獲海盜八十餘人，全都送回岸上究辦。

「猢猻兔脫，蔡逆恐已經慘死。不能用中國法，凌遲蔡逆至死，是便宜了他。至今海洋肅清，賊亂已靖，我等向軍機處奏請上諭，論功行賞。」王得祿聽完舟師的敘述後，雖然高興卻有一絲落寞。

中流號領著殘餘的水師大軍，返回鹿耳門港。眾人圍在碼頭上翹首盼望，大家看見中流號外觀損壞嚴重，心中都涼了半截。

戰船抵達後，艤舟卸板，眾人陸續下船。四人用擔架抬出李羽的屍體，雖然身上已經塗抹了鹽水，但屍身仍腐化嚴重，臉已經變黑，指甲已經脫爛。眾人掩住口鼻，不敢靠近。

蕭奴一見此狀，帶著李甜、李鹹姊弟兩人，掩面痛哭，聲音淒厲。孩子們年幼無知，指著李羽的屍體嚷著：「父親日上三丈，怎麼還在卯睡？」

蕭奴奔到屍體旁：「良人者，所仰望而終身也！你就這樣離我而去，叫我以後如何苟活？」

李邦聽到哭泣，心中酸楚。蕭奴轉過頭去問：「良人生前有囑咐些什麼？」

李邦拿出一團紙，慢慢攤開手指，裡頭放的是蜜餞，李邦嘴裡說著：「他只說李鹹！」

蕭奴一見此物，便知道他是走得匆忙。兒子李鹹看到這團蜜餞，忍不住興奮地叫嚷：「爹爹認得我！爹爹認得我！」

孩子愈是天真無邪，這悲傷的氣氛愈凝結。蕭奴悠悠念出一段似詩又不像詩的話：「良人遺我鹹李兒；奴家文君兒李鹹。」

蕭念一路扭扭擺擺來到碼頭邊，嘴裡也嚷著：「我家夫君呢？」

李邦將文賢表哥落海的經過說了一遍，蕭念哭得死去活來，激動大喊：「夫君啊！你就這般狠心無情，撒手而去，你叫我以後何以為繼？你叫我是上尼姑庵為你圖個清心寡欲，還是再醮他人為破鞋徒留人罵？」

李邦看了旁邊的洪汜家長一眼：「李羽生前託孤先生，這李勝興的將來就全靠洪家長打理了！」

「洪某惶恐，頭家生前所託，我必鞠躬盡瘁，死而後已！」洪氾看了蕭奴一眼，她哭得梨花帶淚，心中不捨，洪氾想著：我雖與妳有主僕關係，但那首婉訴情衷的琵琶曲律，早已塞滿我的心頭。哪怕是一曲陽關情幾許、哪怕是無計留春住，亂紅飛過秋千去。即使妳變成了年老色衰的杜秋娘，我仍會伴在妳身邊，一生守護妳、照望妳，照顧兩個幼孤長大成人。

滅蔡逆的捷報傳回京城，得知浙江白犬外洋大捷，嘉慶皇帝非常開心。加上之前兵部來奏，楊廷理會同閩粵舟師，在南澳長山尾洋殲滅了朱濆大軍，嘉慶君更是笑得闔不攏嘴：「賞！統統有賞，這制賊大功臣，就屬福建水軍提督功勞最大！」

「啟稟皇上，末將若非得台灣三郊幫助，今日斷不能在此叩謝隆恩！」王得祿金鑾殿上拱手跪地回報。

「愛卿何出此言？」嘉慶坐在龍椅上，托著自己的下巴問。

王得祿將白犬外洋一戰始末說了一遍，朝中大臣聽得如癡如醉，嘉慶君更是從頭到尾，嘴巴沒闔起來：「軍機大臣！怎沒見你在軍機處的奏摺子裡提到三郊的好處啊！」

軍機大臣臉色發白，立刻跪了下來：「臣罪該萬死，臣以為只是一般民夫，一干草芥，不知有此卓著功績。」

「在我大清底下，論功行賞不分青衫與補子，只要誰是硼中彪外，管他誰執白旄，誰杖黃鉞？我看你這軍機大臣也別幹了，回去中書省鍛鍊，看看怎麼寫好奏摺子，再寫不好就調到漢本房、滿本房或蒙古本房磨墨洗筆，整理冊子。」嘉慶君發落：「三郊的義民勇壯真是天將神兵，派人豎個記功碑，送去台灣的水仙宮外。糖郊領首李羽的葬禮，加封五品，以禮入祀，並賞雲騎尉世職，俸八十五兩；台灣北郊領首李邦英勇殺敵，恩賞頂戴花翎。其餘義民、兵勇傷者、有功者給予優獎；捐軀者，依例撫卹，奮勇殺敵而陣亡者、賜卹世職。至於百道，陞二等子，賞雙眼花翎。」

王得祿五體投地：「謝主隆恩！」

海面平靜，一艘不列顛的風帆戰艦「雄獅號」卻迷航了。工業革命剛剛開始，世界上第一艘蒸汽船，不久前才在哈德遜河上巡遊，但雄獅號不是蒸汽船，航行在海面上，依舊要看上帝的臉色。從伊莉莎白一世時代起，英國就鼓勵人民造船私掠，到海面上探險、獵奪與爭戰，這樣的行為跟海盜的行徑差不多。十六世紀末，英國人擊敗入侵英格蘭的西班牙無敵艦隊後，就和西班牙人利益扞格。

光榮的國度總會蒙上一些灰塵，一七八三年巴黎條約後，新英格蘭聯合附近其他殖民地宣布獨立，帝國就在這存亡之秋間擺盪，雄獅號與其他同行的船艦並肩而行，船上的水手們都知道，這個新獨立的國家，有意進犯加拿大，特別是蒙特婁與魁北克這兩個地方，在那裡雖有保皇黨人，但該死的西班牙人，背地裡卻支持這群叛徒的行動。

底特律圍城戰後，那些不敬重英王喬治三世的殖民地叛徒們失敗了，但難保他們不會再起禍端。雄獅號及其他艦隊，奉命攻擊西班牙帝國的加利福尼亞省海港，用以箝制西班牙人支持合眾殖民地的行動，並希望這樣的攻擊，能促使墨西哥人快點脫離西班牙獨立。

數十艘船艦的水手，同時向船上的英皇畫像致敬後，展開拂曉任務：先是半島上的拉巴斯、恩森那達港，向北一路偷襲至西班牙三藩軍事要塞，接著又攻擊聖立安卓港。

七天後的最後一次偷襲，雄獅號被一陣怪風吹出外海，駛離加利福尼亞省海岸線，和其他船艦分散了：獨自航行是相當危險的事情。雄獅號漂流了一個多月，船上海員病死三分之二，剩下的人靠著牧師的帶領，展現了豐沛的求生意志：他們食用生魚片，吃無人島上的岩螺、藤壺，總算穿越太平洋，抵達遙遠東方的國度。

日本此時正是江戶時代，幕府德川家齊奉行鎖國政策，雄獅號無法靠岸補給，一路航行到肥前國的出島，他們遇見剛恢復開通航線，自海外進口生絲的荷蘭商船。

荷蘭人以為英國人要來攪局，雄獅號遭到荷蘭商會無情地驅逐。絕望之際，雄獅號繼續往南前進。這時牧師發現海上有個漂流的木箱子，水手們撒下繩網，撈起這個木箱：眾人移除了塗有豬油、西洋蠟的防水棉布後，總算見到了一本泛黃，但書頁沒有腐爛的「海道針經」，英國人沒見過那些東方字體，因此不認識「順風相送」四個字的涵義，但見到裡頭的長頸鹿畫像，便知道東方人也曾抵達過好望角，他們只覺得這本書珍稀可貴，會出現這裡應該是上帝的意旨。

李羽的死，對所有人來說都是一個打擊。蕭奴受了雙重打擊後，終日待在家中，淚已乾、心槁枯，從此鮮少過問李勝興大小事務，洪氾就怕她也有個三長兩短，每天交代奴婢要留意她的行為舉措，加上妹妹蕭嬌不斷安慰，這幾年下來，倒也相安無事；所幸李甜喜歡管東管西，接手母親的位置後，把李勝興整頓得有條無紊，每天都有公子哥來街屋裡，詢問亭亭玉立的李甜芳齡好幾，打算媒一段好姻緣。

洪氾度過這段艱難的時期，他照顧蕭奴，也拉拔李鹹學習商務。古井藥局打從半年前開始，便販售一種黑色的漬李蜜餞，裡頭加了幾味漢藥材，很快就受到眾人的歡迎，大家依稀記得李羽死前的牽掛，都稱呼這一味是「李鹹兒」，這個響噹噹的名字，順理成章就成了府城蜜餞的代名詞。

李鹹漸漸長大，洪氾很快就發現他聰穎過人，做事心思細膩，處處為他人著想，能識大局，吃苦又耐勞，是塊不可多得、做生意的好材料。洪氾接手李勝興貨棧事務後，商號更是日進斗金，就因洪氾為人正直，大家對李勝興貨品的信賴感愈來愈濃，洪氾這兩個字就跟李勝興的招牌一樣堅固，眾人隨便這樣一兜攏，洪氾名字就組合成了「港」這個字，三益堂裡霸主李邦開玩笑，說這糖郊遲早要改稱呼為「港郊」，沒想到一句玩笑話，最後成了真實：不但眾商賈這麼稱呼，隨後百姓人家，官署牒文，全都改了糖郊為港郊。

但另一方面，合意興卻因文賢頭家的殞落，後繼無人而家道中落，合意興的老頭家、文聖大哥陸續病逝後，原來合意興的各種產業分號，改歸金永順、蘇萬利和李勝興三家，各郊領首與勢力至此確立。十餘年後，蕭念改嫁至淡水縣的金廣福墾號林姓商人，做了人家的二娘子，從此洗盡鉛華、齋家自修，研覈佛法。

時光似箭、日月如梭，這樣又過了一年，在一場夏季風災之後，台灣四處飛蝗，打從彰化、嘉義，南至鳳山、打狗，全都因為蝗災而導致農作物歉收，綠營官兵全都動員出來抓蝗蟲，但蝗蟲繁殖的速度極快，最後連官府也束手無策。

「沒想到這蝗蟲過境，這般厲害！田裡種什麼，牠們就吃什麼。昨天東安坊、鎮北坊大蝗過境，天空頓時一片漆黑，情狀好不嚇人！」長工細數昨日所見。

洪氾聽完家丁來報，不禁嘆了一口氣。李勝興家大片諸柘園遭到蝗蟲侵擾，葉子被啃咬後全都枯黃脫落，白蔗莖桿裡頭的汁液也不香甜了。李勝興的糖廍因此斷了工作，大批製糖工人全被分配到田裡抓飛蝗，但這蟲子怎麼抓也抓不完，怎麼除都除不盡。

「洪氾伯父不必擔心，鹹兒心頭有一計。」李鹹招一招手，眾人抬進一個籮筐，裡頭裝著滿滿的東西，洪氾看了一下，裡頭有魚藤、豆薯、苦楝皮、苦茶粕，還有自呂宋引進，俗稱「淡巴菰」的菸葉。

「這些是什麼？」就連洪氾也不知道這些東西有什麼效用：「是藥材嗎？治療些什麼？」

「不是藥，是毒！」李鹹點收了一下那些東西，他蒐集《民間草藥集》、《福建草藥便覽》等民間醫書中，記載各種殺蟲的方法，要不是他博覽群書，恐怕沒人知道這幾味東西的妙處。

以往三郊商人南來北往，載貨販物，輕入重出都只在乎正典裡的漢方藥材，沒人知悉這些「毒物」也能創造出無窮的商機：「鹹兒已經試驗過，將這些東西搗爛成泥狀，加一些水，就能製出『滅蝗液』。只需塗抹在牲畜吃不到的葉子上，殺蟲的效果極佳！」

李鹹叫家奴抓來十幾隻蝗蟲，裡頭已經擺了幾片狗尾芒的葉子，他將滅蝗液抹在葉子上，然後將蝗蟲放入木盒子中，再將蓋子闔上，過一會兒打開木盒，便發現那十幾隻飛蝗，全都奄奄一息。

「你這滅蝗液可立了大功，要麼擺到古井藥局裡去向眾人兜售！肯定能賺進大錢。」洪氾心頭一喜，準備招呼下人們把材料抬下去製作。

沒想到李鹹卻淡淡地說：「伯父說得很好，但鹹兒想過之後覺得這樣不妥，若是拿去古井藥局販賣，肯定會引起大騷動。這左思一出〈三都賦〉，洛陽紙便貴了起來：滅蝗液的主要成分魚藤、豆薯、苦楝皮都是郊外稀鬆平常的植物，倘若大家明白了作法，難保明日山坳上的魚藤，山坡上的豆薯、山谷裡的苦楝不會被刨除挖盡；南北貨船載來的雲南苦茶粕、呂宋淡巴菰，也全都會被眾人搶購一空。若是市墟裡材料不充足，我們就沒有任何東西可販賣了，所謂巧婦難為無米之炊，屆時缺了任何一味毒蝗的材料，沒把蝗蟲殺乾淨，反而助長了飛蝗繁殖的勢力，那可就不好了。」

洪氾一聽此言，覺得很有道理：「那麼可有更好的方法？」

「第一要務便是讓百姓安心，不要讓庶黎們每天瞎猜測，造成人心的浮動，借助神明安定人心的力量是必要的。第二是確保家畜與飛鳥走獸的安全：這滅蝗藥中的魚藤、豆薯雖有殺蟲之效，但其汁液亦有麻醉鳥獸游魚的作用，高山番人多用魚藤液來毒魚、捕魚，若家畜不慎食用，恐怕也要癱軟在地了，若要確保這毒物，不被濫用在不正當的地方，就要由咱們李勝興的工人自己來噴、自己來灑，這樣才能控制劑量與施毒的範圍。最後就是確保材料的充裕性，要讓這滅蝗液源源不絕，我們只能低調行事，切勿張揚，這樣才能管控材料的數量與品質。」

李鹹在洪氾的耳朵邊嘰嘰咕咕，洪氾點點頭，嘴裡說著：「這樣好是好，但不知會不會汲乾了海安宮龍虎井的水？如此這般，可又要勞煩其他商賈頭家們的配合？」

「伯父切莫掛心！李勝興不會蝕本的。這計畫肯定要在三益堂上說個分明，有錢大家賺，大家有賺錢！我們李勝興不求暴利，只圖個生意興隆。三郊互相支援，互蒙其利，做起事來也方便自在。」

李鹹拍了胸脯，信誓旦旦地說。

在三益堂上，李鹹將滅蝗計畫講了一遍，眾郊商莫不拍手叫好。李邦身為霸主，聽到這縝密的計畫後，不禁點頭稱是：「李鹹甥兒果然青出於藍，更勝於藍！」

滅蝗計畫在第五天的中午前展開，三益堂群商假藉要請示水仙尊王，大家浩浩蕩蕩至水仙宮上香祭祀水神，金永順的頭家燒香到了一半，突然神明上了乩身，嘴裡講起了天語，四周圍觀的百姓莫不驚駭。

金永順的老闆踩起七星步，拿起線香，在空中寫了個「水」字。李邦假意問著：「弟子無知，敢問水仙尊王所言的水，是指何處？」

金永順頭家指著自己的腳，然後奔出水仙宮，線香一揮，遠遠指向南勢港下游處的海安宮。

「敢問尊王，這水是否就是海安宮龍虎井裡的東西！」李邦這一問完後，金永順的頭家猛點頭，不一會兒就已經癱軟在地。

旁邊一個知情的老闆暗自竊笑：「這金永順的大當家，可比戲班的戲子碰頭好還精采，瞧這舉手投足，把大家都唬得一愣一愣。」

「可不是嗎！這林少爺原來不想從商，只思妝點頭面兒唱戲。這金永順頭家，兒少時可曾在戲棚下巧扮過薛平貴，叫他妹子演王寶釧，被金永順老頭家知道後追著猛打哩！」另一個與林老闆世交的商人說著。

眾人扶起金永順的頭家，大家巴著他問東問西，他都假意不知剛剛發生了什麼事情。李邦鄭重宣布：「水仙尊王旨意要用海安宮的井水來治蝗災，我們這就到海安宮裡跪求媽祖娘娘給神仙水。」

眾商一路浩浩蕩蕩走出水仙宮，往海安宮的方向而來。前一日，李勝興已經叫人在海安宮外的榕樹上，噴灑了滅蝗液，樹下擺了一個新水桶、水桶中裝滿了水，水面上有個新水瓢，旁邊放了一雙新草鞋。眾人才一到海安宮外，便被這眼前的景象給震懾住，榕樹四周死了上千隻乃至上萬隻的蝗蟲，雖然榕樹葉已經變少，但可以明顯發現，還有部分的蝗蟲，陸陸續續從榕樹上掉落下來，就像下雨一樣可觀。

「果然是神蹟！」百姓見到後，下巴都快闔不上來。

海安宮的董事趙寶站出廟外，他已經知道這套劇本：「各位鄉親父老，這桶水是我昨晚灑在榕樹上的，昨天白晝媽祖娘娘有旨意，凡是入廟取水的人，便要買一個新水瓢、一個新水桶，還有一雙新草鞋，這樣取出的神仙水才有神效。大家取完水後，灑淨在家門四周。今晚子夜開始，媽祖娘娘要乘花輿巡訪四境，眾人皆要迴避，子夜後一定要緊閉門窗，勿在街上遊走，三郊將派員守住大街，防止任何人驚擾到娘娘神轎。只消數日後，蝗災便可消除。」

眾百姓爭先恐後，鬧哄哄衝散到大街上，但說也奇怪，今日北郊眾商只賣水瓢、南郊只賣水桶、港郊只賣草鞋，三郊像是套好了招數一般，各賣各的。眾人雖有疑惑，但既然是娘娘指示，卻也不敢多說什麼。

大家準備好工具後，便在海安宮外排出長長的隊伍，三益堂派員糾察，維持秩序。凡是插隊者，爭先恐後者，全都會被驅逐離散，眾人繳了取水的釐金後，穿著新草鞋，拿著新水桶，用新水瓢取回井水，散灑在自家住宅附近。

到了子夜，海安宮正門大開，四人抬著一頂大轎子出去，街上各家各戶掩門關窗，就怕驚擾到娘娘辦事：其實這頂是個空轎子，四個壯漢抬著空轎，到山上去採魚藤、豆薯，和刨苦楝樹的樹皮，然後裝在空轎子裡送回來。另一方面，三郊眾商輪流派員守在大街上，其實也是個幌子，眾人忙著在四坊大街的樹木上，噴灑滅蝗液。這樣一連三日，府城內的蝗蟲愈死愈多，府城百姓白晝見到街上滿滿的蝗屍，莫不讚嘆媽祖娘娘的神蹟，海安宮的龍虎井外每天更是人山人海、絡繹不絕。

不消十日，府城的蝗災被壓制下來。三郊眾商如法炮製，聯繫鹿港、笨港的郊會商人，在鹽水港武廟、鳳山城隍廟安排相同的戲碼，蝗災逐漸從嘉義、鳳山消失，接著彰化與打狗的蝗災也都平息了。

這一天，海安宮的董事趙寶，偕李邦面見李鹹與洪氾，趙寶開心地說此回蝗災過境，海安宮竟然收到五千餅番佛銀，更勝三十年內海安宮所收的店租、地租、船澳停泊貲費總數。蝗災期間海安宮內連日香火鼎盛，現在已不愁後殿興建的費用無著落，這些全賴李鹹頭家的機伶與膽識所賜。

而李邦也說，三郊戮力同心，完成了滅蝗的工作，確實是功德一件。原本李邦以為這次滅蝗行動，肯定是要貼些本錢，沒想到商家們在水瓢、水桶和草鞋販售上竟然有所獲利，核實之下還有小賺。三益堂眾商已決定將這些盈額撥給水仙宮，籌做造橋鋪路，興學建廟的公款。

這語氣到一段落後，李邦忽然話鋒一轉，從脖子上取下黑漆木牌，李邦把這東西的來歷說了一遍，接著跟李鹹說：「這木牌原本就是你父親的東西，留在我這裡也挺過意不去。」

李鹹接過木牌，就見到前面四個字「港郊之駝」，他心底頭激動。李邦接著說：「以前我不知道『港郊』指的是什麼！這些年我總算明白，它說的便是洪氾所領導的『港郊』，一切冥冥之中就有注定，不將黑漆木牌還給你，要還給誰呢？」

李鹹想起了父親：他的聲音、他的長相、他的味道都已經在記憶中，漸漸模糊：「多謝舅舅遺我此物，我會好好珍惜。找個時機，我會到鹿耳門去一趟，緬懷一下父親生前的好！」

李邦聽了以後心頭酸，李羽是為了救他而身亡，現在見甥兒懂事乖巧，自己的愧疚感就消散不少：「你母親自從那事情後，身子骨便逐漸不好。找個機會你替她，到你父親墳上燒一炷清香！」李邦愈說鼻頭愈紅：「甜兒以後總是要嫁人，這李家只纏你一個男生，自己可要好自珍重！時候不早了，我和趙董事先告辭了！」

李邦和趙寶離開後，李鹹看了洪氾一眼：「不知洪伯父是否有空閒，能陪鹹兒走一趟鹿耳門？」

洪氾知道李鹹現在的心情複雜，點了點頭答應。

兩人來到鹿耳門，商船依舊往來如織。李鹹站在船塢邊，打量著湛藍的海水許久，他若有所思。洪氾原本要安慰他，這一抬起頭，就見到一艘兵船上有個熟悉的身影，正對他招手：「洪家長，在這兒！」

洪氾仔細看了一眼，果然是以前在李勝興家任過事的黃進發。他離開李勝興之後當了幾年水兵，之後又中了武進士，從戎至今已經陞至提標中軍參將。雖然被海盜擄走的父親已下落不明，或許是生，也或許已死，但他奮勇殺敵，台海這幾年已少有海盜出沒，他現在倒也過得歡喜自在。

「參將大人氣色不錯，想必近日海面平靖，是因為盜匪全遭大人殲滅所致！」洪氾拱一拱手。

「這不全託三益堂義軍的福氣，特別是李羽雲騎尉，若沒有他的犧牲，哪能換來這幾年的繁榮昌盛？」進發對李鹹又回了一個大禮。

李鹹心頭五味雜陳：「參軍大人見外了。」

李鹹別過進發後，和洪氾家長又走了幾步路，李鹹問了：「洪伯父可有想過再續緣分？」

洪氾聽到這麼唐突的問題，趕緊撇過頭去，差點慌了手腳：「鹹兒怎麼這樣問，我底心頭早已老僧入定，古井無波了，同誰去續緣分？」

「洪伯父瞞得過其他人，瞞不過鹹兒的……」李鹹眼睛睜得雪亮。

洪氾臉色發青，對李鹹母親的思慕情愫，難不成李鹹這個當兒子的已經發現？他是怎麼知悉的？這裡頭的底蘊，是這般難堪地、赤裸裸地呈現在洪氾現在的眉宇之間。若要揭破這個祕密，要不惹得以後街頭巷議，大家茶餘飯後的笑柄。眾人聊起李勝興的家僕已經娶了蕭三小姐，還愛上李家的主母，白賴這裡頭地位與身分的不相襯，調笑著家奴每天癡心妄想天鵝肉，這樣是多麼令人羞恥慚愧的話題啊？

「……自從父親去世後，伯父就憂憂寡歡，伯母已是古井藥局裡女坐堂，那日我在臨水夫人廟，見到伯母在那拜神求子，她喃喃自訴患了氣滯血瘀之症，飲了桃紅四物湯仍未見有孕，伯母失望之餘，替您求了桃花，切盼您納個小妾，傳宗接代，以免伯道之憂，我見伯母如此痛苦，所以才替她建議伯父能再納一室，好了卻她的心願！」李鹹話說到這裡：「我想我的娘親也一定會喜允伯父再續一絃，要你身邊有個年輕伯娘照顧你。」

洪氾心頭鬆了一口氣，心底想：好啊！原來鹹兒講的是這些道理，可真把我給嚇死了，急壞了。這兜褲兒開了一個洞，你說羞也不羞？可不隨著剛剛鹹兒的話頭憋憋焦焦，搞得臉上汗水如大豆，口乾又舌燥，眼珠子都快掉了出來。

「鹹兒不必憂擾我，有兒無兒乃天命注定，有兒我自歡喜，無兒我也不煩憂。因為鹹兒就如同我子，此生已無所求……」洪氾正說著自己的真情真意，一串嘈雜聲音打亂了洪氾的思緒。

兩人抬頭一看，一艘破爛的洋船駛入鹿耳門港。雄獅號懸掛的「聯合傑克[46]」艦首旗已經破爛不堪，船長伸出頭來對外頭一望：是一個東方港口，船長原本無意靠岸，但雄獅號航行日久，前七天離開日本出島時，劫後餘生的幾名船員才帶頭騷亂過，他們許久沒碰過女人的身體，下半身子早就不聽使喚；大家吃了許久的生魚片，船上也毫無乾淨的飲水，眾怒已久，再不入港補給，大家都要像之前那些船員一樣病死了。這回竟漂流到這麼繁華的港口，眾人綁架住了牧師，揚言雄獅號再不靠岸，便要叛變奪船，自己開入鹿耳門港中。

船長迫於無奈，只好駛入港裡，船上無人懂滿大人話。所幸牧師認識一些被歐洲諸國取締與迫害而逃到倫敦的耶穌會成員，有些人曾到過東方傳教，牧師耳濡目染之下便認得幾個漢字，牧師翻了翻聖經，心裡頭擔心會有差池，拿起墨水瓶，用手沾了墨汁，在白旗子上寫了個漢字「使」：意為國之大使，他知道東方有俗「兩軍交戰，不殺來使」。船員將這面使字大旗升上船頂，迎風飄揚。

雄獅號這一入港，引起眾人的議論，船上一個潦草的「使」字飄揚，水軍官兵發現後，立刻請來了中軍的參將大人。

「這洋船怎跑進鹿耳門港來了，上頭那一個『使』字，想必是遣華使者，要趕走他們還是不趕走他們啊？」進發這下可也苦惱了：「北有王功港、南有台灣港，這洋船兒哪裡不停，好死不死偏偏打這裡送？」

李鹹和洪氾見狀，立刻回來求見參將大人。洪氾曾見過某個富商，家中懸掛臨摹明代利瑪竇的《坤輿萬國全圖》，知道英格蘭在西方，洪氾也曾在其他地方見過這面米字旗，知道英倫三島遠在萬里之遙，看樣子他們不似有惡意：「參將大人，三國時周瑜斬了曹操的來使，毀了書信，曹操大軍便冒險來犯。殺使之禍，無人能料啊！」

「洋人詭計多端。我可不是周公瑾，不可能殺了來使。但那些洋人可也不是曹操，就不知那使船上，等一下會不會派一個蔣幹出來打探軍情。現在若是去牒通知兵部，又怕時間拖太久。怎麼做都不是，因此我才煩擾憂愁啊！」進發滿臉愁容：「不驅逐來船是怯戰；驅走了來船是求戰；不驅不迎也無任何作為，我內心切齒膽戰啊！」

46 聯合傑克：大不列顛與北愛爾蘭王國旗幟，中文又稱「米字旗」，為隸屬大英帝國船艦的船首旗。

李鹹聽他這麼一說，不禁朗笑：「大人不必苦惱，朝廷不許洋船停泊於各地大港，可沒限制洋船不能在小漁澳裡補給。鹿耳門北邊，嘉義縣與台灣縣交界處有個叫加佬灣的小漁村，是三郊的修船廠所在，不如讓這洋船在那裡補給。」

「好主意！真是好主意，就讓他們去那裡補給，兵部過問此事，我也有好有個交代。」進發拿出兵部發給的〈皇輿全覽圖〉，乃將此事託付給李鹹處置。

李鹹來到碼頭邊，正擔心那些洋人不懂漢字，找了片大白布，自己想了一下內容，然後畫出草稿，自己在碼頭上四處找尋，很快就找齊全了七里香、細葉臭牡丹、裡白葉薯蕷、山藍、木藍、菘藍、蓼藍及山黃梔等染料，他加加減減、拼拼湊湊，很快就完成了一幅色彩繽紛絢麗的〈野宴煮雞圖〉。

洪氾看了一眼，不禁笑出聲音，這題材裡頭畫的是相思樹下一個長桌，桌邊有一個侍者，正用炭火烤雞肉。長桌上擺滿了佳肴美酒，幾個洋人和漢人分別圍坐在長桌旁，共同享用這大餐。

這畫面有幾絲義大利宣教士郎世寧的畫風，洪氾雖覺得好笑，但也深感李鹹頗有畫圖的天分。〈野宴煮雞圖〉豎在一艘商船上，緩緩開向雄獅號，李鹹站在船上，比手畫腳，雄獅號的士兵見他沒有敵意，雖不懂他在說些什麼，看了那幅圖畫後，眾人也大致明白了這其中的道理。

引導的商船開出港口，雄獅號緊跟在後，雙雙來到鹿耳門北邊的加佬灣。這個小漁村原來是鹿耳門的外港，這裡設有修船廠，一些三郊的修船工人會在此地休憩。眾人在李鹹的指揮下，替雄獅號添了淡水，給了些鹹豬肉、臘肉臘腸、堅果乾貨。牧師死裡逃生，以前覺得東方人長得醜，現在再看，就覺得東方人特別可愛。牧師見到了李鹹與洪氾兩人，特別感到親切，於是將自己珍藏多年的銀製鳶尾十字架送給李鹹，那個十字架上頭有個耶穌受難的浮雕，李鹹看了一下，知道那上頭釘在十字架上的是西洋人的神明。

「你們是英格蘭國大使？」李鹹指著他們船上的「使」字。

牧師知道他在指點那個漢字，連連說了一串英語，意圖解釋歐洲諸國對待外交公使的基本禮儀。李鹹將那十字架按在自己胸前：「你們的神會保佑你們出海航行平安！」

牧師看了他的態度，又見他把十字架放在自己的胸前，知道他在祝福雄獅號，開心地跟李鹹握了手，然後向加佬灣的工人們揮手道別。

雄獅號駛出加佬灣港，眾人目送西洋人離開。這附近的港灣，自從荷蘭人離開後，已經將近兩百年沒有西洋人的船舶在此靠岸了。

這件事立刻在府城內傳開，大家都改稱呼加佬灣為「國使港」，意指「英格蘭國大使」駐留的港口。一年後府城淹大水，鹿耳門溪沙土沖入鹿耳門港內，鹿耳門港便淤積了。北邊的國使港，與安平的台灣港就成了新的貨物轉運港口，幾年後有人將國使港喚成了「郭賽港」或「國塞港」，從此成了這樣的名稱。

府城的水道，每隔幾年就會受到河水的泥沙堆積而淤塞，三郊在嘉慶年間又開了一條竹筏港運河，直通郭賽港，才又維持了府城往後多年的繁榮光景。一直到了朝廷滅了長毛賊亂後，全國增設釐金稅，在竹筏港水道上設置釐金局，每次過河的船隻抽釐金稅，商務貿易才從高峰，又漸漸衰敗下來。

李鹹在國使港事件後，發現自己很喜歡繪畫與書法，師承了貢生商人林朝英。這林朝英在府城內開設了「元美號」，嘉慶年間倡修縣學孔子廟，獲得三郊眾商的共同支持，募得萬金。林朝英熱中公益，後又以自創的「竹葉體」，寫了一副楹聯，高掛在海靖寺門前，其字體精緻巧妙，如君子逸竹之灑脫；文章微言大義，如君子錚錚之諤言。眾人見過後都津津樂道。

嘉慶十六年，六月十八日，小琉球海面平靜，一艘戰船緩緩駛過花瓶岩海域，船上歌舞昇平、鳩嘻鵲笑，似乎沒有出洋戰艦的莊重氣氛。十年前各省千總，代總兵的班出洋巡哨之事，時有所聞。兵部以廣東千總代巡之事，上奏嘉慶皇帝。皇帝知道後，對這些尸祝代庖的事情頗為憤怒，痛斥各省巡撫因循苟且、漫不經心。叫小軍機擬了個洋洋灑灑，千餘字的聖旨，議處兩廣總督吉慶、廣東巡撫珊圖禮，及廣東水師提督孫全謀，並下諭各省水師，往後總兵為「統巡」；副將、參將、游擊為「總巡」；都司、守備為「分巡」，各司其職，不可怠惰散漫，代巡之事才銷聲匿跡。

蔡牽勢力被剿滅後，四海平靖，但台灣守備的事情，依舊不能怠慢鬆懈。日前滬尾高夔才意圖在柑園等地起事，台灣各縣泉漳械鬥愈發激烈。就是擔心台海再起波瀾，台灣水師協副將謝恩詔，號令三標水營各自守哨，左營軍自鹿仔港駛出「定字號戰艦」、中營軍自蚊港駛出「平字號戰艦」、右營軍自東港駛出「澄字號戰艦」，分別出港近海巡洋。統巡官拿了圓形金漆旗牌上船艦，和副將謝恩詔同巡安平外海，船艦上高高豎立起「王命旗」，王命旗以藍緞製成，方兩尺六吋，上書「令」字。這豎王命旗的船艦，可自行對海盜船、走私的小舢舨，未經核備就出洋的不明船隻直接開砲，不須審問，先斬後奏，猶如王命在手，誰見了都要抱頭鼠竄、退避三舍。藍色的旗面、朱鬃色的旗杆豎立在船上好不威風，戰船上的副將大人看了看風向，向總兵稟報後，決定往南巡航。

南邊分巡的東港澄字艦，駛過小琉球花瓶岩，守備探頭看了看外面的海水，天空逐漸黯淡下來，這一股菸癮上了心頭，嘴裡嚷到：「我這菸癮纏繞上來，難受啊！」

穿著「海馬」補服的委外把總笑嘻嘻地說：「大人您就在這船上哈個幾口福壽菸，小的替您把一把風。」

守備瞟了他一眼：「沒想到你看起來笨手笨腳，其實還挺聰明伶俐的。那好，你就幫我好好守著。若是見到『王命旗』，可要給老子我打聲招呼。這海上什麼利齒巨鯨、九頭怪鯊我都不怕，就專怕那些獅子、老虎、花豹……」他指了指自己補服上的「熊」，兩人相視而笑。

「明白！明白！小的明白。」委外把總說：「大人您抽菸，小的給您唱一唱曲子。」

「你還會唱曲子唷！難不成你打戲班裡出身？」守備從漂亮的盒子裡拿出菸槍，將芙蓉膏從薄布中拿出來，用手搓成條狀，然後貼到旁邊的燈火上慢慢煨烤，最後塞進菸槍的菸鍋中，閉上眼睛，鼻子旁的肌肉略微抽動了一下：「唉唷，這味道好香啊！這一聞增福、再聞添壽。」

「小的只是喜歡聽戲，年幼時在廟前戲棚下跟著哼哼唱唱，也就學會了。如果大人不嫌棄，我就唱段應景的曲子給您聽一聽。」委外把總端正好服裝，清了清嗓子，心裡頭想好了調子，這《哪吒鬧東海》的戲詞便從心底湧淌出來，只聽委外把總端好姿態，伸手一撩，馬上成了李哪吒。船艦上官兵頓時鬧哄哄，全成了蝦兵蟹將、龜卒鯊帥。大家唱唱鬧鬧，把戰船當成了遊舫。守備又吸了一口菸，整個人全沉浸在飄飄欲仙的世界裡，自覺自己就是東海龍王，再也管不了其他事情。這時，水底下湧起了一個巨大的氣泡，船身硬是被抬高了起來，船身嚴重晃了一下，燈火差點熄滅。

「怎地？」守備兩眼渙散，視線游移。

舟師們圍到欄杆邊，大家看見水面冒出許多細小氣泡，眾人驚慌害怕。

「這些是什麼？」委外把總看著那些氣泡，身體打了個哆嗦：「難不成是李哪吒真的鬧了東海水晶宮，底下水族打起架來？」

遠遠地，澄字艦的官兵就見統巡的戰艦，朝小琉球這個方向駛來，委外把總奔入艙內嚷著：「大人！不好了，我看見『王命旗艦』了。」

另一個士兵說道：「這海水地下有古怪，水面都是泡泡，還請守備大人拿定主意，咱們還是先駛到安全的地方避避風頭。」

守備一聽，立刻從迷濛之中驚醒。此時水下又湧出一個大氣泡，守備站起身子，立刻又跌坐下來。眾人就在這極短的時間裡，全都失去了意識。倏地空氣中發生閃燃，整個海面燃燒了起來。澄字艦上的官兵連叫救命的機會都沒有，全都葬身在這片火海之中。

「那是什麼！」統巡艦緩緩駛到小琉球外海，原本空氣中沁涼的海風，立刻轉變為熊熊的熱風。總兵遠遠就見到這片水上大火，他指著海上的火焰：「海水冒出火焰？今古奇觀！副將可知這是什麼？」

「小職不知。」謝恩詔在台灣巡洋兩年來，未曾見過這景象：「水火不相容，今日水底冒火，可真是天有異相啊！小職知悉噶瑪蘭廳外海有座龜嶼，會噴磺煙。不知這水底是否也有磺口？」

那團大火，吞噬澄字號戰艦後，又把小琉球周邊的黑夜照得像白晝一般，總兵立刻要求旗艦停下來，船帆轉了方向，不敢再靠近一步。眾人在甲板上癡望這副景象，知道澄字號遭此厄運後，全張大了嘴，一句話都說不出來。

眾人都不知道，小琉球外海底下，是一片巨大的泥火山群，幾千年來都不斷地噴發著。這一日水底大爆發，湧出了許多可燃性氣體，碰到了船艦上的明火，使得海面燃燒起來。這個烈焰燃燒了十幾日仍未止息，西南風把熱氣吹向陸地，焚風把鳳山一帶的農作物全給吹熟了、燻焦了，連續幾日祝融肆虐，眾人又驚又懼，人心惶惶，全不知該如何是好。

過了幾天，一個穿錦繡羅綢的婦人，在藥王廟裡討了張藥籤，一頭就鑽進「古井藥局」裡，她嘴裡嚷著：「你們這兒誰坐堂？」

「噯！」李鹹轉過身子，他頭戴瓜皮小帽，穿白玉羅綢，一條辮子垂在身後，臉蛋像燙熟的白麵兒，面如冠玉，脣若抹硃，眉清目朗，不像抓藥的師傅，倒像白面書郎。

「唷！你們藥局可都派掉書袋的崽子在這兒站櫃？」那婦人說：「我這藥王廟的籤子，你可會配藥方啊？」

「當然！」李鹹看了籤子：「金英、淮七：活血散瘀、補益肝脾之藥……」

「我聽說外頭常說，古井藥局現在當家的，是一個叫『洪氾』，掌領港郊勢力的大漢子，不知他可在這局裡坐堂。」那個婦人嚷著。

「真不好意思，我伯父今天在公館裡，古井藥局乃我家伯母坐堂，改日再請伯父與大娘過聲招呼。」李鹹說著。

「這樣啊！」那婦人有些失望，嘴裡嚷著：「人都說你們家的洪汜是正人君子，我倒想看看他的模樣。」

李鹹嘴角露出笑容：「我們家洪伯伯正是這模樣，若是洪伯伯來藥局，我會跟他提及大娘的姓名。」

那個婦人繼續說：「我見你們這藥局挺大，不知可有賣牛黃、犀角、鬱金、麝香、黃連、珍珠等物……」

李鹹一聽，便知這是「安宮牛黃丸」的處方，便對那婦人說：「大娘家可有誰身體微恙？需要這些名貴藥材。」

「我聽京城來的那些大官人，都在談論這味藥。我想自己配一帖，有病治病、無病補身。」那個婦人說著：「我這每晚夜裡都失眠，難受啊！」

「萬萬使不得，這藥可是小兒驚厥的方劑，不適合大娘您服用。我們這古井藥局自開局以來，便守著不給病人隨便亂開藥方的信念，大娘可莫無病吃藥，自討苦吃。」李鹹拍拍胸脯說：「我來幫您抓適合您的藥。」

「唷！果然是個掉書袋，在這兒無病呻吟地，可這麼教訓起客人來。我以前都在兩條街外的『百劑堂』抓藥，我想買什麼，他們就要賣我什麼，站櫃的不和客人爭嘴，我這使個孔方圓兒，你們就多長出兩條腿。要不是這幾天鳳山起了怪風，把一些下淡水才有的草藥給吹熟了，讓他們欠了幾味貨，我才懶得來你們這麼大間的古井藥局抓藥。我看是你們嫌我身上銀子不夠多，才全謅些話騙我。」那個婦人怒氣上來，一口氣把話說完。

李鹹臉上依舊笑嘻嘻地，沒有生氣的意思：「這牛黃藥材我們古井藥局有，即便大娘您身上銀兩足夠，您無病無痛的，敝局亦不會賣藥給您。」

他指著藥櫥上頭一排，古井藥局可是府城最大的藥鋪，這些藥材怎麼可能沒有，諸如牛黃、人參、猴棗、三七、天麻、虎骨、犀角、狗寶、海龍等藥材，形形色色、琳琅滿目。

所謂「牛黃」，是指病牛的膽結石。使用動物的結石，來做藥材，在中醫方劑裡是很高級的一味，像「猴棗」是猴子內臟的結石；「狗寶」是狗胃裡的結石。這些藥材取得不易，而且非常昂貴，但古井藥局認為，如無治病的必要，絕對不會隨便使用這些藥材。不像其他藥局，配藥的夥計天花亂墜，隨意兜售複方，只為了訛掏病患錦囊裡的銀子。洪氾經營古井藥局至今，始終維持一個信念，那就是「對症下藥、中病即止」。

那個婦人從衣服裡拿出一小包藥材，打開裡頭一看，裡面包了一片阿膠、一塊血竭：「啐！你瞧這阿膠、血竭，是『百劑堂』賣給我的，我這每旬就熬一回暖血湯，補補身體……」

「使不得！這阿膠是止血、補血的藥；血竭是活血、止創的藥，兩藥皆有相似之處，也有不同之處，不應混用。」李鹹聽她這樣一說，大驚失色。仔細端詳了她的面相，李鹹繼續說：「五色命臟，青為肝、赤為心、白為肺、黃為脾、黑為腎。色者，青黑赤白黃，皆端滿有別鄉。察其沉浮、知其深淺；觀其澤夭，以論成敗；檢視散摶，論其遠近；視色上下，知其病處。大娘的臉色紅潤，這心臟恐怕有些問題，所謂焦心思勞、必大憂愁矣。」

「看你這掉書袋還有幾分文明，怎麼現在便詛咒別人生病了！」那個婦人氣得臉紅脖子粗。狠狠地把阿膠和血竭擱在櫃台上：「你看清楚了，這可都是高檔藥材，沒使幾個銀子你還吃不到哩！」

李鹹立刻注意到那塊阿膠，他伸手拿起看一看、聞一聞：「阿膠當以黃透如琥珀色、光如鑿漆者為真。大娘拿的這片，氣微腥，質地硬，這分明就是『牛皮膠』，是假貨。」

那個婦人一聽，心頭驚悸了一下：「胡說八道，我這買了『真驢皮』，你跟我東拉西扯，謅這是『假牛皮』。你說『百劑堂』賣我的阿膠是假貨，是何居心？我看你才是郎中賣藥，自抬身價。」

李鹹又看了那片血竭，他板了一小塊，那個大娘不明就裡：「你這是幹啥？」

「大娘您先別急，我就幫您做個驗。這藥材是不是真的，等會兒您眼見為憑。」李鹹說完，用研缽把百劑堂的血竭磨成粉，最後把粉末撒在白紙上，紙下取出一個小火燈慢烤，不到一會兒，一股樹脂燒焦的味道便散發出來：「血竭滲入紙內為黑，滲開深紅如血，乃為佳品；此物烤後成灰黑，內有雜質，分明就是『松香』，不是『血竭』。」

那個婦人一見紙上粉末，果然如李鹹所說，知道這血竭是假，一時氣急攻心，身體抽搐了一下，便倒在地上不省人事。蕭嬌正好在內廂裡坐堂，一聽外頭鬧哄哄，立刻衝了出來。

眾人給那婦人鬆開衣領，揉壓手腳。蕭嬌見狀，問了原委，便知病因，叫夥計把櫥子裡的火針拿來，再將剛剛櫃台上的小火燈取來，細針在火焰上慢烤至通紅後，叫人撐扶住那個女子，撩起她的衣服，依序扎入環跳、陽陵泉、曲池、合谷、風池、承扶、風市等處，接著拔出火針。藥局夥計見蕭嬌滿頭大汗，拿了帕子替她拭汗，蕭嬌的手沒停下來，另外又準備了一排針，不用火烤，準備施針、不施灸。她依序扎向委中、崑崙、足三里、人中、十宣、湧泉等穴。過了一會兒，那個婦人赤紅的臉色慢慢退去，悠悠醒來。

「給她抓些桔梗、天冬、麥冬、人蔘、茯苓……」蕭嬌說：「這些都是補身體的藥材，讓她好好調理身體。」

夕陽西下，李鰄獨坐在古井藥局外頭。洪氿走了過來，聲音輕柔地說：「鰄兒今天在古井藥局裡的事，你伯母都與我說清楚了。」

李鰄垂頭喪氣地，好像做錯了什麼事情一樣：「洪伯伯，你說我們身為一個醫者，是該跟病人說『實話』好呢？還是講『謊話』好？」

洪氿也看著夕陽，嘴裡說著：「這的確是個兩難的抉擇！說實話，傷害了別人；說謊話，傷害了自己。如果說話也是一種『藥』，你就會知道何時該說什麼話，下什麼藥。每個人體質不同，適不同藥；每個人情性不同，耳根子喜好聽不同話。話之虛實，當如藥之療效。」

「難道說實話，就會傷害人嗎？」李鰄望著他。

洪氿看著他，知道他還在學習，還未經歷人生的大風大浪，不知箇中滋味，便說：「這樣說吧！如果今天是李鰄姪兒在藥局裡坐堂，你會給那個婦人開什麼藥方子？」

「此人精神受擾、精神抑鬱。我會用黃連、蓮翹心、山梔子、淡竹葉這幾味，組成『瀉心湯』。」李鹹滔滔不絕地說著。

「不！我不會用這個方子，要是我，會用酸棗仁、麥冬、龍眼肉、當歸組成『補心湯』！」洪氾嘴角微微笑著。

此時李鹹睜大了眼睛，「補心湯」與「瀉心湯」是兩種不同的藥方，李鹹聽洪伯伯用這藥方，自知他乃認定那婦人體質為虛，而非實。洪氾看著李鹹的模樣，神情面貌，猶如鷹隼。眉宇之間充滿一股英雄的豪氣，洪氾感覺他有幾分李羽的影子在裡頭，洪氾知道李鹹天資聰穎，便把這道理一次說分明：「此人因『心陰虛』而罹病，故乃心煩多疑，晚上失眠、多夢，白晝因此到處求藥『養身』，殊不知這些都是求藥『養病』。百病之生，皆有虛實；其病之虛，源自於心。李鹹姪兒雖會觀其面相，知道主症在心，但施藥時，給的結果卻恰恰相反。鹹兒今日你見伯母施燔針，可知其中的奧義？」

「虛則補之，實則瀉之。」李鹹點點頭，回想蕭嬌的施針手法：「今日伯母對那患者是在她呼氣進針、吸氣時退針，先淺後深、少捻轉，重插輕提，退針後揉按針孔，使用的是『補針法』。」

「那好，你伯母最後開的是什麼藥方？」洪氾問。

「桔梗、天冬……」李鹹忽然驚叫出聲：「我知道了，是『天王補心丹』藥方，用的自然是補法。伯母使的方法與伯父剛剛說的如出一轍。」

「很好！很好！你知道你伯母如何探得病患虛實？」洪氾問。

李鹹搖搖頭，洪氾繼續說：「所謂太陰之人，狀黮黮然而色黑，其陰血濁、其衛氣澀，緩筋而厚皮，走路姿態腼然未僂。鹹兒稍加練習，多觀察幾次，你就可以辨認了。」洪氾忽然正色道：「既然這樣。回頭來說，你覺得你和那個病婦談論假貨藥材這件事，你是該說實話，還是應該執虛語？」

李鹹想了一下：「或許我說的話要更加婉轉，她便不會那樣氣急攻心了！」

「是啊！這用藥與說話便是同一件事情，有時候說謊話，比說實話更需要勇氣，這『話』也是一種藥……謊話若是『補藥』，那實話便是『瀉藥』了。這便是實則瀉之、虛則補之的道理，這夫人應該吃『補』，而你卻用『瀉』，恐適得其反……」洪氾說到一半，似乎一口氣鯁在喉頭，眼前似乎穿越了時空，來到李羽過世不久的時候。

孤獨的身影依靠窗前，蕭奴獨攬著琵琶，在夕陽下獨自彈唱〈胡笳十八拍〉，蕭奴唱到：「天無涯兮地無邊，我心愁兮亦復然。人生倏忽兮如白駒之過隙，然不得歡樂兮當我之盛年……」

洪氾眼前同一片夕陽，光影由紅轉紫，愈聽心底愈悲涼，自從女兒洪茶夭折之後，他再也未得一子半女。如今李羽去世已逾三年，這三年來，他始終把李鹹、李甜看作自己的孩子般呵護。外頭傳言沸沸湯湯，說李鹹若是順治帝，那洪氾便是多爾袞；李鹹若是康熙帝，洪氾就是鰲拜。歷史可鑑，凡是大權所攬的攝政王，下場都很悽慘。今日不管外頭流言蜚語如何，聽蕭奴這樣唱，豈不在他傷口上抹鹽：「主母自比蔡文姬，那我豈不是成了匈奴王？」

蕭奴聽他這麼一說，立刻止住了聲音：「家長切莫多想，我只是隨口唱唱曲子，沒有其他心意！」

洪氾說著：「拿寶傘的，終究敵不過拿寶劍。妳這心底那個『呂洞賓』已遠矣，但我終究只不過是這裡頭的『鐵拐李』。」

「家長這樣說，可不在折騰我嗎？」蕭奴表情難堪：「這裡頭的不快活，不舒坦你我可都甭提了。」

「我心底有句實話，不知道能不能說出口！」洪氾說著。

蕭奴知道他要說什麼，心頭紛亂，嘴脣發白，就像是受到驚嚇的小鹿，一時叫嚷出口：「我不許你說！」

洪氾聽她這樣一叫嚷，就像是被人家澆了一盆冷水，整個心都糾結在一起，他苦笑著：「主母不許我說，我就不說。有時候說謊話，比說實話更需要勇氣，這『話』，也是一種藥啊……」

「我不許你說，說出來的話，是治不了任何病的。那話兒對你而言是『藥』；對我來說是『毒』……」

此時蕭奴再克制不住自己的情緒，兩行清淚，如梨花帶雨：「我不許你說出口。」

洪氾輕輕地嘆了一口氣：「罷了！罷了！妳是主，我是僕。是我踰越了規矩，還請主母見諒。」

這日太陽西下，小琉球的大火仍未熄滅，把府城西南方的天空照得如白晝一般明亮，林朝英在書齋裡寫字，他擅長畫細竹、荷花、梅花與芭蕉，自創竹葉體，更是人間一絕。他正要書寫「天地交泰、觀仰宇宙」八個字。才剛寫完了「天」，正要下「地」字的第一筆，忽然四處響吠起百狗的叫聲，一陣急烈的地震來襲，油燈頓時熄滅。林朝英神情緊繃，放下手中的毛筆，站在桌前不敢輕舉妄動。

不一會兒，地震便停了。家僕提著燈籠奪進元美號的書齋中：「主子！主子，您有沒有受傷？」

「我無恙！」林朝英說著：「是地震啊！今年年初滬尾落雪，府城大旱。前些日子東港小琉球又發火，北方水多、南方火旺，大家都說台灣地氣因此不勻，北重而南輕……」

林朝英話還未說完，地震緊接著又來襲。這次地震極為強大，震度較剛剛的前震更加劇烈，林朝英險些站不住腳。林朝英臉色大變，嘴裡喊著：「所有人快往屋外躲！」

林朝英奪出元美號，地震也終於停了下來。但眼前的景象，讓人不敢置信，眼前所見之處，頓時自人間，轉變成煉獄模樣。暗夜裡，遠方不知什麼屋子正在燃燒著，西南方是小琉球的大火，把府城天空照得紅通通，到處可見府城裡飛揚的塵土，空氣中盡是泥土味、燒灼味。耳朵裡似乎還能聽見狗的狂吠聲，人的哀號聲。

「主子您瞧！」家僕指著西南方。

林朝英發現，西南邊的火光逐漸轉弱，天空慢慢地黯淡了下來：「難不成小琉球出火已經慢慢熄滅？」

洪氾在一陣天搖地動後驚醒，立刻張羅眾人巡視產業。外頭消息凌亂，一會兒有夥計報哪個倉庫倒塌，壓死多少工人，一會兒又有長工說哪個庫房大火，燒掉多少房舍。李鹹匆匆忙忙來到洪氾的面前，大聲嚷到：「洪伯伯，我剛剛到母親的房間去問安，不見她在臥房內，不知是不是獨自夜遊。現在外頭紛亂，我心底七上八下、忐忑不安，擔心她會有什麼意外！」

洪氾一聽，大驚失色，嘴裡嚷道：「叫所有人打亮燈籠，到外頭尋找主母去。」

李勝興家長這一吆喝，所有人都動了起來，不一會兒便招來八、九十個家丁，人手一只燈籠。洪汜替李鹹、李甜各披上一件薄薄的綢衣，蕭嬌見狀，提了藥箱子跟隨在他身邊。洪汜才一出李勝興沒多遠，便見到一幢房舍倒塌，眾人擁到倒塌處一看，一個少年壓在瓦礫之下不斷呻吟著。洪汜上前一看，知道那少年的左手掌已經被壓爛，不得不截肢，他向蕭嬌示了意，蕭嬌立刻上前，在他的印堂、神門、合谷、大陵、內關等處施針，完成後洪汜令眾人將少年自廢墟中救出來。那少年的呻吟聲愈來愈弱，緊接著蕭嬌又在他曲池、四瀆、列缺、通里、後谿等處扎針。洪汜找來一把大刀，在火燭上燒烤消毒，洪汜見蕭嬌施針催眠奏效，便動手斬斷了他的左手掌。那少年閉著眼，猶如睡去，一點也沒有痛苦的感覺。洪汜交代夥計如何包紮傷口，如何抹藥，又叫眾人將少年抬至古井藥局，就近照料他。

此時，一名李勝興的夥計跑來，嘴裡喊著：「不好了！不好了！主母在蘇萬利大庭園前，給矮牆壓傷了……」

洪汜一聽，表情凝重，立刻站起身子，帶著眾人往蘇萬利的庭園而去。蘇萬利庭園位於東安門附近，此園與林朝英的一峰亭、官署的寓望園齊名。蕭奴這天睡不著，想起以往和李羽相處的美好時光，那些掬不到、搆不著的過去，就像是銀河裡遙遠的星辰，想起來便是無止盡的情殤，她披上薄衣，在大街上漫無目的地走著，不知怎地，便走到這裡來，正當她在矮牆前徘徊時，發生了這兩場大地震，一時逃生不及，就被倒下的矮牆給活活壓住了。

發現主母被矮牆壓傷的李勝興夥計們，趕緊徒手搬挖石塊。回頭通報洪汜的夥計，也正好把大家帶到現場。洪汜立刻上前探視，蕭奴神智還很清醒，洪汜看了看她被壓住的下肢，幾乎已被壓扁砸爛了，眼淚忍不住流了下來：「主母遭此厄運，我看了不忍，我的心就像被人一片一片地剮下來一般。」

洪氾站起身子，望了一眼蕭嬌，示意要她動手。蕭嬌早已成了淚人兒。只見蕭奴在地上哭求著：

「我不要截肢，我寧願死！我寧願死！」

李甜在一旁哭泣，李鹹知道截肢已經勢在必行，伸手從錦囊裡拿出了一枚餞物，輕輕地放到母親的嘴裡：「這是古井藥局的『李鹹兒』，把它含在嘴裡，滿口都是甜味，就不苦了。」

蕭奴點點頭，母子三人淚眼對望。洪氾擔心拖過時辰，主母性命恐怕凶多吉少，立刻對蕭嬌說：「快對主母施催眠針！」

蕭嬌走上前，和姊姊對望一眼。從小到大，姊妹情深，蕭奴輕輕地搖一搖頭，蕭嬌心靈神會，默默地點一點頭：「姊姊不要怕，忍一下就過去了！」

蕭嬌拿出針，蹲下身子，這第一針扎向百會；第二針扎向尾閭。洪氾一見，大叫出口：「妳這是幹什麼！」

蕭奴不吭一聲地死去，表情沒有痛苦、糾結，只有滿面的微笑。蕭嬌嘴角輕輕地抽動，眼淚如山澗般流淌下來，蕭嬌握緊插在姊姊身上的那根針，嘴裡吟唱三十六死穴歌：「百會倒在地，尾閭不還鄉；章門被擊中，十人九人亡；太陽和啞門，必然見閻王；斷脊無接骨，膝下急亡身……」

「妳為什麼給她扎死穴？為什麼？」洪氾發狂發癲，握住拳頭便往倒塌的殘牆上猛打。

「良人不知道嗎？姊姊能和羽哥哥相見，現在嘴角笑得可甜了……」蕭嬌說。

李邦聽聞妹妹被蘇萬利的矮牆壓住，急急忙忙趕了過來，卻連蕭奴最後一面都見不了，不禁淚涕橫流。李鹹、李甜不知這事情會來得如此突然，兩人伏在母親的屍身上大哭：「母親不要丟下鹹兒、甜兒啊！我們兩人往後何去何從？」

眾人聽後，莫不鼻酸。

這場地震來得太突然，北至嘉義、南到鳳山，皆有災情。死傷太多人，連官衙一時也不知如何辦理。林朝英知道李勝興遭逢災厄，特地前往弔唁。

李勝興上上下下一片低氣壓，地震在台灣並非什麼新鮮事，綜觀歷史這幾年，嘉義、府城、打狗每隔幾年，便發生一次大地震。這次的地震甚大，鳳山分號的夥計，說著那裡聽來的故事：加藤港發生大海嘯，海水暴吼如雷，巨湧排空，水漲數十丈，近村人居皆被水淹，眾人攀樹求生，唯有一婦遭海水捲走，大家都謠傳，此婦人就是平時不孝，方遭此劫。

還有夥計從梅子坑收租，返回府城，講述那裡發生的故事：兩山有一條小徑，採樵人及販炭、鬻果實者，都必須經由此徑行走。一樵者先行，地忽裂，樵者墜其中，地旋復合，已成天葬矣。另外有一李勝興的夥計，至嘉義索討貨帳，準備回郡，行裝畢具，主人情重，奉豬腰湯，未及食、地忽震。人被壓焉，眾人立刻徒手搬運倒牆，然夥計乃已氣絕，面目及身，扁若蒸餅。

連續幾天的餘震，也造成府城內一些災情：天后宮的圓光門倒塌，把鼓吹手壓成扁魚；六甲庄的農田園地高者崩裂，低者湧出瘠滷黑沙，農民無力復墾。

林朝英在靈堂上念起祭文，空氣頓時凝結成冰，氣氛倍感肅穆哀榮。

林朝英摸摸李鹹的頭：「鹹兒可要珍重！」

「多謝先生！弟子會保重自己的身體。」李鹹代表喪家，謝過林朝英。

自從蕭奴往生後，洪氾內心已沒有躊躇，或許蕭奴的死，反而讓洪氾完完全全地解脫。古井藥局在地震後，敞開大門為傷者醫病，連日免費發送田七、散瘀草、淮山藥、穿山龍與老鸛草所組成的「百寶丹」，用於治療創傷出血症。蕭嬌在古井藥局裡坐堂數日，許多人得了怪疾，有人好幾夜失眠，蕭嬌便在合谷、神門、大陵、內關、三陰交等處施針；亦有人每日抑鬱寡歡，她便在足三里、三陰交、神門、心俞等處施針；若是因創傷積鬱，導致精神癲狂者，再補間使、脾俞、腎俞等穴，這幾天這樣下來，也幫了不少人。

林朝英後來赴京任職，將元美號頂讓給石時榮，石時榮為了感謝林朝英的提拔，遂將元美號改為「鼎美號」，取「鼎承元美」之意。石老闆為人豪爽乾脆，很快就受到眾商推薦，擔任了三益堂的董事。

往後三郊這五十年，變化頗快。洪氾、蕭嬌相繼過世，李甜嫁給了鼎美號石老闆的後人，最後蓋了一幢漂亮的房舍，人稱「石鼎美」公館，李甜畢生過得幸福又美滿。

李鹹生了四個兒子，之後李勝興便各分了四記，行號取其木牌上的「尤為公重」四字：李銜薪接「尤記」，握糖業；李銜火接「為記」，掌糕餅；李銜相接「公記」，營香鋪；李銜傳接「重記」，販雜貨。

蘇萬利的李邦，也在之後的二十年裡過世了，他最後雖然已有妻妾，但始終無法生得一子。身後蘇萬利財產，全都歸分於二哥蕭國的後人所有。蕭國大哥最後生了三子兩女，兩個女兒又招贅女婿。

最後蘇萬利一分為五：繼承的商號以蘇萬利的「萬」這個字，再疊「家業傳百年」這五個字為區隔：萬家號、萬業號、萬傳號、萬百號、萬年號各領風騷，五號從此猶如船行於大海，隨大浪而起，隨大潮而落。

日升日落、滄海桑田。到了道光年間，鴉片戰爭開始前，李勝興就僅剩李銜薪的尤記，與李銜傳的重記，最後兩商再合併為「尤重行」，期間任了五、六年水仙宮三益堂的爐主，再領港郊數十年；金永順稍後改名為「永順行」，仍為南郊領首；蘇萬利則剩「萬年號」尚具規模，最後由萬年號完全取代蘇萬利其他四號，成了北郊的領首。

三益堂的霸主之證：紅珊瑚，幾經流轉，最後終於又回到李勝興的後人，「尤重行」的李三泰手中：新的頭家，也就是李銜傳的大兒子李三泰，在三益堂上，笑吟吟地收下了紅珊瑚，眾人起身恭賀，就盼望這新的三益堂霸主，能再帶領各路商賈進入一個全新的時代。

李三泰前些日子收了義子，自己和父親李銜傳、太公李鹹一樣，喜歡繪畫與書法。眾人拱出了永順行的林老闆，在三益堂上班門弄斧，在李三泰這個關公面前耍個大刀，林老闆不好意思地說：「李老闆可是個大書家：執筆、用筆、點畫、結構、分布……哪一個技藝不是在我之上？」

「林老闆不用自謙，我曾見過林老闆的大字，可與晉代書法家王羲之的〈快雪時晴帖〉相抗衡啊！若是乾隆先帝尚在，林老闆的佳作，早就收入三希堂裡放著了！」李三泰說著。

「我這字體寫得太工整，就像官府裡的高文大冊，哪能進什麼三希堂？能掛在三益堂外就已是萬幸了！」林老闆拿起筆，說說笑笑準備揮毫，他看了看喜孜孜的李三泰，順手就在紅紙上寫下一副聯，上聯是「三郊各顯神通」；下聯為「泰公獨占鰲頭」。

大家看了這副上下聯，都很喜歡，今天正好是李三泰稱霸三益堂的大日子，李三泰心中喜悅。眾商又吹又捧，把李三泰拱到了天上去，李三泰拗不過眾人盛情，乃說：「今日就應了林老闆的意思，把這對聯高懸在我們三益堂外以茲紀念，大家說好不好？」

眾商吆喝與掌聲不絕於耳，李三泰便命下人們，等會兒在對聯背面塗了些糨糊，準備高掛在三益堂正面大門外。這時，外頭吹起了一陣狂風，把走出三益堂準備貼聯子的下人們，吹得東倒西歪，拿陶碗裝糨糊的人一失手，陶碗跌落地上，糨糊纏了一地。另一頭，「泰公獨占鰲頭」那一聯，從拿著的人手上飛了出去，紅紙飛過矮牆，從此 去不復返。剛剛負責拿陶碗裝糨糊的下人，望著消失在眼前的紅紙，失落地說：「聯子怎地飛走了？」

這外頭狂風為祟，差點就把三益堂邊門的門板吹掀開來，天空雷電交加，李三泰走出三益堂，望著天空：「剛剛還是個大晴天，怎地老天爺說翻臉就翻臉。」

林老闆也走了出來：「這可不人說的蜘蛛爬竹篙，君子行更直的『驚蟄』嗎？雷鳴動，百蟲振而飛出。這乃豐年的禎祥，李老闆語氣裡還當它是危厄的凶兆？」

「噯！」李三泰嘆了口氣：「若是真如林老闆所說的這樣，那就好了。」

「這神農殿立春出的〈芒神春牛圖〉[47]裡，可也畫著牧童穿著鞋襪，表示今年雨水較少。李老闆若是擔心府城做大水，這可不又杞人憂天了嗎？」林老闆說著。

47 芒神春牛圖：傳統農業社會，原為提醒農民作息的圖鑑，後來用於占卜天氣。圖內所繪之牛為春牛；牧童為芒神，以其穿著預測雨旱。

國家圖書館出版品預行編目資料

水神 / 邱致清著.-- 初版. -- 台北市 : 麥田出版 : 家庭傳媒城邦分公司發行, 2016.01
冊； 公分. -- (麥田文學 ; 291-292)
ISBN 978-986-344-314-8 (上冊 : 平裝). --
ISBN 978-986-344-315-5 (下冊 : 平裝). --
ISBN 978-986-344-316-2 (全套 : 平裝)

857.7　　105000361

麥田文學 291

水神（上冊）

作　　者　邱致清
責任編輯　張桓瑋

國際版權　吳玲緯
行　　銷　艾青荷　蘇莞婷
業　　務　李再星　陳玫潾　陳美燕　枏幸君
副總編輯　林秀梅
副總經理　陳瀅如
編輯總監　劉麗真
總 經 理　陳逸瑛
發 行 人　涂玉雲

出　　版　麥田出版
城邦文化事業股份有限公司
104台北市中山區民生東路二段141號5樓
電話：（886）2-2500-7696 傳真：（886）2-2500-1966、2500-1967
E-mail：bwps.service@cite.com.tw
發　　行　英屬蓋曼群島商家庭傳媒股份有限公司城邦分公司
104台北市中山區民生東路二段141號2樓
書虫客服服務專線：(886)2-2500-7718；2500-7719
24小時傳真服務：(886)2-2500-1990；2500-1991
服務時間：週一至週五09:30-12:00；13:30-17:00
郵撥帳號：19863813　戶名：書虫股份有限公司
讀者服務信箱E-mail：service@readingclub.com.tw
歡迎光臨城邦讀書花園　網址：www.cite.com.tw
麥田部落格：http://blog.pixnet.net/ryefield

香港發行所　城邦（香港）出版集團有限公司
香港灣仔駱克道193號東超商業中心1樓
電話：(852)2508-6231　傳真：(852)2578-9337
E-mail：hkcite@biznetvigator.com

馬新發行所　城邦(馬新)出版集團【Cite(M)Sdn. Bhd】
41, Jalan Radin Anum, Bandar Baru Sri Petaling,
57000 Kuala Lumpur, Malaysia.
電話：(603)9057-8822　傳真：(603)9057-6622
E-mail:cite@cite.com.my

設　　計　馮議徹
電腦排版　宸遠彩藝有限公司
印　　刷　沐春行銷創意限公司

初版一刷　2016年1月26日

定價／400元
ISBN：978-986-344-314-8